ROBERT BOEHRINGER

MEIN BILD VON STEFAN GEORGE

TEXT

BEI HELMUT KÜPPER VORMALS GEORG BONDI

INHALT

Dieses Buch hat viel Förderung von Freunden erfahren, von lebenden und nun toten. Zum Bild von Stefan George, ihnen so teuer wie mir, haben sie willig beigetragen, was ihnen im Gedächtnis geblieben ist, Gebärde und Wort. Dafür danke ich von Herzen.

Diese Gebärden und Worte hab ich in mein Tuch hineingewoben, und es doch nicht »DAS Bild von Stefan George« nennen dürfen. Mit allem Bemühen, schlicht zu sagen, was war und ist, konnte ich dennoch nicht Jedem genügen und am wenigsten dem Dichter selbst.

Seit seinem Tode hab ich fast jeden Einzelnen, der mit ihm sein durfte, gebeten, den grossen Schatten nachzuzeichnen, damit auch in solchen Umrissen etwas von seinem Wesen sichtbar bleibe. Darum bitte ich noch.

Minusio am 4. Dezember 1950   Robert Boehringer

Lang ist gang in gleicher spur:
Was ihr denkt und lernt und schafft...
Doch des götterrings verhaft
Dauert Einen sommer nur!

Drei Jahre lang hatte ich fast nur Gedichte von Stefan George gelesen. leise und laut, und meine Mitmenschen ungeduldig damit gemacht, als ich am 1. April 1905 abends heimkam in unser altes Basler Haus und mein Bruder mich empfing mit den Worten: »Stefan George ist hier gewesen, Du sollst nach dem Nachtessen zu Rudolf Burckhardt kommen oder in die Kunsthalle.« Das war ja nicht möglich! Stefan George ging nicht zu einem Haus und zog da die Glocke, um einen unbekannten, zwanzigjährigen Studenten aufzusuchen; er besuchte überhaupt niemanden. Aber mein Bruder beharrte: »Er ist da gewesen, und er hat ein Paar Handschuhe in der Hand gehabt.«
Ich ging hin. Sie waren noch beim Nachtessen, und er bestellte sich dazu, mit einem lächelnden Seitenblick auf mich, ein Glas Bier. Nachher gingen wir in die Elisabethenstrasse zu Rudolf Burckhardt (T 106), der an den Dichter geschrieben hatte, weil ich immer wieder von ihm sprach, und in Burckhardts Wohnung sagte George, man habe ihm erzählt, dass ich seine Gedichte schön läse, ob ich etwas lesen wolle. Ich sagte auswendig das Vorspiel zum Teppich her. Alles was ich war, was ich zu sein wünschte, legte ich in dieses Hersagen. Er schien zufrieden, meinte aber, an ein paar Stellen hätte ich ihn verbessert.
Die zwei Männer führten noch Gespräche, und danach durfte ich ihn bis zum Hotel begleiten; am nächsten Tag, um 11 Uhr, sollte ich ihn abholen.
Das war dann ein Spaziergang ins Margarethengut, wo wir auf einer Bank plauderten. Davon weiss ich nur noch, dass er sagte, er lasse gern einen Zustand reifen, bis der nächste herausrolle.
An diesem Samstag fuhren wir nachmittags nach Rheinfelden. Er hatte gesagt, ich solle ein Buch mitbringen, und da gerade die »Zeitgenössischen Dichter« erschienen waren, nahm ich diese beiden Bände mit. Als wir im Gasthaus die Wirtschaft betraten – es war die Zeit der Zentenarfeier – hörte ich an einem Stammtisch sagen: »Der Herr sieht grad aus wie der Schiller.«

9

Ich erinnere mich, dass wir am Rhein spazieren gingen und über die alte holzgedeckte Brücke, die sie inzwischen abgerissen haben, und dass ich zu mir selber staunend sagte: Du gehst nun neben dem Dichter, wirklich mit dem Dichter. Am Abend las er aus den Übertragungen vor, Gedichte von Verwey und von Kloos und das schöne von Dowson »An Einen in Bedlam«.

Sein scheinbar eintöniges Lesen hielt die Mitte zwischen Sprechen und Gesang; es war ein Intonieren, das die Besonderheiten der Dichtung — Rhythmus, Zaesur, Klang und Reim — zu ihrem Recht kommen liess. Das Gedankliche, der sogenannte Sinn, sprach mit, verlautete aber nicht allein. Bild und Begriff, die beiden Naturen der Sprache, waren gebunden in der Form. Der grosse Ernst, mit dem der wunderbare Mann die Verse sagte, gab seinem Lesen die Bedeutung einer Litanei.

Hinzu kam die leibliche Erscheinung: Nie habe ich ein mächtigeres Haupt gesehen, und immer habe ich gedacht, sein Anblick allein sollte genügen, den Menschen zu zeigen, wer da bei ihnen war.

Das Haar war so stark und so voll, dass er von Zeit zu Zeit Büschel herausschneiden lassen musste, um es zu lichten. Diese Haarfülle liess das Haupt noch gewaltiger erscheinen, als es ohnehin schon war. Das einzelne Haar war fest — wie Rosshaar dachte ich übertreibend —, und das gesamte war wellig und überquellend; so üppig blieb es bis zu seinem Tode, nur die Farbe wechselte. Damals, im April 1905, hatte sich das erste Weiss ins Braun gemischt — Maximin war ein Jahr vorher gestorben — das nahm dann allmählich zu, bis er ergraut war; schliesslich wurde er ganz weiss.

Es ist so traurig, dass ich die Worte nicht finden kann, deutlich zu machen, wie er war, vielleicht geben die Bilder einen Abglanz davon.

Die sehr breite und sehr hohe, weit über die Augenhöhlen vorspringende Stirne mit Winkeln an den Seiten, wo die Schläfenflächen anstiessen, war wohl das Stärkste in diesem ungewöhnlichen Gesicht. Darum habe ich, als Walter Kempner mich eine von seinen einzigartigen Aufnahmen auslesen liess, die als Tafel 1 wiedergegebene erbeten. Sie lässt verstehen, dass der David-Dichter schrieb:

> Und welches willens klöppel hämmerte
> Die ungeheure glocke dieser stirn?

Lange, tiefe Querfalten durchfurchten die gebuckelte Vorderfläche, und nur manchmal zog Unwille Steilfalten über der Nasenwurzel zusammen. Von vorn war das Gesicht breit wie das eines Bauern; in den beiden Aufnahmen von Alexander Zschokke (T 148) tritt das deutlich hervor. Von der Seite wirkte es geistig und, durch die hohlen Wangen, beinah asketisch-streng. Die Augen lagen tief drinnen. Sie waren nicht

gross und, wenn ich mich recht erinnere, türkisfarben, manchmal hell
grünlich-grau, und in Augenblicken sogar blau blitzend. Sein Blick
hatte etwas Seltsames. Die Lider waren dunkelhäutig; das obere Lid
deckte den Augapfel etwas, auch wenn das Auge offen war. Es war dies
das kataleptische Augenlid des Jesajas an der sixtinischen Decke. »Mein
äusseres Auge sank, mein inneres ward erschlossen.« Darum musste
Homer blind sein und auch Teiresias. An den Schläfen lagen Schatten
auf dem hohlen Raum, dem unmusikalischen Loch, wie es bei Schiller
sichtbar ist. Darüber zog in den späteren Jahren die vorquellende Ader
(T 150) ein maeandrisches Ornament, das in der mattwächsernen Haut
bläulich schimmerte. Das Ohr zeigte eine wohlgeformte, grosse Muschel; einigen Menschen ist es durch seine besonders schöne Bildung
aufgefallen. Dass die Backenknochen sichtbar waren, kam durch die
Magerkeit des Gesichtes. Das Grabmal des Bernhard von Breidenbach
im Mainzer Dom hat mich manchmal an ihn erinnert, aber Georges
Gesicht war mächtiger, auch noch im Tode. Es gibt ein Buch mit Abbildungen hessischer Typen, darin findet sich auch der Kopf von Stefan George, und er passt hinein als der eines ländlichen Vertreters von
»stoff und stamm«. Sein Mund war weit gezogen, der Apollonsbogen
lang wie bei Baudelaire. Das machte ihn so grossartig und fein zugleich.
Wenn ein Lächeln um die Mundwinkel spielte, so lag darin Wissen,
Süsse, Diskretion, Sorgfalt und Nachsicht. Aber der gleiche Mund der
die zartesten Lieder gefunden hat, konnte auch schimpfen wie der
eines hessischen Bauern.
Seine Stimme war so reich wie sein Wesen, eher tief als hoch. Meistens
natürlich und kräftig, konnte sie doch ebenso leise und bewegt, wie laut
und angreifend werden; sie war der Modulation fähig, blieb aber
immer männlich ernst.
Das Kinn sprang kräftig vor; das ist auf den Bildern sichtbar, nicht
aber der Teint, der wie altes Elfenbein war. Diese merkwürdig hell-
olivatre Haut überspannte die Struktur des leidenschaftlichen Kopfes,
und das mag Mauclair dazu verführt haben, sich in der Wendung zu
vergreifen: »le poète allemand qui avait alors une tête macabre.«
Das innerliche Bild der Tafel 79 lässt noch am ehesten diesen Teint erkennen, der dem Gesicht etwas Mönchisches gab. Stefan George hat es
mir vor bald 50 Jahren gegeben, und seitdem steht es auf meinem Tisch.
Ernst Gundolf hielt es für die beste Aufnahme, was bemerkenswert ist,
weil sonst jeder die Photographie für die beste hielt, die er selbst besass. Eine cameriera, die dieses Bild in einer römischen Pension stehen
sah, sagte: »il padre del dottore mi pare un poeta.«
Die Dämonie des Kopfes enthüllte sich im Zusammensein mit Freunden; dann verriet sich die Spannung hinter der grossen Stirn, das be-

11

schattete Auge blitzte hervor, und ein nervöses Muskelspiel huschte über die Wangen.

Die Hände waren kräftig und meistens kühl; wenn er sie hängen liess, traten die Adern hervor. Ich erinnere mich aus dem ersten Jahr unserer Verbindung, dass er in meinem Zimmer auf einem schmalen Stuhl vor der Wand sass, aufrecht, und nachdachte, die linke Hand flach auf dem linken, die rechte flach auf dem rechten Oberschenkel; wie ein Priester, der beim Hochamt pausiert, sah er da aus und zugleich wie ein Bauer am Abend nach der Arbeit.

Auffallend war, und noch heute gibt es mir zu denken, dass er eigentlich immer älter wirkte, als seinen Jahren entsprach. Wohl weil er so viel umfassender und reifer war als Gleichaltrige. Auch ist er früh gealtert. Gewiss hat auch die Krankheit da mitgewirkt, die ihn gegen Ende des ersten Weltkriegs erfasste und doch wohl nie mehr ganz losgelassen hat. Ausserdem hat er aber seine Kräfte verbraucht, weil er mit solcher Leidenschaft erlebte, was in ihm und um ihn vorging:

Und so ihr euch verzehrt seid ihr voll lichts.

Er war so, dass er niemandem begegnete und keinem begegnen konnte, dessen Seele von gleicher Macht und Intensität gewesen wäre. Es war, als ob die Natur die besten Kräfte, in Einem Menschen vereinigt, habe zeigen wollen, und man konnte die widersprechendsten Dinge von ihm aussagen: dass er hart war und doch zart, ganz Wille und doch fähig zum Verzicht, fein und grob, bäurisch und weltmännisch, demütig und stolz, aber alle Eigenschaften wirkten als ein Ganzes, ohne Spaltung, und jede einzelne schien am besten durch ihn vertreten. Also von allen Weltleuten oder Dichtern oder Bauern oder Geistigen, die im Raume gewesen wären, wäre er unbestreitbar der Erste gewesen.

Dies wird etwa sichtbar in der Gruppe auf Tafel 65; da zeigt sich Wolfskehl als homme de lettres, Schuler besessen, Klages missmutig und Verwey in seiner ganzen Verlässlichkeit. Dann aber ragt hinein in diese Gruppe sterblicher Menschen das wahrhaft königliche Haupt eines Unsterblichen, dessen Blick und Züge stumm besagen:

Doch wir sind Geister anderer Region.

Auch auf den kleinen vergilbten Aufnahmen von Tilff (T 35), wo Gérardy, Edmond Rassenfosse und Léon Paschal mit ihm zusammen sind, erscheint er wie ein Prinz unter Personen des dritten Standes. Vom Gesicht ist kaum etwas zu sehen, aber schon allein die Haltung, die Bewegung hebt ihn hinaus über die anderen.

Als ich ihn kennen lernte, und auch nachher noch Jahre lang, benützte er, aber nur wenn er gerade in der Ferne etwas lesen wollte, ein Monokel: »auf einem Auge bin ich blind«; er liebte es, die Dinge drastisch auszudrücken. Es war aber nicht ein gewölbtes Glas sondern ein flaches, das unter dem riesigen Vorbau des Augenbogens überraschend aussah. Er hatte etwas eminent Weltmännisches (T 145) und das, was die Italiener disinvoltura nennen. Als ich ihn zum ersten Mal sah, hatte er eine dunkle Weste an, in welche unregelmässig blau-grüne Zickzack-Ornamente hineingestickt waren. Um den Hals trug er damals noch die schwarze, gedrehte Schnur, die auf der Brust von einem Profil zusammengehalten war. Stöving hatte es in flachem Goldrelief nach dem Kopfe Maximins stilisiert. Der hochgeschlossene Rock mit dem aufsteigenden Kragen, von dem Verwey sagt, Derleth habe sich zuerst so getragen, war aus schwarzem Tuch. Mit der Kravatte brachte er damals noch etwas Farbiges in seinen Anzug. Es wirkte besonders festlich, wenn sie weiss war. In jener Zeit trug er die Kravatte durchgeschlungen zwischen Hemd und angeknöpftem Kragen als Bausch in der Mitte, wie es etliche Bilder zeigen. Wie Andere, so ahmte auch ich das nach. Während meiner kurzen Bekanntschaft mit Rudolf Borchardt, der, etwa 1906/7, sich einige Monate in Basel aufhielt, bezeichnete Borchardt diese Art, die Kravatte zu binden, als unorganisch, weil die Kravatte das Hemd zusammenhalte und deshalb um den Hals geschlungen werden müsse. Diesen Einwand brachte ich später einmal vor, worauf George, ärgerlich über die berechtigte Kritik, mich anfuhr: »das hat Dir ein Snob gesagt.«

Sonst habe ich seine Kleidung nicht angenommen; manche haben es getan, einige nicht, ebenso die Schrift. Mir scheint es nicht von solcher Bedeutung. Die Nachfolge eines grossen Menschen ist möglich auch ohne Gewand. Es ist aber verständlich, dass Einer bekennen will durch Kutte, Tuch und Haltung. Später galt all dies weniger bei ihm. Die jungen Leute trugen sich, wie er sich – früher getragen hatte. Im Haus ging er nun in einer hellen Wollweste.

Eine altertümliche goldene Armkette legte er später ab; auch das Siegel, das einen Sankt Georg darstellte, habe ich nachher nicht mehr gesehen: er hat es in der Tasche getragen und dann verloren. Aber den Ring mit dem Diamanten trug er bis zuletzt; man sieht ihn auf der ersten Tafel.

Wie er von der Lechter'schen Ausstattung seiner Bücher zurückkehrte zum höheren Anspruch der Drucklegung ohne Verzierung – seine ersten Privatdrucke von Hymnen, Pilgerfahrten und Algabal waren so – so auch in der Kleidung. Noch königlicher war er in solcher Schlichte.

Man denke aber nicht, dass er im Alter weniger Sinn gehabt hätte für reines Material. Während der Inflation hatte er einen Streifen Gold-

13

blech erhalten, damit er, wie er scherzend sagte, ein Stück Gold abschneiden und sich Brot dafür kaufen könne. Nachher hat dann Gemma Thiersch, die zweite Frau von Wolters, ein Armband für ihn daraus gemacht aus neun rechteckigen, goldenen Platten, die miteinander verbunden waren. Er trug es fast nie, aber er spielte gern damit, wie der Grieche mit seiner Kette. Er ist damit begraben.

In den späteren Jahren schien es, als wölbte der Rücken sich unter dem Nacken heraus, wie wenn das Haupt zu schwer geworden wäre für den Körper. Hielt er sich so aus Lässigkeit oder war er müde? Ich kann es nicht sagen; aber da fällt mir ein, dass Boccaccio ähnliches von Dante berichtet. Und Johannes Oeschger macht mich darauf aufmerksam, dass Valéry von Mallarmé sagt: »celui-ci avait le dos voûté ...«

Er war weder gross noch klein sondern von normaler Mittelgrösse, alles in richtigem Verhältnis. Er liebte es, sich auf den Arm eines jüngeren Freundes zu stützen, eine Gewohnheit, die man bei südlichen Menschen findet.

So seh ich ihn: in der Rechten den Stock, links eingehängt, manchmal stehen bleibend in lebhaftem Gespräch.

Sein Gang war, zumal in späteren Jahren, eher langsam und nicht leicht. Er hatte eine erstaunliche Ähnlichkeit mit Dante, im Ethos und in der Physis. Dieselbe erlesene Zartheit, die Giotto auf dem Fresco im Bargello festgehalten hat, und die gleiche richterliche Härte des gereiften Mannes. Beiden hat man, als sie jung waren, vorgeworfen, sie seien Aestheten: dem Dante der Vita Nuova und dem George der ersten Bücher. Ich weiss noch, wie empört er darüber war, dass Vossler die Vita Nuova geckenhaft nannte.

Im XVIII. Band ist seine Übertragung des Sonettes an Meuccio veröffentlicht. Beim Lesen fühlt man die Liebe des Übersetzers. Darin und etwa in dem Sonett:

Ich fühlte wie im herzen mir erwachte

ist die hohe Delikatesse des reinen Künstlertums, vielleicht nur Dichtern ganz erkennbar. Auf Versen dieser Art liegt ein Zauber, an den man so wenig rühren darf, wie an den Staub auf Schmetterlingsflügeln. Im Verständnis solcher Feinheiten finden sich die Künstler, und dies trennt sie von den amusischen Menschen, die gar nicht wissen, wovon hier die Rede ist. Es geht da besser jeder seiner Wege.

Aber nach dem zarten Ton der Vita Nuova kam die Divina Commedia. Der Dichter, der Vers um Vers Venus und Adonis oder Lukrezia geschrieben hat, dröhnt später von den Stürmen des Lear, und wenn der junge Michelangelo den Bacchus oder die Pietà noch bis zur Glätte ausarbeitet, so lässt der reife an den Mediceer-Gräbern einen Fuss un-

vollendet oder ein Gesicht, weil er dem Tod näher ist und sein be-
sessener Geist rasch zur nächsten Aufgabe hindrängt. Und doch haben
diese grossen Meister zeitlebens das verpflichtende Bewusstsein des
Künstlers,
                    c'ha l'abito dell'arte e man che trema.

»Das Wissen eines grossen Mannes, sagt Michelangelo zu Vittoria Co-
lonna, erkennt man daran, dass er eine Sache – er verstehe sie noch so
gut – mit furchtsamer Sorgfalt malt.«
Dieses Künstlerische, wenn man will Aesthetische, hat Stefan George
in der Jugend Mallarmé verbunden und den anderen französischen
Dichtern, die in seinem Werke sind, und was Baudelaire von Poe sagte
und auf Mallarmé bezogen worden ist, darf auch von George gesagt
werden:
ses manières, mélange singulier de hauteur avec une douceur exquise,
étaient pleines de certitude. Physionomie, démarche, gestes, airs de
tête, tout le désignait, surtout dans les bons jours, comme une créature
d'élection. Tout son être respirait une solennité pénétrante.
Die fromme Stille, deren er fähig war, ist auf der Tafel 46 sichtbar.
Man kann sich fragen, ob es erlaubt sei, ein so edles Bildnis zu enthüllen, und vielleicht wird man mich darum tadeln. Die aber reine
Augen haben, werden es mir danken, und hat der Dichter die Zartheit
seines inneren Herzens nicht selber im Gedicht enthüllt? Wir kennen
sie etwa aus den behutsamen Geleitversen zur Fibel, die er 1901, also
dreiunddreissig-jährig, schrieb:

> Wie in die herbe traube
> Erst mählich duft und farbe dringt ·
> Wie aus dem nächtigen laube
> Die lerche scheu ins frühlicht schwingt.

Und nun wende man den Blick auf das schwere Haupt des Sechzigjährigen (T 127). Ein furchtbar ernstes Leben hat seine Spuren in
diese Züge eingegraben. Nicht dass er verbittert gewesen wäre; vielleicht enthält sein letztes Buch erst die letzte Süsse, im Lied. Freilich,
in den allerletzten Jahren hat er nicht mehr viel erwartet. Es waren
ihm zu viele gegangen und gestorben. Einst pflegte er zu sagen: »Die
Staatsstützen wechseln, aber der Staat besteht«, und so konnte er auch
im vorletzten Winter nach allen Verlusten noch vor sich hinmurmeln:
»Wieder-Aufbau, Wieder-Aufbau« – freilich zögernd und wohl auch
zweifelnd, ob das noch möglich sei; aber im beginnenden letzten Winter kamen diese Worte nicht mehr vor.
Sein Leben galt den Freunden, und wie Freunde von ihm Trost und
Kraft empfingen, so stärkte er sich im Zusammensein mit Freunden.

»... in meiner jugend war ich stark genug um auch das widrigste zu besiegen und ohne hilfe — später aber wär ich gewiss zusammengebrochen hätt ich mich nicht durch den Ring gebunden gefühlt. das ist eine meiner lezten weisheiten — das ist eins der geheimnisse!« Wenn dann nach einer gewissen Dauer der Ring zerbrach, so setzte der Dichter bald zur Bildung eines neuen an. Dies und nichts anderes war der »Kreis«. Darum muss, wer von seinem Leben berichten will, auch die Geschichte seiner Freundschaften erzählen.

Wie er als Freund sein konnte, zart, besorgt und Hilfe spendend, zeigt etwa dieser Brief:

»... du siehst mit vorliebe die trüben und schmerzlichen dinge der ungeheuerlichen wage ... und doch unter vielem solltest du den zauber nicht kennen und die stille tröstlichkeit: mit einem fernen menschen ein leben der vereinigung zu führen? wie man ihn zu jedem ereignis herbeschwört — wie sein plötzliches auftauchen im geist ein besuch wird — wie er teilnimmt an allen stunden? ...... Ich habe die zeit mit manchen menschen gesprochen — auch künstlerischen — sie haben ihre ansichten entwickelt, sie haben mir gedichte gelesen, und wie weggerückt von mir fühl ich sie trotz der gemeinsamkeit von landschaft ja von sippe! — wenn ich da unsrer lese-abende gedenke und Deiner stimme, Teurer, wie bist du mir verwandt wie an mich geknüpft über alle fremdheit hinaus, alle grüfte und klüfte.«

Als ich ihn einmal über das Rätsel von Geburt und Tod im Menschenleben befragte, verwies er mich an Geburt und Tod in der Natur überhaupt und fügte hinzu, ebenso geheimnisvoll sei das Entstehen und Absterben einer Freundschaft. So sehr waren seine Gedanken auf Freundschaft gerichtet, dass er dies in diesem Zusammenhang aussprach.

Schon beim Kinde zeigt sich der eingeborene Trieb, Gefährten zu suchen, zugleich aber auch der Wunsch, Lenker solcher Gefährten zu sein. Doch ist er bereit zurückzutreten, wenn ein Höherer ihm begegnet — das spricht er schon im Manuel und noch im Stern des Bundes aus — und diesen Höheren sucht er ein Leben lang. Ein Mal, im Zenith seines Lebens, fand er ihn, für eine kurze Stunde, und das tönt vor und nach in seinem Lied.

HERKUNFT

Das altertümliche dorf wo unsere vorfahren lebten und der reihe nach an der eppichbewachsenen mauer des kirchhofes begraben sind. Auf den wacken-gepflasterten gassen grüssen mich einige leute die ich niemals vorher gesehen hatte und auf dem kirchweg begegnet mir eine greisin die mich mit urväterlicher freude erkennt und befragt. Dunkel tauchen mir wieder auf: das rundbogige hölzerne tor die geschnitzten köpfe am treppenaufgang und die unmodischen möbel die anheimeln wie die verjährte ehrliche gastlichkeit der inwohner. Ich hätte mich auch gern nach dem alten ohm erkundigt: ich wusste aber wahrlich nicht ob er nicht schon gestorben war.

So erzählt George in den »Sonntagen auf meinem Land«. Wer nach Büdesheim geht (T 13 u), kann dort das Geburtshaus (T 15 l) sehen.
Über die Familie gibt die Ahnentafel im Anhang Auskunft. Als Erster kam Johann Baptist George nach Büdesheim am ersten Vendémiaire des Jahres 13, das ist am 22. September 1804, aus Rupeldingen bei Bolchen an der Nied, im Canton Boulay, Département de la Moselle. Ihm folgte sein Neffe Etienne (T 2), der als Bürgermeister von Büdesheim, als Vertreter der Stadt Bingen in der zweiten hessischen Kammer und als Kammerpräsident im Land bekannt geworden ist.
Die Tafel 9 zeigt das Grab dieses Etienne George und seiner Frau Magdalena George, geborenen Ostern. Daneben sind die Gräber der andern Vorfahren (T 10 r). Diese Gräber sind auf dem Friedhof von Büdesheim, bei der katholischen Kirche, an der hintern Umfassungsmauer. Der Landtagsabgeordnete, Etienne oder Stefan George I, später Pate des Dichters, hatte einen Bruder: Anton George, der am 9. März 1803 zu Rupeldingen geboren wurde und mit seiner Mutter und Schwester 1833 auch nach Büdesheim kam. Dieser Anton George ist der Grossvater des Dichters (T 3); er hat in Frankreich noch unter Karl X. Militärdienst getan und während der Juli-Revolution in Paris gegen die Aufständischen gekämpft. Von Beruf war er Küfer. Er starb in Bingen am 6. März 1881.

Tafel 14 zeigt das stattliche Haus des Grossonkels, »von dem die Bauern sagten, es habe hundert Fenster«, und die Steinbank davor, auf der der Grossvater dem Enkel von Frankreich erzählte und dadurch jene Liebe zum Nachbarlande einpflanzte, die den jungen Dichter geführt hat:

> ... so klang
> Das lob des ahnen seiner ewig jungen
> Grossmütigen erde deren ruhm ihn glühen
> Und not auch fern ihn weinen liess . der mutter
> Der fremden unerkannten und verjagten ...

Sohn des Anton George und seiner Ehefrau Anna Müller (T 4) aus Büdesheim war Stefan George II (T 5, 6 l, 7), geboren am 10. September 1841 in Büdesheim. Er ist der Vater des Dichters, vermählte sich am 22. Mai 1865 mit Eva Schmitt von der Neumühle in Büdesheim (T 5, 8) und war zuerst in Büdesheim Gastwirt. Dort, in Büdesheim ist der Dichter Stefan George am 12. Juli 1868 geboren (T 15 l). Im Jahre 1873 zog der Vater nach Bingen, wo er im Eckhaus (T 15 r, 16, 18 o) Nahekai und Hintere Grube als Wein-Kommissionär und Weinhändler tätig war. Dem Gemeinwesen diente er als Stadtverordneter. Gestorben ist er am 12. Mai 1907. Das Grab der Eltern ist nicht in Büdesheim sondern auf dem alten Friedhof in Bingen an der Rochusallee (T 10 l). Alle diese Vorfahren waren katholisch.

Stefan George war also fünf Jahre alt, als er von Büdesheim nach Bingen kam und beinah 13 Jahre alt, als sein Grossvater starb; beim Tode des Vaters war er etwa 39 Jahre alt.

Als ich zum ersten Mal – 1905 – nach Bingen kam, fragte ich am Bahnhof, wo Stefan George wohne. Der Mann mit der roten Mütze verstand mich nicht, rief aber schliesslich aus: »Ach, Sie meine de Herr Schorsche, der wohnt am Nahekai.« Ich ging Naheaufwärts am rechten Ufer bis zur Ecke, die von der Hinteren Grube, einer schmalen Seitengasse, gebildet wird.

Der Stadtplan von Bingen, aufgenommen zwischen 1931 und 1933, zeigt die Lage der Stadt (T 11, 12) in dem rechten Winkel, den Rhein und Nahe bilden, und dahinter den Rochusberg mit der Rochuskapelle, deren Fest Goethe besucht hat.

Dort hat die Rebe den Wald verdrängt und den Hügeln jene klare Form gegeben, die an den Süden erinnert. Die Drususbrücke (T 13 o), die bei Bingen über die Nahe führt, ist heute halb zerstört.

Wie katholisch man dort aufwächst, hat der Dichter im »Kindlichen Kalender« erzählt. Vor allem aber zeigt das Gedicht »Ursprünge« im Siebenten Ring die Kräfte, welche seine Jugend bestimmt haben: sonnige Landschaft und heilige Rebe, römisches Erbe, katholische

18

Kirche und jenen Rausch der Jugend, der das Leben zu umfassen
meint und vielleicht auch umfasst, ein einziges Mal. Die Ursprünge
schliessen so:

> Doch an dem flusse im schilfpalaste
> Trieb uns der wollust erhabenster schwall:
> In einem sange den keiner erfasste
> Waren wir heischer und herrscher vom All.
> Süss und befeuernd wie Attikas choros
> Über die hügel und inseln klang:
> CO BESOSO PASOJE PTOROS
> CC ES ON HAMA PASOJE BOAÑ.

Diese beiden letzten Zeilen sind nicht verständlich; sie gehören zu
jener von ihm selbst erfundenen Geheimsprache, die er in der Binger
Schulzeit einigen Vertrauten — den IMRI — mitteilte. Er war der Kalif
von Amhara und

> Amhara alai tunis enis alsa

ersann er für die Amhariten.

Vielleicht ist hier der Ort, etwas zu sagen, was mich seit bald zwanzig
Jahren bedrückt: Unter den wenigen Dingen, und noch weniger Papieren, die Stefan George mit sich führte und die sich bei seinem Tode
im Molino vorfanden, war ein dünnes, blaues Oktavheft, wie man es
auf der Schule benützt, um Aufgaben hineinzuschreiben. Darin stand
der erste Gesang der Odyssee übersetzt in seine Geheimsprache. Wir
waren zu Dritt, und der Jüngste von uns wollte, dass dieses Heft ver-
brannt werde, weil man sonst daraus die beiden Zeilen erschliessen
könne. Der Mittlere stimmte zu, und ich liess es geschehen. Nur noch
der Umschlag ist vorhanden mit der Aufschrift Odyssaias I. Die beiden
Andern sind tot. Der mittlere, Berthold von Stauffenberg, hat mir noch
im Kriege gesagt, er meine, wir hätten recht getan, das Heft zu ver-
brennen. Ich habe es mir oft zum Vorwurf gemacht, und ich tue es
auch heute noch.

Das Anwesen an der Hinteren Grube ist aus der Flurkarte (T 17 l) ersichtlich. Der Nahekai ist umbenannt worden in Stefan George Strasse.
An diese Strasse stiess der Garten. Auf dem Bild (T 16) ist links eine
hohe Backsteinmauer zu sehen, die den Vorplatz vom Nachbargrund-
stück am Nahekai trennt. »Die Mauer ist hässlich«, sagte George, »aber
ich selbst habe sie bauen lassen.« Vermutlich, damit man nicht her-
übersehen konnte. Der Vorplatz war gepflastert. Dort standen rechts
und links von der Treppe vier Oleander-Bäume in Kübeln. Nach dem
Tode der Mutter liess die Schwester sie auf den Rochusberg zu den Non-
nen bringen. An der Hinteren Grube, hinter dem Wohnhaus, lag der Hof
mit Küferei und Kellerei; er war mit grossen Sandsteinplatten belegt.

19

Über das Haus und seine Bewohner hat Verwey berichtet:
»... Im Haus am Nahekai hatten Veränderungen stattgefunden. Mein
Zimmer war nun nicht oben neben dem Wohnzimmer, sondern unten
neben dem Eingang, und gegenüber, wo früher das Kontor war, war
nun das Zimmer von Stefan. Dieses war erst kürzlich so eingerichtet
worden: ein Zimmer von mässiger Grösse, das in einer Nische mitten in
einer schmalen Wand nur ein Fenster mit zwei kleinen Flügeln hatte.
Aber dieses Fenster umrahmte gerade ein Stück Weinberg jenseit der
Nahe, von dem sich ein dunkles Gebäude mit zwei kleinen und zwei
grösseren spitzen Türmen abhob. Dieses so umrahmte Bild schien mir
zu dem Dichter, der es täglich vor sich hatte, zu passen. Die Farbe des
Zimmers war mattblau; an der langen Wand gegenüber der Türe stand
ein gut gefülltes Büchergestell, an der kurzen gegenüber dem Fenster
eine Ruhebank. Ein Schreibtisch mit einem Stuhl davor füllte die
Mitte. An den Wänden waren einige eingerahmte Zeichnungen: ein
paar Skizzen von Lechter, Georges Porträt von Toorop. Auf dem Tisch
stand eine Bambusvase, die meine Frau ihm bei seinem letzten Besuch
geschenkt hatte, mit einem Zweig darin.
Als ich am folgenden Morgen in seinem Zimmer am Fenster stand, sah
ich den alten Herrn George die Oleander begiessen, die seine Frau bei
Beginn ihrer Ehe gepflanzt hatte. Es waren nun ganze Bäume, die
alle Jahre hunderte roter Blüten trieben. Sie standen auf dem Platz
vor dem Haus und beschützten den kleinen Garten mit seinen Blumen,
schön gebogenen Bäumen und der Laube. Am vorigen Mittag war Frau
George mitten auf dem Weg im Schatten eines Apfelbaumes gesessen
und Stefan und ich auf den Steinstufen der Laube.«
Verwey's Beschreibung des blauen Zimmers deckt sich mit meiner Erinnerung und auch mit der von E. R. Curtius. Gute Aufnahmen scheinen nicht davon zu existieren. Auf Tafel 44 ist der Dichter im Rahmen
seines Fensters sichtbar; Tafel 61 zeigt den Schreibtisch, darauf Tinten-
fass und Kerzenhalter, den Schreibtisch-Stuhl und ein Büchergestell,
auf dem der Kopf des Grafen Bernhard Uxkull, eine Arbeit von Ludwig Thormaehlen, steht. Der Schreibtisch stand frei vor dem Fenster.
An der Wand, gegenüber dem Fenster, stand eine mit mattblauem Tuch
bezogene, dünn gepolsterte Bank, ebenso wie Schreibtisch, Schreibtisch-Stuhl und Holzschemel vom Dichter selbst entworfen. Vor der
Bank war ein Tisch zum Ablegen von Büchern. Der kleine eiserne Ofen
war ein Werkstattofen, den George gewählt hatte, weil er frei von
jeder Verzierung war.
Tee tranken wir, in den Jahren nach 1905, im kleineren Mittelzimmer
im ersten Stock, dessen beide Fenster auf die Hintere Grube gingen.
Dort stand auf einer Staffelei ein Ölporträt des Dichters; es zeigte ihn

20

sitzend und war von dem Münchner Maler Fugel gemalt. Zum Tee gab es meist viel belegte Brötchen, die mit Sorgfalt und Geschmack zubereitet waren, vermutlich von der Schwester.

Der Dichter hatte keine Vorliebe für das Binger Haus und wohl auch nicht für Bingen; mehrmals hat er mir gesagt, ich solle das Haus verkaufen, und als ich aus Gründen der Pietät zögerte, sagte er: »Ja, wenn es noch das Geburtshaus wär.« Nun ist das Haus zerstört. Durch Fliegerangriff sollen im Jahre 1944 in dem geräumigen Keller 70 bis 80 Menschen ums Leben gekommen sein. Wie das Anwesen im Sommer 1950 aussah, zeigt die Tafel 18 u. Die Backsteinmauer ist geblieben (vorn links) und daneben ein Kirschbaum; die gepflasterte Gasse rechts ist die Hintere Grube. Mir scheint, auf einen Wiederaufbau in der alten Form sollte man verzichten.

Der Vater hatte die heitere Art des Rheinländers. Frau Isi hat gesagt, er sei ganz dem Leben zugewandt gewesen und habe sie immer an Bacchus erinnert. In seiner Jugend soll er sich etwas mit Musik und auch mit Poesie abgegeben haben, später nicht mehr. Ohne Ehrgeiz, zufrieden mit dem, was er hatte, und es geniessend wie ein Franzose, habe er das mütterlicherseits geerbte Vermögen nur gerade bewahrt. Dem Sohn Stefan liess er alle Freiheit, und der war ihm dankbar dafür. Zwar soll der Vater sich einmal auf der Strasse – bei Dehmel – erkundigt haben, was des Sohnes Verse wert seien, und auf befriedigenden Bescheid habe er erwidert: »Wenn er mir meine Weine verkaufen wollte, wär mir's lieber.« Dennoch liess er ihn seinen Weg gehen.

Die Mutter war eine herbe, schweigsame, tief religiöse Frau, und wenn man ihre Bilder ansieht, ist man geneigt, zu glauben, was berichtet wird: sie habe ihre Kinder nie geküsst, auch nicht beim Gutnachtsagen. Wohl aber soll sie sie nach einer Krankheit eins ums andere hinaufgetragen haben auf den Rochusberg in die Sonne. Ehrgeizig sei sie gewesen und ohne Umgang. Die weitere Familie hielt sie sich fern, las nichts, sah aber gern Bilder an. Es sei schwer gewesen, mit ihr auszukommen. Auch sie liess die aufwachsenden Kinder ihre eigenen Wege gehen. Als der Dichter das erzählte, fügte er hinzu: »Es wär' auch anders nicht gegangen bei den Kindern, die sie in die Welt gesetzt hat.«

Sie unterwies die Kinder in der Kenntnis der Pflanzen, von denen manche im Garten wuchsen. Herbarien, die der Sohn später daheim und auf Reisen angelegt, bekunden sein Interesse. Ich erinnere mich, dass er auf Spaziergängen mich gelegentlich fragte, was das für eine Blume sei, und wenn ich es nicht wusste, so nannte er ihren Namen. Einmal fügte er hinzu: »Das ist eine Probe aus meinem Real-Katalog, der gar nicht so klein ist, wie die Leute meinen.« Dass dieser Katalog nicht nur die Namen der Pflanzen sondern auch ihre Eigenschaften enthielt, zeigen etwa Verse, wie der vom Basilienkraut, dessen einschläfernder Duft nach Volkes Glaube Zauberkraft besitzt, in den Hängenden Gärten, oder der im Teppich, wo die Fremde

> ... im dunkel
> Einst attich suchte und ranunkel

Der Ernst und die Trauer im Gesichte der Mutter auf dem Doppelbildnis (T 5) hat später etwas so schmerzliches bekommen, dass man von Resignation sprechen muss. Ich erinnere mich, dass die Schwester monatelang die schwerkranke Mutter pflegte und einmal sagte: »die Mutter ist furchtbar zäh, die Pflege muss ich allein machen, das ist nichts für Männer«. Gewiss hat der Dichter das Verschlossene von der Mutter mitbekommen. So war es gerade umgekehrt wie bei Goethes Eltern.

Der Mutter ähnlich war die Schwester Anna Maria Ottilie (T 6 r). Ihr Leben war dieser Bruder. Anfang der Dreissiger Jahre sagte sie einmal: »Ich bin nur eine einsame alte Frau, aber durch den Stefan feier ich insgeheim die grössten Triumphe«. Dabei seh ich sie vor mir sitzen in ihrer bürgerlichen Würde, aufrecht auf dem Sofa im oberen Eckzimmer. Vom besten Binger Wein hatte sie heraufholen lassen, mich ehrenvoll zu bewirten. Nur alte Leute oder Bauern können noch so empfangen.

Wie sie war, wie der Umgang zwischen Schwester und Bruder, geht aus einem Brief hervor, den sie eingeschrieben, im November 1898, an den Dichter schrieb, als dieser ihr das Jahr der Seele gewidmet hatte: »Viellieber, teurer Bruder,
Du wirst es Deiner vielbeschäftigten Schwester nicht übel deuten, wenn sie Dir erst heute für die Sendung der Bücher dankt. Ich kann es Dir nicht ausdrücken, mit welchen Empfindungen ich dieselben zum ersten Male ansah und in meiner Hand hielt. Besonders Dein Jahr der Seele. Welch eine Überraschung für mich! In meinen kühnsten Träumen wagte ich es nicht zu denken, dass Du Deine Schwester also zu ehren gedächtest. Nun weiss ich es bestimmt, dass ich zu den Wenigen gehöre, die Dir nahe stehen und das macht mich sehr sehr glücklich und die Erinnerung daran wird mir manche Enttäuschung verhüllen, die einer Natur wie der meinen in ganz besonders zahlreichem Maasse beschieden sind ...«

In aller schwesterlichen Liebe bewahrte sie sich doch ihr eigenes Urteil. Als ich vortrug, dass George die aus ökonomischen Gründen gebotene Aufgabe der Königsteiner Wohnung missbilligte, entfuhr ihr der Satz:

»Dann bekommt er eben die Wahrheit zu hören, die er vertragen kann.«

Wenn in den Jahren des ersten Weltkriegs der Dichter bei mir auf dem Kästrich in Mainz wohnte, so kam die Schwester manchmal zu Besuch. Sie ging dann auch in den Stefans-Dom, wie sie die nahe Kirche etwas voll benannte, oder in die Ewige Lampe, um dort zu beten. Nach dem Tode der Mutter lebte sie immer allein, nur mit einer Hilfe. »Wer sich ans Alleinleben gewöhnt hat, sagte sie, der möchte es nicht mehr anders haben.«

Verwey, der die Schwester gut kannte, sagt von ihr: »Sie hatte viel mehr die Strenge der Mutter als den Frohsinn des Vaters. Ihr Gesicht hatte zuweilen eine starke Ähnlichkeit mit einem bekannten Frauen-Bildnis von Memling, das im Sint-Jans-Spital in Brügge hängt.«

Die beiden Geschwister hatten noch einen etwas jüngeren Bruder, Fritz George, der das väterliche Geschäft übernahm und später in Frankfurt und Königstein lebte.

Für George war das Elternhaus immer da, und obwohl er einmal 16 Jahre lang ferngeblieben sei, standen seine Zimmer doch stets für ihn bereit bis zu seinem Tode. Nur vorübergehend war das Haus vermietet, aber dafür war er dann in der Königsteiner Wohnung willkommen. Diese Königsteiner Wohnung hatte vorher dem Bruder gehört, der als erster von den drei Geschwistern starb. Alle drei blieben unverheiratet und ohne Nachkommen.

Zu Anfang des Jahrhunderts – etwa bis zum ersten Weltkrieg – verbrachte George die Jahre in einem ziemlich ähnlichen Rhythmus. Er war und blieb ein Pilger. »Wer, wie ich, überall gleichsam nur besucher ist«, schreibt er einmal an Hofmannsthal. Gerade darum war das Haus in Bingen und die Wohnung in Königstein für ihn von Bedeutung. Von jeder seiner Fahrten hätte er heimkehren können.

Noch aus der Büdesheimer Zeit dürfte das kleine Bild (T 19 1) stammen, das, wie alle diese frühen Bilder, von dem Photographen Jean Baptiste Hilsdorf in Bingen gemacht wurde. Es zeigt den Knaben ernsthaft blickend, schon mit dem entschlossenen und geschlossenen Mund in einem dunklen Anzug – vielleicht Sammet – mit weissen Litzen, auf einen Schemel gestellt; die herabhängende Hand erinnert etwas an die des Grossvaters Anton George, dessen helles Auge und Art des Herausblickens in Aufnahmen des erwachsenen Enkels gelegentlich wiederkehrt.

Ein Spielkamerad der ersten Jugendzeit hat erzählt, in der grossen Giebelstube des Geburtshauses in Büdesheim hätten sie zusammen König und Minister gespielt, ohne Volk. Natürlich hat der Knabe Stefan dieses Spiel erfunden und nicht der andere, und so ist es begreiflich, dass der Erfinder zuerst König war. Es war vorgesehen, dass nach vier Wochen die Rollen wechseln sollten; aber als die vier Wochen »Kindlichen Königtums« um waren, wollte der König nicht abdanken, und das Spiel war zu Ende.

Aus der Binger Schulzeit ist mir kein Bild bekannt, wohl aber aus der Gymnasialzeit in Darmstadt, wohin er vierzehnjährig kam. Den Neuen hat einer seiner Mitschüler, der aber nicht Klassenkamerad war, so beschrieben: »Als er dreizehnjährig zu uns kam, war er ein hagerer, hochaufgeschossener Bursch mit auffallend dichtem dunkelblondem Haar über der hohen Stirn, ungewöhnlich stark vortretendem Unterkiefer, vor allem aber ausgezeichnet durch ein paar ganz hell funkelnde verschmitzt blickende Blauaugen. Ein wilder rauflustiger Gesell, der sich auf dem Schulhofe am liebsten mit einer ganzen Schar von Gegnern herumschlug.«

Schon der Vierzehnjährige hat jene Abschriften von Petrarca-Sonetten gemacht, mit rotem Titel, rot und schwarz umrahmt, die im Fibelband der Gesamt-Ausgabe abgebildet sind.

Die Darmstädter Aufnahme (T 19 r) stammt aus dieser Zeit. Aber auf dieses Bild kann sich die Stelle im Brief an Hofmannsthal vom September 1902: »... ein andres als Schüler ist schlecht gemacht — dabei unangenehm gelangweilt und hochmütig...« kaum beziehen.

Über seine Schulzeit in Darmstadt hat der kritisch zu lesende Georg Fuchs allerlei erzählt und davon kommt mir Einiges glaubhaft vor:

Zu Beginn des neuen Schuljahres 1884 — laut Reifezeugnis besuchte George von Herbst 1882 bis März 1888 das Darmstädter Gymnasium — seien in die Obersekunda einige Neue gekommen, darunter der sechzehnjährige Stefan George, der »ganz und gar nicht jungenhaft» gewirkt habe. Der Lehrer habe ihn mit den Worten begrüsst: »Etienne George! Voilà, also jetzt bist Du auch da, bist mir nachgefolgt von Bingen! Mais mille fois pardon, jetzt stehn wir ja per Sie. En avant! Ich weiss, Sie werden auch hier immer mein Bester sein im Französischen.« Dieser Lehrer, Dr. Lenz, hat später, als George nach Paris ging, ihm die Adresse der Pension gegeben, in der er Albert Saint-Paul kennen lernte.

Fuchs berichtet, George sei in der Pause meist für sich geblieben mit einem »scharfen, hochmütigen Zug um den schmalen herben Mund«, und George selbst hat erzählt, andere Mitschüler hätten von ihm gesagt: »Schon wieder dieses äginetische Lächeln«. Nach Fuchs wäre er nur mit drei oder vier Mitschülern in ein näheres Verhältnis getreten, und diese habe er sich selbst ausgesucht.

Klassenkameraden kennen einander. Das beweist auch der Vers — Verwey zitiert ihn — den einer auf George gemacht hat:

Der Worte Sinn weiss er schön auszuklauben,
Aber ihm in die Karte zu gucken, wird er niemand erlauben.

Umgekehrt hat George damals auf einen Klassenkameraden, der sich als Dichter aufspielte, diesen Vierzeiler gemacht:

Da wurde mir mit einmal klar
Dass hinter langem Dichter-Haar
Und hinter hoher Dichter-Stirn
Nicht immer wohnt ein Dichter-Hirn.

Fuchs erzählt dann eine merkwürdige Geschichte, die im Wesentlichen wahr sein dürfte: auf dem Heimweg von der Schule sei George plötzlich an der Tür einer Kegelbahn stehen geblieben und habe gesagt: »also nimm an, das hier wäre das Heiligtum, von dem wir gesprochen haben. Wenn Du das ernsthaft glauben kannst, wenn Du mit so viel Glaubenskraft begabt bist, dann ist es wirklich das Heiligtum. Hast Du den Mut, mit mir hineinzugehen und den Mächten Stand zu halten, die ich beschwören werde?« Er habe ihn dann unter Zeremonien hineingeführt, Sprüche gemurmelt, ihm den Kopf verhüllt und ihn unter liturgisch wiederholten Formeln eingeweiht.

Damals – 1886 – begann er zu dichten; auch lernte er Norwegisch, um Ibsens Catilina zu übersetzen; schon vorher hatte er Italienisch gelernt, Petrarca und Tasso gelesen.

Von der Verbindung mit den wenigen Schulfreunden zeugt die hektographisch vervielfältigte Zeitschrift »Rosen und Disteln«, die Stefan George zusammen mit anderen, beim Volksschul-Lehrer Raab wohnenden Pensionären herausgab. Der Kopf der ersten Nummer vom 20. Juni 1887 ist hier abgebildet (T 21). Darin steht ein Vorwort, in dem George – denn er muss es geschrieben haben – schon, wie später in den Blättern für die Kunst, Religiöses und Politisches ausschliesst; es lautet:

An die Leser

Die Zeitschrift, die mit dem heutigen Tage ins Leben tritt, spricht ihren Zweck in ihrem Titel aus. Artikel religiösen und politischen Inhalts streng ausscheidend, wird sie in Form von Romanen, Novellen, Aufsätzen (verschiedenen Inhalts) epischen, lyrischen und dramatischen Gedichten ihre Leser zu unterhalten und zu belehren suchen. Um auch dem Geschmack an Witz und Humor Rechnung zu tragen, werden [wir] in einem besondern Teil Anekdoten und illustrierte Witze veröffentlichen.

Da unser Blatt dem Bedürfnis entsprungen ist, gegen die oft ermüdende und abstumpfende Tätigkeit in der Schule eine anregende und erfrischende Beschäftigung einzutauschen, wird manchmal diese Stimmung

25

ihren Ausdruck finden; sollte hie und da eine lokale Färbung unverkennbar sein, so bitten wir dies dem Wohnort und der Bildung der Verfasser zu gute halten zu wollen, zumal wir stets bestrebt sein werden, unsern Lesern das Beste zu bieten.

Indem wir hiermit das Blatt erscheinen lassen, übergeben wir es der gütigen Gewogenheit der Geehrten Leserinnen und Leser.

Darmstadt im Juni 1887 Die Redaktion.

George unterzeichnete seine ersten Arbeiten mit dem Namen Edmond Delorme. Auch seine Freunde, Arthur Stahl (T 30 o r) und Carl Rouge (T 30 o l) wählten Pseudonyme. Aus den »zarten erstlingen«, die dort erschienen sind, hat George später »Die Najade«, »Der Blumenelf«, »Die Rose« und »Ikarus« in die Fibel übernommen.

Aus jener Zeit soll ein Fragment »Frühling« stammen, das Rouge aufgezeichnet hat:

> Und der Dämon, lastend schwer .
> Der da jenes ewig Tragische
> Und geheimnisvolle Magische
> In den Lauf des Menschenlebens
> Haucht mit seinem Geisterheer .
> Der mit grinsend rohem Mund
> Rauben möchte jeden Grund
> Eines idealen Strebens:
> Seine Mühe ist vergebens
> Bei des Frühlings Wiederkehr.

Auch Szenen zu einer Tragödie »Phraortes« sind damals entstanden. Später hat Gundolf sie nach Georges Plan ausgeführt, und es gibt ein Manuskript Gundolfs mit kleinen Korrekturen von Georges Hand, auf dessen Umschlag steht:

> PHRAORTES : DRAMATISCHES
> GEDICHT IN DREI SCENEN VON
> FRIEDRICH GUNDOLF MAI 1902

Die erste Fassung des »Manuel« — etwa 1886 — und die zweite Fassung — 1888 — stammen ebenfalls aus der Schulzeit.

Ein Schulzeugnis vom Sommer-Halbjahr 1883 bescheinigt dem fünfzehnjährigen Knaben »besonders tüchtige Leistungen«; das Reifezeugnis dagegen vom 13. März 1888 besagt, er sei in der Religionslehre und im Französischen gut gewesen, im Deutschen, in Geschichte und Geographie »im ganzen gut«, in den anderen Fächern »genügend«.

Die Aufnahme im Dreiviertelprofil nach links (T 20 l) dürfte etwa von 1890 sein. Die Züge sind darauf schon mehr geformt.

Bei Wolters ist als Jugendbildnis eines abgebildet, auf dem der Dichter etwas Traumhaftes hat, als schaue er in die Zukunft (T 20 r). Der Rock mit Revers und die schwarze Krawatte sind auf diesen beiden Bildern gleich; der zeitliche Abstand dürfte also nicht gross sein.

Merkwürdigerweise schreibt George in dem erwähnten Brief an Hofmannsthal noch: »...Weitres hab ich nicht bis zu meiner schon schöpferischen zeit (etwa unsrer bekanntschaft). das kleine rundbild (damals in der Kunstchronik vervielfacht) gibt am deutlichsten die ganze hoheit und keuschheit einer jugend.« (T 34)

Die Zeit »unsrer bekanntschaft« wäre Ende 1891. Sollte dieses Profil mit weiss gepudertem Haar, das der Gesamtausgabe als Jugendbildnis des etwa Zwanzigjährigen vorangestellt ist, nicht doch etwas später gemacht worden sein? Jedenfalls scheint George, als er an Hofmannsthal schrieb, nicht an das Jugendbildnis gedacht zu haben, das Wolters später mit seiner Zustimmung wiedergegeben hat.

GLEICHALTRIGE FREUNDE

ANFÄNGE

Im Mai 1888 brach George auf nach London und blieb dort bis zum
1. Oktober. Im Herbst 88 ging er dann nach Montreux. Damals entstanden die Gedichte »Von einer Reise«, und aus London stammt die erste
Zusammenstellung der Fibel.

Von den Aufenthalten in London und Montreux und von der ersten
Reise nach Italien habe ich kein Bild gefunden; wohl aber lassen
Briefe an Arthur Stahl erraten, wie viel vom Späteren zu jener Zeit
schon in ihm war.

Aus London schreibt er — ohne grosse Buchstaben — am 15. Juli 1888:
»... Es war fast möchte ich sagen ein verbrechen von Dir, dass Du
vorige ostern nicht nach Bingen zum Congress kamst; ich habe übrigens noch nicht alle gedanken aufgegeben, und vielleicht gelingt es Dir,
nächsten herbst wenn ich nach Deutschland zurückkomme, einen wirklichen Congress zu ermöglichen ...«, und dann, in Fortsetzungen, vom
5. 6. 7. 8. und 14. August 1888 schreibt er einen langen Brief an Stahl
nach Friedberg; darin finden sich folgende Stellen:

»... Du musst übrigens wissen, dass ich in England immer kosmopolitischer werde ...

... Wie gesagt auf beschreibungen kann ich mich nicht einlassen, das
ist mir zu langweilig, und dann bleiben sie ja doch meistens hinter der
wirklichkeit zurück ...

... Zuerst über den Congress. Es freut mich ausserordentlich, dass es
Dir möglich wird ihn zu besuchen ...

... meinem wandertrieb muss ich genügen ...

... Ob ich Drama schreiben soll? Ob nicht — ich mache dann auch
in meinem ganzen leben keine Lyrik mehr — Mein ,Manuel‘, den ich
fertig vor mir sehe, der v o r seiner vollendung mich so sehr ermutigte,
gibt jezt mir durchaus keine ermutigung mehr ...

... Ich bitte um aller dinge willen die Dir lieb sind, hier noch einmal
doch ja jene sorte von briefen gut zu verwahren. Denke Dir welche
schande für mich, wenn in späterer zeit jemand sich dieses briefes
erinnerte ausser Dir!!! Jemand der diese meine zeilen gelesen, und sich

nach einiger zeit erinnert, wie jene Kreatur, die von poesie und dramen schrieb, die von einem dichterwahn geplagt war, mit zerschnittenen flügeln als – hu – ich will den satz nicht fertig schreiben – –

...Ich glaube ich habe Dir doch zweimal geschrieben, dass ich ein trauerspiel in fünf Acten beendet habe; von dem beginn redete ich ja schon in unsrer Darmstädter zeit. Ich habe heute in meinem brief Dir den namen genannt ...

... Wenn der Congress zu stande kommt, so werde ich natürlich nicht ermangeln, das stück geduldigen wohlwollenden ohren vorzulesen!! ... Ich lese eben auch noch einmal deine stelle aus dem tagebuch und Dein anschliessendes gedicht. Fast überkommt mich selbst eine gewisse rührung wenn ich beides betrachte. — Ich sehe daraus mit freuden dass Dein herz sich nicht verhärtete in dem trocknenden sturm unsrer zeit, in der lüge und narrheit um die oberherrschaft ringen. Ja das ist wahr, bittere wahrheit, sie kann nicht verheimlicht werden; von niemandem, der für welt und menschheit ein wahres inniges menschenwürdiges interesse und gefühl hat. —

Ja du hast ganz recht. Die genussmenschen sind die anscheinend glücklichsten ... und doch möchte man nicht mit ihnen tauschen —

...Lass jene genussmenschen ... nur über uns lachen. Reformen zum besten der menschheit, alles gute, was nun herrscht (wir wollen nicht und dürfen nicht sagen dass alles schlecht ist) ... alles gute was kam alles böse was abgeschafft ward — ist nicht durch genussmenschen bewirkt worden, sondern durch die, zu deren schlag wir uns bekennen!! ...«

Der Congress, um den es ihm geht, ist eine Vorahnung des cénacle, und er wird ergänzt durch den Plan einer Mappe, aus der die Blätter für die Kunst entstehen werden.

Am 1. Dezember 1888 schreibt er aus Montreux an Stahl:

»... Kommen wir rasch zu dem punktum importantum zu dem ‚mappeplan‘. Was denkst du davon und glaubst dass in der form in der ich ihn Rouge mitgeteilt habe, er auszuführen ist? ... Ich könnte vielleicht auch hier einige französische poeten anwerben, ich will mir wenigstens alle mühe geben. Auch meinen freund in England will ich um beiträge bitten so dass unsere mappe sozusagen die erste ‚Internationale‘ einrichtung dieser art würde ...«

Auch aus Montreux schreibt er am 1., 2. und 6. Januar 1889 an Stahl nach Giessen:

»... Um die praktischen sachen zu erlernen um in verschiedenen lebenslagen sich schlagfertig und gewachsen zu zeigen braucht man nicht zum militär zu gehen; Das will ich Dir einfach sagen gehe a u f r e i s e n wie ich gehe nach England nach Frankreich und nach der

Schweiz etc und ich garantiere Dir, dass Du da in allen lebensumständen gewitzigt wirst...

...Deine auslassung über die ‚Rheinhessen‘ hat mir sehr gefallen und wenn es Dich nicht ärgert will ich Dir auch zu erklären versuchen, wie eins mit dem anderen zusammenhängt. Unser volk am Rhein hat einfach deshalb mehr spirit und mehr verve weil es mehr mit der welt in berührung kam als das in Starkenburg u. Oberhessen. Der Rhein war stets eine grosse verkehrstrasse und die grossen landrouten führten durch unser land. Bei allen invasionen haben die Rheinhessen ferner am meisten nicht nur zu leiden gehabt sondern auch profitiert und magst Du sagen was Du willst ich werde Dir haarklein beweisen, dass die französische herrschaft (so kurz sie auch gedauert hat) kein unwichtiges moment in der ausbildung unseres volksgeistes war. Berührung mit anderen völkern anderen sitten anderer weisheit, (das ist das pferd auf dem ich so gerne trabe) ist das beste mittel zur ausrottung aller steifheit aller verblendung alles stumpfsinns aller knechtschaft kurz alles schlimmen im geschicke der völker .. — —

...Was soll ich heute noch rasch schreiben. Dass ich eben an meinem zweiten drama gebäre? Das wird Dich weniger interessieren, noch weniger als die vollendung meines ‚Manuel‘ (den anzuhören wäre schon allein ein grund gewesen nach Bingen zu kommen). Also ich gebäre oder suche zu gebären. Doch wie ich auch Rouge geschrieben habe, die sache geht nicht von statten; die luft hier ist lyrisch episch vielleicht auch, doch wenig dramatisch... Mein bester freund, du vergissest dass du kein 9jähriger bube mehr bist, sondern dass ganz genau e i n d r i t t e l des lebens, das dem normal menschen zugemessen ist, bereits verstrichen ist für Dich sowohl als für mich...

...Wir führen Molières ‚Misanthrope‘ auf und mir ist die titelrolle zugefallen. Ich wünsche Du würdest mich hören französisch parlierend, im Costüm Louis XIV, umringt von einem Kreise...Kannst du dir etwas gegensatzreicheres vorstellen, als dass ich, der Socialist Communard, Atheist mit einem deutschen Herrn Baron, im hause eines professors der theologie, umringt von einer ganzen kette von Highlifedamen Komödie spiele?...

...on ne peut pas s'imaginer une différence plus grande que celle qui est entre mes environs ici en Suisse, et mes environs en Angleterre. D'un côté la dignité, la tranquillité la plus cérémonieuse, d'autre côté la vivacité et l'agilité jamais s'endormant....«

Im Februar besuchte er Mailand und Turin, und im März 1889 kam er zum ersten Mal nach Paris. Dort fand er, was er als Kind geahnt und als Knabe gesucht hatte: le maître et le cénacle. In der Pension Hôtel des Américains, 14 rue de l'Abbé-de-l'Epée, zwischen der rue Saint Jacques und dem Boulevard Saint Michel, lernte er Albert Saint-Paul (T 22 o 1) kennen, und der brachte ihn zu Mallarmé in die rue de Rome (T 22 u).

Die wenigen Briefe, die Mallarmé und George sich geschrieben haben, lassen erkennen, wie die beiden Dichter mit einander umgingen. Dass die Anrede des Jüngeren »cher Maître«, die des Älteren »mon cher poète« lautet, entspricht dem Gebrauch; aber wenn Mallarmé, nachdem ihn George nicht zu Hause angetroffen hat, schreibt: »Aussi désolé, pour ma part, que vous voulez bien l'être, mon cher George: nous aurions tant causé et de vous et de tous«, so fühlt man aus der preziösen Form die herzliche Höflichkeit ihres Umgangs.

Ebenso später, als George in Deutschland zeigen will, wer Mallarmé ist und ihn um die Erlaubnis bittet, Stücke aus seinem Werk, übersetzt, in die Blätter aufnehmen zu dürfen. Ohne Zögern antwortet Mallarmé:

Honfleur 18 Août

Cher poète et ami,

Tout ce que vous voudrez et je le dis de grand coeur; pourvu, c'est la seule condition, que vous ne soyez pas étranger tout à fait à la traduction de ceux choisis entre mes vers.   Bien à vous Stéphane Mallarmé

Auf Georges Bitte hatte Mallarmé seinen Namen in die eigenen Bücher eingetragen, die ihm George dafür vorlegte. Leider sind diese Bücher verschleppt worden, aber aus einem Briefe von Berthold Stauffenberg, der Bücher aus dem Nachlass Stefan Georges in Sicherheit gebracht hat, geht hervor, dass Mallarmé dem Wunsche entsprach.

Mit Albert Saint-Paul (T 25 o), dem George in den Hymnen das Gedicht »Ein Angelico« gewidmet hat und später den Algabal, besuchte er die Museen in Paris, und mit ihm blieb er auch nachher in Verbindung. So schreibt er ihm am 5. Januar 1893 aus Bingen:

mon très cher Saint-Paul: des vents contraires qui me retiennent encore au port . . . je croyais vous saluer de jour en jour. vous aussi, dans un mutisme complet! Pas une seule parole de commisération pour moi, exilé dans ces mornes pays . . . Qu'est-ce que vous faites en ce moment? Vous me paraissez si loin! comme une ombre du passé
Ecrivez-moi, et saluez respectueusement Mme Saint-Paul de ma part
                    Votre ami si intime de jadis
Qu'est-ce qu'il vous semble franchement de ces vers? L'Allemagne commence à me dégoûter
Klein que je viens de voir à Darmstadt me prie de vous faire ses compliments.

Die Verse, über die er Saint-Pauls Urteil erfahren wollte, lauten:

Variations sur Thèmes germaniques

Les anémones de velours et de satin
Le jeune écuyer les écrasait le matin

Inconsciemment, dans le manoir paterne,
Puis, lançait des cailloux au bord de la citerne,

Peut-être s'y voyant de gloire et sang couvert.
A midi recherchant en vain le signe vert,

Le signe de l'espoir sur une tour voisine,
Et promesse d'un sourire de Mélusine,

Il a tremblé —, pendant des heures il pleurait
En plein soleil, lascif et triste il demeurait.

Le soir pour la forêt dense et d'horreurs livide
Il est parti de mort, de blessures avide.

Méprisant le murmure de tel nain bénin
Il avançait d'un pas féroce et enfantin ..

Quand il avait vaincu sans heaume, par l'épée
La Bête immense dans feux et poisons trempée

Il allait le chemin éclairé de nul tison,
Les regards tranquilles et droits vers l'horizon.

Später sind sie deutsch unter der Überschrift »Der Sieg« in der Allgemeinen Kunstchronik, und »Die Tat« im Buch der Sagen und Sänge erschienen.

Auch als George in Deutschland Fuss zu fassen begann, blieb ihm Paris noch lang die Stadt, in der er Dichter und Freunde gefunden; davon zeugt dieser Brief:

Bingen 23 janv 96

Mon cher Ami Saint-Paul. l'année passé nos nouvelles étaient excessivement rares, en sera-t-il de même en 96? j'ai déjà quitté Berlin et je ne suis pas encore sûr d'y retourner. Nos »blätter« continuent à paraître et tout notre mouvement fait de lents progrès, seulement je ne peux penser qu'avec un certain regret à Paris, le seul endroit où j'ai trouvé et possède encore de véritables amis. Mon livre aussi, a paru en attendant. Pardonnez mon cher Ami — tous mes effets sont encore à Berlin, et avant de savoir si j'y reviens, je ne veux pas les faire expédier. Mais aussitôt reçus des exemplaires vous aurez le vôtre. Jusqu'à présent je ne me suis pas encore arrangé avec mon éditeur. j'ai le choix entre deux. Il faut éditer tous les volumes à la fois. Alors Hymnen

Pilgerfahrten et Algabal formeront un volume, et comme mon livre de Berlin 1890 sera dédié au cher Ami Klein, mon livre de Paris appartiendra à vous, le premier qui m'a découvert et un peu compris à Paris. En printemps on m'a invité en Hollande pour prononcer quelques conférences sur la littérature allemande. Dites, ne sera-ce pas curieux de les dire en français dans un cercle d'amis à Paris? J'ai l'intention de venir.

Maintenant ne manquez pas de me parler bientôt de vous et de votre famille.

Tout vôtre

Stefan George

In dem noblen Heft der Revue d'Allemagne vom November-Dezember 1928 — numéro consacré à Stefan George — haben französische Autoren dem Dichter gehuldigt und seine Gestalt aus der Erinnerung nachgezeichnet. — Vor Allen Saint-Paul selbst:

Stefan George qui, malgré son jeune âge, courbait un front grave sous une chevelure abondante et mordorée, n'avait de clair, dans son visage, que les yeux. Ces yeux étaient bleus et pâles comme deux turquoises. Ils rappelaient les yeux du poète François Coppée dont Stéphane Mallarmé disait: »Ce sont deux pierres précieuses«.

Auch hat er berichtet, wie sie, nach einem mardi soir bei Mallarmé, mit andern Dichtern von der rue de Rome (an der Gare St. Lazare) unter Gesprächen heimgegangen sind nach dem Quartier Latin:

Dans la petite salle à manger de la rue de Rome il rencontra François Vielé-Griffin, Albert Mockel, Achille Delaroche, André Fontainas, Pierre Louys, Ferdinand Herold, etc. Il était ravi. Pour revenir, vers minuit, de la rue de Rome au Luxembourg, nous traversions Paris en compagnie d'Herold, de Fontainas, de Delaroche, et quelques fois de Griffin et de Mockel. Nous devisions de poésies, de technique du vers. George nous écoutait avec une curiosité passionnée. La gare Saint-Lazare, l'Opéra, la Seine, la Sorbonne, étaient pour lui des étapes magnifiques d'un chemin de rêve que prolongeait la magie du ciel nocturne. Et souvent, sur le boulevard Saint-Michel, on retrouvait Moréas ou Retté, noctambules impénitents.

Une nuit, nous aperçûmes devant nous, marchant difficilement en s'appuyant sur sa canne, un homme revêtu d'un macfarlane flottant. »Oh! Verlaine!« s'écria George. C'était en effet le splendide et misérable poète des Poèmes saturniens. Nous l'invitâmes au café d'Harcourt, le seul qui fût encore ouvert à cette heure. Bien qu'il l'eût déjà rencontré, Verlaine ne reconnut pas George. C'était pour lui une de ces heures où il paraissait absent de lui-même. Nous ne pûmes lui arracher aucunes paroles. Silencieusement, nous montâmes la rue Soufflot en sa compagnie et, comme cela nous parut être son désir, aux alentours du Panthéon, nous l'abandonnâmes à la solitude qu'il semblait rechercher. Stephan George resta attristé de cette fin de soirée. Je lui avais depuis quelques jours révélé Baudelaire, et il évoquait malgré lui l'ombre du poète des Fleurs du Mal dans cette apparition d'un autre poète qui s'est rangé lui-même parmi les poètes maudits.

Wenige Wochen vor Ausbruch des zweiten Weltkrieges hat Saint-Paul mich bei sich empfangen und von seinen Erinnerungen erzählt, aber nicht mehr mit derselben Kraft wie in diesem Bericht. »Décédé le 11 mars 1946 dans sa 85ème année en son domicile, 24 avenue Trudaine, à Paris IXe« bleibt er mit George verbunden, »der dichter und der freund in langen erlebnissen und geniessendem künstlertum«.

Wie die Erscheinung Stefan Georges um 1890 in Paris gewirkt hat, geht auch aus einem Aufsatz hervor, den Jean-Edouard Spenlé, Juli 1928, im Mercure de France veröffentlicht hat:

Ils ont dû conserver le souvenir de cette tête inoubliable, prodigieusement chevelue, toute en angles, en saillies et en méplats, à l'expression quasi sacerdotale, au profil vaguement dantesque, avec, dans les cavités profondes, le regard aigu, froid et distant.

Im Heft der Revue d'Allemagne hat auch der Belgier Albert Mockel zuerst seine Eindrücke bei Betrachtung eines Bildes von Stefan George, gewiss des sechzigjährigen, mitgeteilt und so zusammengefasst:

L'ensemble a, tout à la fois, une grande beauté et un grand caractère, et cette fière image exprime à merveille l'aristocratie de l'homme et de l'artiste.

Und dann hat Mockel aus dem Gedächtnis den Zweiundzwanzigjährigen heraufgerufen:

Si différent qu'il fût de cette imposante et sacerdotale figure, il en portait déjà l'un des signes, le jeune homme que je vis à Paris en 1890. Ses yeux avaient ce même et net éclat, ce regard incisif, droit et franc; et je dirai aussi quelle aristocratie de l'esprit, de tout l'être profond, se pouvait deviner dans ce visage comme voilé encore d'une tardive adolescence, et que la vie n'avait pas achevé de sculpter.

Grand et mince, la face très allongée sous un court mascaret de cheveux blonds, — sérieux sans pédanterie, et d'une expression plutôt mélancolique, tempérée par la vive lumière des yeux bleus, — il gardait encore dans l'attitude un rien d'hésitation qui allait se transformer en élégante réserve. Une timidité inavouée était combattue chez lui par une résolution déjà très volontaire. Dans le geste, il avait cette gracieuse gaucherie des vingt ans, annonciatrice de la force.

Tel je le revois, et tel il m'apparut dès notre première rencontre.

Schliesslich hat im selben Heft Francis Vielé-Griffin seine Erinnerungen so festgehalten:

Stefan George m'est apparu dès le commencement (je crois que j'appris à le connaître par l'intermédiaire de René Ghil), comme un homme important d'une noblesse d'esprit et d'âme incontestable; il y avait dans son attitude un orgueil droit qui ne paraissait ni prétentieux ni rébutant; sa poignée de main était loyale; autour de ses lèvres se dessinait un sourire un peu triste, mais dépourvu d'amertume et qui n'atteignait pas ses yeux d'où sortait le regard profond et lointain d'un homme qui a longtemps vécu dans la solitude de son rêve.
Nous parlâmes de Bingen et du Rhin, d'un paysage qui m'était aussi familier que la langue de ses poèmes. J'ai gardé le souvenir d'une expression qui s'appliquait sans doute à cet étouffement de l'amour pour l'idéal que l'on pouvait alors observer dans toute l'Europe, à la veille de la catastrophe: »Oui, dit Stefan George, l'on voit ce qu'est devenue la grande Allemagne.«
La gloire qui aujourd'hui couronne ce grand poète est une satisfaction consolante pour tous ceux qui depuis toujours l'ont placé au rang qui lui revient.

Die Huldigung dieser französischen Dichter und hommes de lettres aus dem Jahre 1928 sollte nicht vergessen werden. Sie lassen uns Stefan George in seinem Morgen sehen, als er stolz in seiner Schüchternheit, offen und doch zurückhaltend, ernst in allem, was Dichtung anging und Kunst, sonst aber jugendlich heiter, mit den confrères umging. Welcher Stern über seinem Leben hat ihn, als er zum ersten Mal Paris betrat, mitten ins Quartier Latin an die Gärten des Luxembourg geführt und dort am ersten Tage Albert Saint-Paul finden lassen, der Baudelaire und Verlaine mit ihm las, den Louvre mit ihm besuchte und ihn mit den Dichtern der Zeit zusammenbrachte!
Und wie haben die Letzten dieser Gruppe seiner gedacht: verehrend und mit zartem Pinsel haben sie sein Porträt gemalt, und wenn, wieder in diesem Heft, Einer, der ihn nicht mehr gekannt hat, Charles Du Bos, ihn doch so richtig sah, dass er schreiben konnte:

... seul Stefan George était capable de trouver l'expression qui rende ce ton par où son oeuvre s'affirme aujourd'hui unique: un ton d'une plénitude, d'une concentration, d'une sonorité et par-dessus tout d'une grandeur telles que depuis Dante, Shakespeare et Keats la poésie de notre Occident ne l'avait plus connu,

so kommt einem bei diesen Erinnerungen unwillkürlich in den Sinn:

Fannomi onore e di ciò fanno bene.

Sie sind nun alle tot. Als Letzter ging André Fontainas, der dreiundachtzigjährig, im Dezember 48 in Paris in seiner Wohnung, avenue Mozart, gestorben ist. In Brüssel 1865 geboren, kam er fast gleichzeitig mit George nach Paris und zu den Symbolisten; von 1896 an war er Mitarbeiter am Mercure de France. Hermann Bodeck hat von ihm erfahren, dass er zwischen 1889 und 1895 George wiederholt bei Mallarmé getroffen habe. An Villiers, schrieb Bodeck, habe Fontainas eine grosse Erinnerung bewahrt; oft habe er ihn im Café François Ier getroffen. Villiers habe Fontainas seine Novellen rhythmisch eintönig vorgelesen. Das Café François Ier sei am Boulevard Saint-Michel gelegen gewesen, dort wo heute la gare du Luxembourg sich befindet, also stadtwärts, nicht weit von der rue de l'Abbé-de-l'Epée. Fontainas habe im Café, als er mit Herold und Téodor de Wyzéwa eingetreten sei, Verlaine in eifrigem Gespräch mit Saint-Paul und Stefan George getroffen. Verlaine habe gerade mit Saint-Paul über ein Buch von de Régnier gesprochen; dann habe er sich an Stefan George gewandt und ihn über Richard Wagner befragt und über Goethe. »Goethe, c'est mon poète favori«, déclara Verlaine. A quoi Stefan George: »et aussi le mien«. Tout le monde ria. Fontainas habe sich über die Antwort gewundert; denn bei Mallarmé habe Stefan George immer geschwiegen.

Unter den nachgelassenen Papieren Stefan Georges fanden sich zwei Abbildungen, die eine ein schlechter Druck, wohl aus der Allgemeinen Kunstchronik vom November 1894, darunter von Georges Hand: »Paul Verlaine im Café François I« (T 25 u), die andere das Fragment einer Reproduktion von Fantin-Latour's »Coin de Table« (T 23); George hat sich die linke Hälfte des Bildes, die Verlaine und Rimbaud zeigt, abgeschnitten und aufgehoben.

Welche Bedeutung seine frühe Verbindung zu Frankreich, dieser Aufenthalt in Paris, und die Freundschaft zu den französischen Dichtern für ihn und für sein Leben hatte, ist aus seinem Werk ersichtlich. »Vor Baudelaire, sagte er einmal, hatten die Franzosen keinen Urdichter«. Zur Übertragung der Fleurs du Mal soll er sich entschlossen haben, als er von Mallarmé's Übertragung von Dichtungen Edgar Poe's gehört habe. Mallarmé hat er übersetzt, Verlaine und Rimbaud, de Régnier, Moréas, Stuart Merrill, Vielé-Griffin und Albert Saint-Paul. Die Lobreden auf Mallarmé und Verlaine zeugen von seiner Liebe, am meisten das Gedicht »Franken« im Siebenten Ring.

Von seiner Hand gibt es ein Bündel Abschriften, an die 365 Seiten, meist in Quart-Format, aber auch Oktav, offenbar aus jener Zeit; es sind Abschriften von Gedichten, gewiss solchen, die ihm lieb waren, fast alle in französischer Sprache, aber auch englische und andere; manche davon hat er übersetzt. Bei einigen, wie Verlaine's »Romances sans Paroles«, »Fêtes galantes«, »Jadis et Naguère« hat er in der Abschrift die Form des Originals gewahrt, Titelblatt mit Verleger und Erscheinungsjahr angegeben. Man erkennt, mit welcher Freude und mit welchem Ernst der junge Dichter damals die Werke dieser Gruppe aufnahm, und wie er sie sich zu eigen machte. Beim Abschreiben mögen ihm schon einzelne Verse deutsch gekommen sein: aus Eintragungen ist es ersichtlich.

In Paris lernte er 1889 den polnischen Dichter Waclaw Rolicz-Lieder kennen, eine Gestalt von so vornehmer Art, dass George ihm bis zum Tode in Freundschaft verbunden blieb (T 22 o r).

Wolters hat — wohl nach Georges Erzählung, denn Wolters hat ja Lieder nicht gekannt — Lieder so beschrieben: »Er war ein schöner hoher bleicher Mann mit dunklem Haar und leichtem Bart, der in späteren Jahren wegfiel, mit tiefdunklen Augen, aus denen ein ruhiger Blick souverän über alles hinwegschaute, von vornehmer Haltung und gemessen freundlichen Formen des Umgangs: in der äusseren Erscheinung wie im ganzen Wesen der ritterlichste Mensch, dem George begegnet ist«.

Karl Wolfskehl, den George 1895 in München mit Lieder zusammenbrachte, hat auf meine Bitte seine Erinnerungen an den polnischen Dichter festgehalten:

»Lieder war wie Stefan George zu Beginn der Neunziger Jahre Mitglied des Dichterkreises um Stefan Mallarmé, très Parisien in Art und Auftreten, ein unvergleichlicher Beherrscher der französischen Sprache und wohnte, wenn mein Gedächtnis nicht trügt, im Quartier Latin. Er studierte die orientalischen Sprachen, besonders das Arabische, verfasste auch eine von der Fachwelt wohlaufgenommene arabische Sprachlehre. Den Tag brachte er meist auf der Bibliothèque Nationale zu. An den Abenden waren die Freunde und Kunstgenossen beieinander, oft genug in jenem berühmten Café François Ier, dem, fast möchte man sagen, Wohnsitz von Paul Verlaine, der nur für wenige Frühmorgenstunden seine Bude (so muss man diesen Unterschlupf nennen) in der rue Sainte Geneviève, jener berufenen Alt-Pariser Dunkelgasse zwischen St. Etienne-du-Mont und dem Quai aufzusuchen pflegte.

War doch Lieder, wie übrigens auch George selbst, ein tiefer Verehrer des Verlaine'schen Werks und damit dem Dichter auch persönlich zugetan, aus dessen sonderbar zerfetzter Existenz die königliche Haltung so wenig wich wie von seinem viel beschriebenen und oft modellierten und gemalten Haupte die Aura schöpferischer Anmut.

Bei einem Gespräch über den Gleichmut der Pariser, Auffälligem gegenüber, erzählte mir George, einmal sei er mit Lieder und Verlaine über die grossen Boulevards gegangen zu sehr belebter Tageszeit. Lieder und George waren mit ausgesuchter Eleganz gekleidet, auf dem Haupte den Zylinder, und zwischen ihnen schritt — oder humpelte vielmehr — der mehr als nachlässig, beinah verkommen wirkende Verlaine im berühmten uralten braunen Mantel, in der Hand den Knotenstock, als befremdliche Mitte. Aber keinem der Vorübergehenden kam es in den Sinn, dieses merkwürdige Trio zu bestaunen, zu beargwöhnen, zu belächeln, keiner schaute betroffen auf oder um.«

In George lebte dasselbe Bewusstsein hohen Ranges, das den Dichter der Divina Commedia, den der Sonnets, das Schiller und Hölderlin, Baudelaire und Mallarmé erfüllte. Und dieses Gefühl für die Würde des Dichtertums hat ihn Lieder verbunden.

Eine der acht Widmungen von Rolicz-Lieder an Stefan George beginnt mit der Zeile:

Wenn du nun scheidest nicht alltäglicher gast!

Und wie schwer es George fiel, den Freund wieder nach Polen ziehen zu lassen, enthüllen die Verse an Kallimachus in den Preisgedichten.

Zur persönlichen Freundschaft kam die gemeinsame Liebe zu den französischen Dichtern. Einem Brief aus Paris vom 25. Januar 1896 fügt Lieder die Nachschrift bei: »Hier soir à sept heures et demie est mort Paul Verlaine! Je l'ai vu tantôt; nous l'enterrerons demain matin à dix heures. Cette mort m'avait attristé beaucoup.«

Danach wird er das Gedicht geschrieben haben, das George übersetzt hat und das beginnt:

So bist du geschieden · pauvre Lelian...

Die dichterische Seele Lieders spricht aus mancher Zeile seiner Briefe. So schreibt er am 11. April 1896 aus Paris an George: »Meine Schwalben sind nach Deutschland gezogen! Wie schön klingt das Wort ‚Schwalbe‘, nicht wahr? Es ist wegen dem a. Die Franzosen haben o (hirondelle) und die Polen ů (jaskołka)...« und am 14. April: »... J'ai trois pièces intitulées: à S. G.... il me faut encore une et tout simplement parceque j'ai une belle strophe pour la fin — Poignée de main. — Waclaw Lieder.« Ähnlich am 21. September: »... et le volume entier sera dédié à vous sous forme d'une inscription que j'ai composée depuis bien longtemps. Très souvent, dans les rues désertes le soir, je récite à haute voix cette dédicace. Elle me fait du bien. C'est l'histoire d'un poète!«

Der Band Wiersze V, 1897 in 20 Exemplaren in Warschau gedruckt, aber in Paris erschienen, trägt vorn, auf eigener Seite (T 29), diese Strophe:

Wir der Bewahrer des geistigen Erbes:
An Stefan George mit der Seele des nächtligen Rhein's.
Er einzig unter den trüben germanischen Völkern:
Freite zu wahrem Bund das unfehlbare Wort.
Feierte sein Geschick in erhabenen Strofen.
Sang mit Frömmigkeit seine stolzesten Lieben.
In der Unsterblichkeit treuen Armen
Wird er verhauchen gleich hehren Festgesängen.
Erde zu jener Zeit sei leicht für ihn.
War er für dich ja nur ein Kuss von Gott.

Neben anderen Gedichten enthält das Buch die Widmungen an den
Rheinischen Freund und Übertragungen von Gedichten aus dessen
frühen Büchern.
Nach Empfang des Bandes hat George dem polnischen Dichter so
gedankt:

Auf dem Umschlag: Polen, Herrn Waclaw Lieder,
                    Zlota 37, Warschau

Mon très cher Ami Waclaw: enfin après des mois la première nouvelle.
je ne savais par aucun signe que vous fussiez arrivé, après cet aventu-
reux voyage. Enfin, aussi, je reçois votre dernier volume qui, très noble
d'extérieur, cache peut-être vos plus beaux trésors poétiques. Merci
encore une fois pour la préface ... Je lis dans ce livre un de mes poèmes favoris: »Jaskołki« et l'autre aussi qui commence »Descz płacze«
... Ce choix très riche de traductions de mes livres doit être pour votre
langue polonaise d'une grande nouveauté. mon oreille sent mon propre
rythme dans le vôtre, surtout ces »Pieśni wędrownego lutnika« me
paraissent d'une adaptation et d'une exactitude admirable. qu'en dit-on
chez vous dans vos cercles littéraires? J'ai encore découvert un charmant petit poème qui se prêterait facilement à l'adaptation allemande
»Czarne lelije« avec ces rimes finales:

Rzewny poeta o oczu spokojnych
Biéluchną ręką czarne kwiaty zrywa

Aucun de nous, mon cher Ami, et c'est mon vif plaisir, aurait eu l'orgueil d'écrire ces strophes altières qui finissent:

A to dni naszych zagasłych promieni
Palić się będą nad Renem i Wisłą.

Au revoir, tenez-moi au courant de votre publication là-bas et dites-
moi bientôt quand vous pensez traverser Berlin. ne laissez pas vos amis
si longtemps dans l'incertitude

sept 1897   Tout vôtre Stefan George

Bald danach schreibt Lieder auf einer Briefkarte aus Warschau:

Mon très cher ami!

Une réelle surprise votre envoi d'hier: Das Jahr der Seele. Beaux vers. Belle édition. Combien y a-t-il des rois ici-bas qui seraient autant souverains que vous l'êtes? Merci pour l'envoi et la dédicace...
Schon weil du bist Sei dir in Dank genaht.

Waclaw

Varsovie, le 3 décembre 1897

So dankt er mit dem Vers aus dem Jahr der Seele, und später spricht er in der VI. Widmung von der fürstlichen Gesinnung Georges:

Ich möchte wissen ob auf dieser erde
Es fürsten gibt so fürstensinniger kraft
Dass Deine durch sie überfinstert werde.

Auf der Rückseite der Briefkarte steht:

PS. J'envoie un souvenir: la chambre au volets blancs, pleine de lumière où, vers un coucher du soleil aux chants des oiseaux du Luxembourg nous nous sommes connus. La reconnaissez-vous?

Lieder meint wohl die in Paris aufgenommene Photographie (T 24), auf deren Rückseite er tags zuvor ein polnisches Gedicht schrieb, das deutsch so lautet:

Ich schicke dir ein bild: siehst du im garten
Das weisse zimmer mit den hellen fenstern,
Hier, in entschwundnen jahren, um die stunde
Der dämmerung, wenn leis die spatzen zwitschern,
Sind schüchtern sich zwei seelen einst begegnet.

Ich schick' ein bild, dass es in harten jahren
Manchmal die stillen augenblicke rufe,
Die von der erde enden uns vereinten
Und so viel gute stunden säten, dass
Wir uns nach ihnen sehnen bis ins grab.

Dass segen über diesen mauern liege
Und auf den spatzen, die dort zwitscherten,
Auf dem, der in dem zimmer sitzen wird
Und den gedanken allen, welche bleiben
Wo unsre seelen sich begegnet sind.

Waclaw Rolicz-Lieder
in Freundes-Gedenken an
Stefan George

Warschau, den 2. XII. 1897

Kurz darauf, an Weihnachten, hat Lieder an George ein anderes polnisches Gedicht und dazu die französische Übersetzung geschickt:

Mein sehr lieber freund,

In meiner heimat ist es brauch:
Die in demselben neste wohnen
Sie teilen sich ein weisses brot
Beim ersten stern der heilgen nacht
    Und sind sich nah.

Hält dann umgeben von den seinen
Der vater hoch das weisse brot
So folgen wir dem stummen ruf
Stehn alle auf und küssen uns
    Und müssen weinen.

Denn in der feierlichen stunde
Erinnern wir vergangne dinge
Gedenken jener die mit uns
Gelebt und heut in gräbern wohnen
    Wie unsre kindheit.

Hier sende ich von unsrem brot
Dir der mir bruder ist und mehr
Und in dem brot soviel der liebe
Es braucht um sterbliche zu tragen
    Hinauf zum himmel.

Dich küss ich, Dichter. Wenn am abend
Des sterntags du vom brote issest
So wende her zu mir dein haupt:
Vielleicht vernimmst du meine stimme
    Die zu dir eilt.

Dann lausche meiner seele schrei
Und wenn den Rhein die ruder schlagen
So denk es dringe an dein ohr
Das schluchzen meines dunklen sinnens
    Im klagelied.

Eine Hostie, von der ein Stück abgebrochen ist, liegt heute noch bei dem Brief. Sie trägt das Zeichen I. H. S. und darunter: consummatum est.

Jeder Brief Lieders zeigt den Dichter und Edelmann. So schreibt er aus Warschau am 13. Mai 1903:

Cher ami, votre lettre, parfum lointain, m'est arrivée à l'instant-même. Je vous en remercie. Dans mon dernier volume (tirage 100 exemplaires assez bien répandus) vous trouverez quelques de vos poèmes, savoir »Pan mystiq« (der Herr der Insel), pièces de haute inspiration et vos rois. Les dédicaces à vous sont au nombre de trois. Je vous ai envoyé mon volume directement de Cracovie pour éviter les longues formalités de la censure de Varsovie, de là, manque de dédicace de ma part au frontispice. A suivre.

Bien vôtre

Salutations sincères à vous et les vôtres. Waclaw

Und am 25. Januar 1904 schreibt er (T 26):

> Très cher Ami!
> Je viens de perdre et d'enterrer ma mère bien-aimée.
> Que Dieu garde la vôtre! —
>
> Votre dévoue Waclaw

Als Georges Vater stirbt, telegraphiert ihm Lieder:

Ami votre douleur est la mienne Waclaw Lieder

Es scheint, dass der polnische Dichter vereinsamte, und dass auch seine Gesundheit nachliess. Aus einem Briefe, den er aus Danzig am 24. September 1906 schrieb, spricht eine grosse Sehnsucht:

> Ami!

Je viens subitement de Varsovie pour respirer un peu l'air sain de la paisible Europe et vous revoir n'importe où vous séjourneriez. ...
Bénissons, cher Ami, les cieux qui permettent de nous voir encore une fois dans cette vie pleine de troubles et de tristesse et tendons les bras ouverts vers la grande fête qui nous attend sous peu.
Salut à vous et aux vôtres Waclaw

Bald darauf ist er in Berlin bei George, der damals mit dem Druck des Siebenten Rings beschäftigt war, auf ein paar Tage erschienen, und dieses letzte Wiedersehen bewegte George tief. Er hat Wolfskehl ausführlich von diesem Besuch erzählt, und Wolfskehl hat darüber berichtet:
»Die adelige Haltung, die begeisterte Hingabe ans dichterische Ziel waren unverändert geblieben; aber die Einsamkeit, in der Lieder lebte, war fast zur Einöde geworden und seine grosse Melancholie, ‚die Wehmut unsres Sinnens', schienen fast zur Schwermut gesteigert.«
Damals entstanden die ergreifenden Verse, die das Ende des Siebenten Ringes zieren:

AN WACLAW

Beim Abschied damals lag noch in der leere
Das buch gediehen ganz an heimischer statt . .
Nun bin ich dankbar dass dies lezte blatt
Doch noch dein ritterlicher schatten quere.

Wie richtig ist, was Salin in seinem wichtigen Buche berichtet: George
sei bei einer unbedachten Bemerkung über mangelnde Kultur der
Polen aufgefahren: Waclaw allein erweise das Gegenteil; bei den
Deutschen habe er nicht so viel natürlichen Adel gefunden wie bei
Polen und Spaniern.

Kaum aus der Schule griff George über die Grenzen seines Heimat-
landes hinaus; zuerst ging er nach London, dann an den Genfersee,
nach Italien, nach Frankreich und Spanien. Mit Polen war er durch
Lieder in Verbindung. Er besuchte Österreich, hielt sich in Belgien
auf und in den Niederlanden. Als Knabe schon hat er, mit Benützung
vorhandener Übertragungen, Ibsens Catilina übersetzt und die Nordische Heerfahrt; Proben davon stehen im Schlussband. Aber später
schrieb er: »Vom nordischen geist bleibt dem deutschen nicht viel zu
lernen was er nicht schon besizt ohne die verzerrungen, vom romanischen jedoch die klarheit weite sonnigkeit«. Vor dem Russischen hatte
er beinah ein Grauen, und doch erzählte er — etwa 1930 — von einer
alten russischen Emigrantin, die durchaus zurück wollte in ihre Heimat und auf Warnungen hin nur erwidert habe: »Sie wissen ja nicht,
wie schön Russland ist.« Es war ihm anzumerken, wie ihm diese Antwort gefiel.

Ziel seiner Fahrten waren Menschen, wie er sie suchte. Wie diese sein
sollten, geht aus einem Brief an Hofmannsthal hervor: »... so will ich
Ihnen auch gern einmal MENSCHEN vorführen... als etwan Paul
Gérardy, Wenzel Lieder, Karl Wolfskehl«

Um Menschen zu finden, durchzog er Europa, zuerst mehr die west-
lichen und südlichen Länder, dann die der eigenen Sprache. Ein Wanderer ist er gewesen und geblieben bis zu seinem Tode. Als er in Minusio am 4. Dezember 1933 starb, hatte er zwei kleine Segeltuch-Hand-
koffer bei sich.

Seine Reisen in die westeuropäischen Länder, seine Freundschaft mit
Angehörigen verschiedener Nationen, seine Übertragungen aus dem
Norwegischen und Polnischen, Italienischen, Englischen und Holländischen, seine Bewunderung der Griechen, deren Existenz er als Gottes-
beweis ansah, zeigen, wie offen er für Menschen und Dichtung jedes
Landes war, und mit welcher Kraft er darum warb. Es dürfte nicht
leicht sein, in diesen Ländern Dichter und gar zeitgenössische zu fin-

den, die sich durch Auswahl und Übertragung auch nur annähernd über eine solche Liebe und Beherrschung der Dichtung in anderen Sprachen ausweisen könnten.

Hinzu kommen seine Gedichte in fremden Sprachen:

Einem Manuskript, das er im Frühjahr 1888 in London schrieb und aus dem Gedichte sich in der Fibel wiederfinden, hat er als Motto diesen englischen Vers vorgesetzt:

> This harp's primordial strings
> make weep me still.   St. G. . . .

und der Vers erscheint dann im Jahr der Seele in dieser Form:

> Wie einst noch immer mich zum weinen zwingt.

Wolfskehl wusste, dass vom Gedicht »Südlicher Strand: Bucht«, im Siebenten Ring, vor der deutschen Fassung eine italienische existierte, deren letzter Vers gelautet habe:

> Tanto m'incresce il camminare solo.

Vollständige Gedichte in fremden Sprachen — Lingua romana, Französisch, Englisch — sind aus dem Schlussbande bekannt.

Von Paris brach George auf nach Spanien, kurz nachdem er mit Mallarmé und den befreundeten Dichtern im August 1889 Villiers de l'Isle-Adam begraben hatte. Ende August war er in Madrid; Toledo besuchte er und Murcia. Zu Elche sah er im Palmenhain die nickenden Wedel, und in Aranjuez die vom Tajo umflossenen königlichen Gärten als verlassenen »Inselgarten«; von einer corrida extraordinaria liegt noch ein Zeichen vor. Besonderen Eindruck machte ihm der Empfang bei einem Stierkämpfer, der gesiegt hatte: da bewunderte er die würdig ernste Haltung des Mannes. Einer seiner Wünsche war, Granada, die Kanarischen Inseln und Madeira zu sehen, und in hohen Jahren hegte er noch den Wunsch, Ibiza zu besuchen. In Burgos war er und Ende September in San Sebastian; dann reiste er über Paris heim nach Bingen.

Mir hat er nicht von Spanien erzählt, wohl aber hat er mir in Rheinfelden seine Übertragung von Verweys »Nacht in der Alhambra« als etwas ihm besonders Liebes vorgelesen. Clotilde Schlayer, die das Jahr der Seele und den Siebenten Ring ins Spanische übertragen hat, und die, durch ihr feines Gefühl für Dichtung, vor anderen den Dichter verstand in seinen letzten Jahren, könnte uns gewiss mehr darüber sagen. Zeitlebens hat er eine Vorliebe für Spanien behalten und noch in Minusio davon gesprochen. Wolters berichtet, in Spanien habe George das Gefühl gehabt, eine längst entschwundene Heimat wiederzusehen.

Vermutlich hat George in Spanien die Gewohnheit angenommen, die Baskenmütze zu tragen. Er behielt sie bis zu seinem Tode bei, wollte aber immer nur das echte béret haben, an dem das baskische Zeichen in den Rand eingewoben war.

Von dem verwegenen Bild mit der Mütze (T 45) hat er selbst gesagt, so etwa habe er Spanien durchwandert. Die Aufnahme stammt von Karl Bauer und dürfte wohl nicht vor 1892 gemacht worden sein.

Im Oktober 1889 liess George sich an der Berliner Universität immatrikulieren, und dort hörte er in der philosophischen Fakultät folgende Vorlesungen:

im Wintersemester 1889/90: Shakespeare's Hamlet bei Zupitza, Historische Syntax des Französischen und Chevalier au lyon bei Tobler, Einleitung in die Philosophie bei Paulsen, Deutsches Drama im XIX. Jahrhundert bei Erich Schmidt,

im Sommersemester 1890: Historische Syntax des Französischen bei Tobler, Neufranzösische Übungen bei Waetzold, Literarische und historische Kritik bei Zeller,

im Wintersemester 1890/91: Kunstgeschichtliche Übungen bei Frey, Victor Hugo bei Waetzold, Moderne italienische Literatur bei Rössi. Im März 1891 war sein akademisches Studium beendet.

In Berlin traf er drei junge Mexikaner wieder, die er in Paris kennen gelernt hatte: Antonio, Julio und besonders Porfirio Peñafiel. Gewiss haben sie ihm, der so gern Spanisch hörte und in jenen Jahren mehr Spanisch sprach als Deutsch, in dieser Sprache von ihrem Land erzählt. Viel von dort muss ihn angezogen haben, weil dasselbe zu innerst in seiner Seele war: Zauber und Magie, Glaube und Aberglaube, Beschwörung und Bildkraft, durch die ein altes und stolzes Volk, ohne Maschinen, seine Art erhalten hat und in götterloser Zeit noch Feste feiert. Wenn der Dichter damals daran dachte, mit diesen Freunden nach Mexiko zu gehen, so mag es eine Regung aus dem Innersten seiner Natur gewesen sein, die ihn lockte.

Der Erste, der in Deutschland sich zu ihm gesellte, war Carl August Klein, den George 1889 im Kolleg des schweizerischen Romanisten Adolf Tobler kennen lernte. Welche Bedeutung des »ersten stürmejahrs gesell« für den Dichter hatte, hat er selbst im Siebenten Ring ausgesprochen, im Gedicht Carl August und in der Tafel:

> Teilten nicht alles wir:
> lose und träume und ziele und pfade?

Carl August Klein (T 31 o l), der bei der Martinsmühle zu Hause war und gleichzeitig, wenn auch ein Schuljahr vor Stefan George, das Ludwig-Georgs-Gymnasium in Darmstadt besuchte, ohne dass die beiden Schüler sich kennen gelernt hatten, war eine einfache Natur, der Hingabe fähig und von grosser Treue.

Er ist später zum Theater gegangen, und mit seinem Interesse für die Bühne mag zusammenhängen, dass ein ,Mitglieder-Verzeichnis des Vereins »Freie Bühne« aufgenommen bis 1. Januar 1890' aus dem Nachlasse Dr. Otto Brahm's, Gründers des Deutschen Theaters und des Lessing-Theaters, unter anderen Namen enthält: »Herr stud. Edienne [sic] George, und stud. Aug. Klein«.

Kleins Erinnerungen ist die sonderbare Aufnahme aus dem Jahre 1892 vorangestellt, welche die beiden Freunde stehend in Mantel und Zylinder zeigt (T 40 r). Über zeitbedingte Kleidung lächelt man, wenn die Mode gewechselt hat; ist noch mehr Zeit vergangen, so mag man sie wieder. Damals riefen ihnen die Mainzer Marktweiber nach: »Ein Meter Mensch und zwei Meter Ofenrohr«.

Klein hat an der Gründung der Blätter für die Kunst seinen Anteil. Er figurierte als Herausgeber bis zur letzten Folge, im Jahre 1919. Allerdings hat er in späteren Jahren einmal geschrieben: »Dürfte ich um ein Exemplar der von mir herausgegebenen Zeitschrift bitten?« Es ist bezeichnend für George, dass er an dem Vermerk des Herausgebers nichts änderte, obwohl Carl August Klein längst einen anderen Weg gegangen war. Die Aufnahme der Tafel 31 zeigt oben rechts Carl August Klein im 82. Lebensjahre.

Welche Entwicklung George in diesen ersten Berliner Jahren genommen hat — es ist die Zeit der »Legenden«, der »Zeichnungen in Grau«, der ersten »Hymnen« und der Lingua Romana — wird in Briefen, die er auch damals noch an Arthur Stahl richtete, gelegentlich sichtbar; so im Brief vom 2. Januar 1890:

Amico de meo cor!

El tono elegico con que parlas en tua letra de nostra corespondencia longamente interrompida me ha magis commovido que el vituperio fortisimo.

Um gottes willen wirst du ausrufen in welcher sprache schreibt denn der mensch hier; die hauptsache ist dass Du die verstehst — vom anderen später.... Ich habe so eine art plan — du weisst das ist mein genre und ich falliere damit nur leider zu oft — ich wollte den plan einer poëtischen und kritischen mappe wieder auffrischen.... ich komme eben von den Mexikanern.... Du sagst dass Du so lange von meinem schaffen nichts gemerkt hast — Ich nämlich auch nicht: Ich habe allerdings verschiedene pläne gehabt. Das kommende jahr wird entscheiden, ob sie lebensfähig resp: fortbildungsfähig sind....

Ich lebe hier ziemlich zurückgezogen, ich habe auch einen kreis von freunden die ich Dir nächstens detaillieren werde: Darunter Franzosen, Italiener Mexicaner etc. Kurz einen wahren jardin d'acclimatation.

... Und schrecken der schrecken derjenige der so lange jenes hehre und aus dem staube gezogene banner in die höhe hielt, und der mit kecker stirn dessen devise erregung glühend vor der ganzen umgebung hinausblies:

> »Überbord mit vernunft dem schweren bund
> Ich segle vielleicht mein schiff in den grund
> Doch es ist so herrlich zu fahren.«

Ich sage derjenige selbst ist angekränkelt und muss sich oft im bade der erinnerung stärke holen, um sich einigermassen aufrechtzuerhalten. Der mann, weisst Du, bin ich!! Ach —
Jetzt noch ein geständnis das mir schwer wird niederzuschreiben: Der gedanke,der mich von jugend auf geplagt und heimgesucht hat, der in gewissen perioden sich wieder und wieder aufdrängte hat mich seit kurzem wieder erpackt: Ich meine der gedanke aus klarem romanischem material eine eben so klingende wie leicht verständliche literatur sprache für meinen eigenen bedarf selbst zu verfassen. Die gründe weshalb ich [in] meiner deutschen sprache nicht gern schreiben will kann ich dir auf diesem gemessenen raum nicht auseinandersetzen. (Im anfang des briefs hast Du eine probe). Darin liegt auch der grund weshalb ich seit monden nichts mehr verfasse, weil [ich] ganz einfach nicht weiss in welcher sprache ich schreiben soll. Ich ahne, diese idee wird entweder bei mir verschwinden oder mich zum märtyrer machen.

Lebe wohl, Deine Hand?   Dein Etienne

Allmählich gelangt er zu einer bestimmten Sicht. Seine Schrift verändert sich und ebenso das Schriftbild der Briefe. Das illustriert der Brief an Arthur Stahl vom 22. November 1890 (T 28). In diesem wichtigen Dokument hebt er die Bedeutung des WORTES hervor und sagt das NEUE gehe vom Lyrischen aus. Aber man merkt auch aus diesem Briefe, wie er sich von den Schulfreunden entfernt. Und so wird es immer wieder gehen: sein Weg führt ihn weiter, andere bleiben zurück. Das macht er, mit sinnbildlicher Kraft, klar auf einer Postkarte aus Wien an Arthur Stahl, vom 24. April 1891, die er schwarz umrändert. Auf dieser Karte (T 27) schreibt er: » ... Du solltest allerdings viel von mir bekommen, besonders die Baudel: übersetzungen (mit neuem) ...... der trauerrand? wegen des literarischen todes des dichters und freundes C[arl] R[ouge] ... .«

Im April 1890 hatte ihn in Bingen der Lausanner Maurice Muret besucht, den er in Toblers Kolleg kennen gelernt hatte und der später am Journal des Débats mitgearbeitet hat. Für ihn hat er Gedichte in der Lingua Romana aufgeschrieben, mit der Aufschrift:

A meo amico amato
e colega apreciato
Maurice Muret.

Dann war George noch im April in Böhmen und im Hochsommer in Kopenhagen, wo er mit Stanislaus Rošzniecki zusammenkam. Die Gedichte »Verwandlungen«, »Ein Hingang«, »Nachthymne« sind dort entstanden. Gleich darauf, auch noch im Sommer, ist er in Paris, und dort dichtet er »Rückblick«, »Auf der Terrasse«, »Gespräch«, »Bilder«, »Die Gärten schliessen«. Anfangs Oktober in Berlin, schreibt er »Lass deine tränen« und »Die jugend so bedäucht es dich«; vor Jahresschluss druckt er die Hymnen. Anfang Dezember begleitet er seine mexikanischen Freunde nach Bremen an den Hafen.

Das Jahr 1891 beginnt er in Berlin. Dort dichtet er den »Siedlergang« und an einem Februarsonntag »Lauschest du des feuers gesange«. Auf einer Fahrt durch die Geest schreibt er »Mühle lass die arme still«. Mitte März ist er in Verona und Venedig. »Wenn aus der gondel sie zur treppe stieg« und »Ich darf so lange nicht . . .« sind dort entstanden. Im April, Mai, Juni ist er in Wien — »Mächtiger traum«, »Mahnung«, »Die märkte sind öder« stammen aus diesen Monaten — Anfang Juli in München, trifft er dort Franz Url, dann eilt er nach Bingen; Ende August ist er in Königstein, Anfang September in England, kehrt über Frankreich zurück, fährt über München, wo er »In alte lande laden bogenhallen« dichtet. Im Herbst trifft er wieder in Wien ein, und dort bleibt er, mit dem Studium der Romantik beschäftigt, bis in den Januar 1892. Noch vor Jahres-Ende lässt er die Pilgerfahrten erscheinen.

Das Itinerar soll nicht weiter verfolgt werden; aber diese paar Angaben mögen dartun, mit welch dämonischer Dynamis er damals Europa, suchend und dichtend, durcheilte. Und dieser Dämon trifft nun in Wien auf Hugo von Hofmannsthal. Im Dezember 1891 lernte er, selbst dreiundzwanzigjährig, eines Abends in einem Stadtcafé den achtzehnjährigen österreichischen Dichter kennen.

Heute wird man sagen dürfen, dass Hofmannsthal die stärkste dichterische Begabung war, der George im Deutschen begegnet ist. Mit dieser Begabung schien sich alles zu erfüllen, was er vom Leben forderte. In dem jungen, klugen, anmutigen und begeisterungsfähigen Wiener glaubte er den Dichter, den Gefährten im geistigen Streit und den

Freund gefunden zu haben, den zu suchen er aufgebrochen war zu seinen Fahrten. Nun konnte ein gemeinsames Wirken beginnen, ihnen beiden würden sich andere anschliessen, für die neue deutsche Dichtung würde aus ihren Werken ein Masstab gewonnen werden.

In »edler plötzlichkeit« bot George sich Hofmannsthal dar als Freund: »das konnte denn kein wunder sein, dass ich mich dieser person ans herz warf (Carlos? Posa?).«

Das Dokument, in dem der verschlossene ältere Dichter sich dem jüngeren öffnete, hat sich gefunden:

»Lassen Sie sich durch die geheimtuende aussenseite nicht erschrecken! aber sehen Sie wenn wir auch noch ein dutzend mal unsre akademischen gespräche führen, das folgende wird nie gesagt werden.

Besser wäre auch das schweigen aber weiter unten finden Sie einen grund wesshalb ich es brach. Ganz verstehen können Sie zum glück noch nicht da Sie die grosse Trübnis nicht kennen. Sie werden dieselbe noch kennen lernen da Sie ein wahrer künstler sind später — viel später das wünsche ich Ihnen von herzen

.

Schon lange im leben sehnte ich mich nach jenem wesen von einer verachtenden durchdringenden und überfeinen verstandeskraft die alles verzeiht begreift würdigt und die mit mir über die dinge und die erscheinungen hinflöge · und sonderbar dies wesen sollte trotzdem etwas von einem nebelüberzug haben und unter einem zwang des gewissen romantischen aufputzes von adel und ehre stehen von dem es sich nicht ganz lösen kann ähnlich wie Johannes in Rosmersholm.

Jenes wesen hätte mir neue triebe und hoffnungen gegeben (denn was ich nach Halgabal noch schreiben soll ist mir unfasslich) und mich im weg aufgehalten der schnurgrad zum nichts führt. O den satz den ich gestern schrieb — nein ich nenne ihn nicht denn für den andern ist daran zu viel papier tinte federn während er für mich siedendes quellendes-stoffloses blut bedeutet ...

. .

Diesen übermenschen habe ich rastlos gesucht niemals gefunden grad so wie jenes Andre unentdeckbare im all .. Das aber raten Sie aus meinen büchern

Die grosse seelische krise drohte

.

Und endlich! wie? ja? ein hoffen — ein ahnen — ein zucken — ein schwanken — o mein zwillingsbruder —

.

Werden wir wieder vernünftig · das ist vorbei. ich sehe nun deutlicher

und ich weiss: In unsren jahren ist die bedeutsame grosse geistige allianz bereits unmöglich Jeder ist bereits in einen gewissen kreis des lebens getreten in dem er hängt und aus dem er nimmer sich entfernen kann·nur noch kleine ändrungen und einschiebsel sind zulässig. Das grosse und wichtige ist bereits versorgt und wer es in andrer form (ausserhalb des Kreises) bringen wollte wäre ein eindringling . . .
ich suche zu verbeissen und ich schmähe mich dass ich redete·denn wesshalb? etwa die gemeine beruhigung nachdem man klirrende rasselnde sachen als gläser fenster vasen zerschlagen hat und deshalb will ich dass Sie mir das blatt zurückgeben oder es sofort vernichten (mit jenen versen von damals) Schweigen Sie. Sie sind der einzige der von mir solche bekenntnisse vernahm. Darin bau ich blind auf Sie.

Einer der vorübergeht«

Diesen Brief, »den das wesen x in ihm abfertigte, das wesen y unterschlug« hat George doch Hofmannsthal übergeben — im Café Griensteidl am 9. Januar 1892 — und zurückerhalten. Hofmannsthal erwiderte darauf am nächsten Tag:

»Was soll ich Ihnen sagen? was darf ich Ihnen erwidern? der Ihr halbverschleiertes Bekenntnis, ein Bekennen vor sich hin und für sich selbst vernommen hat, ein zufällig aufgefangenes mehr denn Gabe und Geschenk.
Und ich? ich kann nur mich selbst geben . . . ich kann nicht anders, mein Wesen giesst den Wein seines jungen Lebens aus . . . wer nehmen kann, nimmt.
Ich glaube, dass ein Mensch dem anderen sehr viel sein kann: Leuchte, Schlüssel, Saat, Gift . . . aber ich sehe keine Schuld und kein Verdienst und keinen Willen der helfen kann, wo Tyche rätselhaft wirkt. Die grosse Krise soll enden, denn sie will es.
will mich Ihr Sinn, der selbst die Wege weiter weiss, mit den Zügen des Heilenden schmücken: er darf wenn er muß und er muß wenn er kann ich möchte Sie gerne halten können, Ihnen zu danken dass Sie mir Tiefen gezeigt haben aber Sie stehen gerne, wo Ihnen schwindelt, und lieben stolz den Abgrund den wenige sehen können.
i c h kann a u c h das lieben, was mich ängstet.

?

Sonntag, abends.«

»Ihr brief, der ja auch so diplomatisch war«schrieb George darauf, und Hofmannsthal trug in sein Tagebuch — das blaue Heft — ein: »Inzwischen wachsende Angst; das Bedürfnis den Abwesenden zu schmähen.

50

DER PROPHET

In einer Halle hat er mich empfangen
Die rätselhaft mich ängstet mit Gewalt
Von süssen Düften widerlich durchwallt,
Da hängen fremde Vögel, bunte Schlangen,

Das Tor fällt zu, des Lebens Laut verhallt
Der Seele Athmen hemmt ein dumpfes Bangen
Ein Zaubertrunk hält jeden Sinn befangen
Und alles flüchtet, hilflos, ohne Halt.

Er aber ist nicht wie er immer war.
Sein Auge bannt und fremd ist Stirn und Haar.
Von seinen Worten, den unscheinbar leisen

Geht eine Herrschaft aus und ein Verführen
Er macht die leere Luft beengend kreisen
Und er kann töten, ohne zu berühren.«

So erschreckte ihn der Dämon, der ihn anzog. Unheimlich war ihm das
Andringen des fordernden Mächtigen. Was ihn so beklemmend äng-
stete, konnte er doch nicht lieben. Er fühlte sich bedroht. Wie konnte
er sich bewahren, wenn er sich dem Verwandler ergab? Beklommen,
aufgeregt, abgespannt entzog er sich dem Älteren, der bei ihm sein
Heil suchen wollte; schliesslich flüchtete er sich, der noch nicht Acht-
zehnjährige, hinter den Vater. Dieser griff ein und bat George, den
Verkehr mit dem Sohne nicht erzwingen zu wollen. Am Tag nach
dieser Unterredung, Mitte Januar, hat George Wien verlassen.
So kurz währten die »TAGE SCHÖNER BEGEISTERUNG«, deren George
noch 1899 öffentlich in der Widmung der Pilgerfahrten und Hofmannsthal etwas später im Chandos-Brief gedenkt. Und nach dreissig Jahren
hat Hofmannsthal über jene Wochen an Carl Burckhardt geschrieben:
»... Wie ich mit achtzehn Jahren war, als nachts in einem Stadtcafé
im alten Palais Herberstein plötzlich ein unheimlich und gebieterisch
aussehender, vielleicht noch sehr junger, vielleicht viel älterer Mensch
auf mich zutrat, der Stefan George war und sagte, er suche mich und er
sei nur deswegen nach Wien gekommen. Das Leben wurde mir durch
die Begegnung nicht weniger unheimlich, vielleicht sogar mehr — aber
ich fühlte mich selbst in mir, wie etwas Kraft, Liebe und Hoffnung Ge-
bendes ...«
Aus der Wunde, die diese Flucht in das starke Herz Georges riss, tropf-
ten noch nach Jahren »Worte und Blut«; wie furchtbar muss die Enttäuschung damals gewesen sein. Die kaum erblühte Freundschaft war

gestört und blieb gestört. Immer wieder zwar in den folgenden Jahren
suchte und bot der Ältere den ganzen Menschen zu gemeinsamem Wirken; aber jedesmal widerstrebte der Jüngere einer solchen bedingungs-
losen Hingabe. Wenn George schrieb, wer sich rückhaltloser Aussprache entziehe, werde unklar und unheimlich, so erwiderte Hofmannsthal, er bitte, »ihn als einen neutralen Bestandteil des wohlwollenden Publikums« anzusehen, und er hoffe, zum »Kreis in einer
gewissen Nähe zu bleiben.«
Sie waren zu unveränderlich anders:
Stefan George, der tragische Mensch, stark und gewaltsam, angreifend,
unbedingt, auf der Suche nach dem höheren Leben, wahr und ernst,
sicher und gerade, plastisch und klar, tätig, sich stellend, einheitlich,
unnachgiebig, ein Einziger der Wenige sich verbündet, herzlich-heftig
mit den Freunden, zuverlässig auch im Kleinen, von seiner Sache besessen, Herr seiner Natur und seiner Umgebung, der Pilger durch
Europa und im Reich mit der Liebe zu Hellas und zum geheimen
künftigen Deutschland, der Seher dessen ins Innere dringender Blick
das Geschick der Nächsten und des Vaterlandes voraussah, getrieben
vom Drang zur Formung derer die er ausgewählt, sondernd, mit der
leidenschaftlichen Sprache der Divina Commedia auch in den Briefen
und mit den schweren Schriftzügen des Gesetzgebers — in Antiqua —
auf rauhen Bogen, die Hand drohend und flehend erhoben für den
Freund.
Hugo von Hofmannsthal, der humane Mensch, empfindsam und fein,
abwehrend, bedingt, auf der Suche nach dem Leben, wandelbar und
spielend, schwankend und verschlungen, malerisch und verschleiernd,
ein Zuschauer, sich entziehend, vielfach, nachgiebig, ein Einzelner der
»im Gedränge umherwandelnd« sich allem verbunden fühlt, höflich-
literarisch in gesellschaftlichem Umgang, lässig auch im Grossen, von
Unwohlsein gequält, wohltuender Landschaft und Witterung bedürf-
tig, der in Wien ansässige österreichische Deutsche mit Vorliebe für
den Westen, der Zweifler dessen hellsichtiges Auge durch die Einzel-
wesen hindurch das unaufhörliche Wachsen und Welken schaute,
angezogen vom Geheimnis des unerforschlichen Einsseins mit jedem
Seienden, mischend, die Tränen um seine Muräne scheu verhüllend,
mit der gebildeten Diktion und der dünnen Schrift des Weltmanns —
in Fraktur — auf zierlichem Wappenpapier, auch wenn er an George
schrieb.
Bei solcher Verschiedenheit blieb nach »jenem ersten Missverstehn
und Auseinandergehn« zunächst nur die gegenseitige Anerkennung
als Dichter: in diesem höchsten Range wussten sie sich einzig. Durch
Enttäuschung, Groll, Rüge, aufflatternde und endlich doch sinkende

Hoffnung Georges strahlt diese Gewissheit ebenso hell hindurch wie durch Hofmannsthals verbindliche Abwehr und Anteilnahme.

Für keines andern Zeitgenossen dichterische Begabung hat George Worte gefunden wie für die des »einen Hugo«, und das Edelste, was über Georgesche Dichtung geschrieben wurde, ist Hofmannsthals Besprechung der Hirtengedichte vom März 1896. Sie schliesst mit den Worten:

»Die angeborene Königlichkeit eines sich selbst besitzenden Gemütes ist der Gegenstand der drei Bücher. Nichts ist der Zeit fremder, nichts ist den wenigen wertvoller. Die Zeit wird sich begnügen, aus den schlanken tyrannischen Gebärden, aus den mit schmalen Lippen sparsam gesetzten Worten, aus dieser leicht-schreitenden hochköpfigen Menschlichkeit und der im unsicheren Licht der frühen Morgenstunden gesehenen Welt einen seltsamen Reiz zu ziehen. Einige wenige aber meinen nun mehr um den Wert des Daseins zu wissen als vorher.«

George dankt dafür: »Ihre zerlegung meiner hirten- und preisgedichte ist so fühlend und fein — wie sie ein dichter wünschen kann; ein verständnisvolles wort ist für die trockene seele ein warmer frühlingsregen.Bleiben Sie mir treu.« So fühlten beide, wie sie in einer trostlosen Umwelt doch zu einander gehörten; darum konnte die Liebe des einen so lange nicht und die Dankbarkeit des andern niemals sterben. Aber für George war Dichten auch Wirken. Als in seiner Gegenwart einmal erzählt wurde, Napoleon habe gesagt: »J'aime le pouvoir comme artiste«, da entfuhr ihm: »J'aime l'art comme pouvoir.« Dichtung war ihm die Macht, Menschen zu gestalten nach dem Bilde, das er schaute. Hofmannsthal dichtete aus einer Ahnung der geheimen Zusammenhänge, die aus den Tiefen herauf ihn durchströmten wie den Rutengänger unterirdische Wasser. Er wollte und hatte keine Folger. Jeder persönlichen Begegnung zumal mit Jüngeren gab George Gewicht und Rang; Hofmannsthal aber führte einen jungen Mann bei George ein, der die »Laune« hatte, ihn aufzusuchen. Hofmannsthal hat manches versucht und wieder aufgegeben; George wusste, dass »keinen erfolg suchen: gross — ihn suchen und nicht haben unanständig ist«.

Beider Grundhaltung war so verschieden, dass es bei jedem kleinen Anlasse sichtbar wurde, doch konnte die gegenseitige Verehrung lange Zeit über solche Vorfälle hinweghelfen. Gefährlicher war, dass George, durchdrungen von seiner Sendung und von der Bedeutung des zweiten Dichters für diese Sendung, unablässig in Hofmannsthal drang, sich ganz an seine Seite zu stellen. Vor dieser geforderten Ausschliesslichkeit graute dem Bestürmten, der — fast scheint es — im Grunde nicht einsah, was man von ihm wollte. Er fühlte sich dem grossen Dichter unauflösbar verbunden, etwa wie Hölderlin an Schiller schrieb »von

Ihnen dependier ich unüberwindlich«; aber von dieser Verbundenheit bis zu gemeinsamem Wirken im Kreis und gleichem Verhalten zur Aussenwelt war ein Schritt, den Hofmannsthal nicht tun konnte und, wenn er sich treu bleiben wollte, wohl auch nicht tun durfte. Die Begegnungen, die sie planten, kamen nicht zustande, und die zufälligen Begegnungen hinterliessen keine gute Erinnerung. Und in den Briefen durch Jahre hindurch dasselbe erfolglose Mühn: George ruft und ladet und mahnt vom andern Ufer; aber als Antwort tönt nie »Hol über«, sondern ein freundliches Wort der Verehrung, tiefer Dankbarkeit, wohlwollender Zustimmung dessen, der für sich bleiben will.

Da wollten wir euch freundlich an uns reissen

aber der Österreicher sträubte sich dagegen, von den aus dem Reich herübergestreckten Armen liebevoll gewaltsam umschlungen zu werden. Am Plan der Monatsschrift wurde der Gegensatz völlig klar: »Für wessen Dichtungen vermöchte ich mit Zuversicht und Glauben einzutreten?« erwidert der Aufgerufene und begründet sein Unvermögen in Sätzen, die er als Philipp Chandos geschrieben haben könnte. Darauf beginnt — in den Entwürfen sichtbar — ein Ringen in Georges Seele, dessen Ausgang über das Verhältnis zu Hofmannsthal entschied. Anfangs will er zureden: wenn zwischen ihnen beiden das rechte Vertrauen herrsche, werde auch die Zusammenarbeit gelingen. Dann wird diese persönliche Voraussetzung ersetzt durch die sachliche: unerlässlich sei Übereinstimmung der Ansichten über Dichtung und Schrifttum. Und schliesslich, als er gerade in dieses Abwägen hinein anrührende Worte Hofmannsthals vernimmt — »wie vereinsamt wir in Deutschland sind und wie im Tiefsten aufeinander hingewiesen... mein lieber, glauben Sie: ich bin Ihnen und Ihren Bestrebungen näher als jemals« — da tilgt George im Gedicht den alten Groll, bekennt nochmals die alte Liebe, bewundert des Freundes Dichterschaft und fordert für ein gemeinsames Wirken beides: »die höchste unbedingte achtung für den menschen« und »dass was dem einen schlecht niedrig und abstossend ist, dem andren nicht gut erhaben und nähernswert scheine«. »Nehmen Sie meine hand offen und treu wie sie Ihnen angeboten wird«. Und nun erwidert Hofmannsthal: auch über fremde Dichtung hätten sie beide wohl nie so verschieden geurteilt, von allen neuen Erscheinungen in deutscher Sprache habe er nur bei einem grosse Schönheit gefunden — bei Dehmel.
Mir hat einmal jemand Dehmels »Zwei Menschen« geliehen. Das Buch lag ungelesen in meinem Basler Zimmer auf dem Nachttisch, als Stefan George zu mir kam. Er sah es, ergriff es und warf es beiseite mit den Worten: »so eine Dreckpoesie!«

So zeigte sich im Augenblick der freundschaftlichsten Empfindungen plötzlich der Abgrund, der sie trennte, in seiner ganzen Tiefe: »was Sie immerhin mit einem beträchtlichen lob ausstatten«, erwiderte George, »gehört für mich zum schlechtesten und widerwärtigsten was mir in die hände kam.«

Dennoch hafteten noch viele verbindende Fasern in ihren Herzen: ein Entwurf, der wohl nie abgesandt wurde, verrät, unter welchen Schmerzen George die stärksten davon aus dem seinen riss. Es scheint, dass er noch einmal versuchen wollte, Hofmannsthal aufzurufen: wie dringende Beschwörungen des sorgenden Freundes, der den Teuern unmittelbar vor dem Versinken sieht, klingen seine abgerissenen Sätze: »Sie selber haben sich von einem bösen engel leiten lassen mir auszuweichen ohne jede menschlichen und göttlichen gründe. . . . Ich habe nie etwas andres als Ihr bestes gewollt. Mögen Sie sich davon nicht zu spät überzeugen. Ihr St.«

Das war im Sommer 1897. Viel später noch berichtete Lechter, unter welchen Qualen damals George die Tage in seinem Atelier zubrachte, Briefe an Hofmannsthal entwerfend und wieder verwerfend. Aber dann war der seelische Kampf zu Ende, George ergab sich darein, auf Hofmannsthal verzichten zu müssen. Die Entfremdung begann, und als es im Jahre 1902 zur Auseinandersetzung kam, hatte George sich innerlich von dem Langumworbenen gelöst. Er griff mit Vorwürfen an: ». . . empfand ich Sie mir eher entgegenwirkend . . . Ihre eignen und eigenhändigen verleugnungen zu ohr und gesicht . . . so waren Sie stets der ausweichende . . .« Schliesslich sprach er aber noch einmal aus, »was Sie mir als mensch bedeutet haben und noch bedeuten . . . der eifer mit dem ich nach jeder gedruckten zeile von Ihnen greife . . . der tiefe eindruck den Ihre gedichte auf mich machten ist so sehr gleich geblieben . . .«

Als Hofmannsthal darauf sich rechtfertigte und klagte, Georges Stimme töne hart und fremd zu ihm her, konnte George noch einmal liebe- und rücksichtsvoll schreiben, obwohl er zuvor Entfremdung und Veränderung seines Gefühls zugegeben hatte.

Darauf schrieb Hofmannsthal, dass er George »Das Gerettete Venedig« widmen wolle, um »auf diese Weise auszusprechen, dass die Jahre der Entwicklung mich nicht von Ihnen entfernt, sondern Ihnen in Bewunderung und Liebe genähert haben.« Und Ende 1904 sandte er das Drama nach Bingen, das in der ersten Ausgabe die Widmung trug DEM DICHTER STEFAN GEORGE IN BEWUNDERUNG UND FREUNDSCHAFT Dazu schrieb er: »mögen die Gestalten dieses starken und dieses schwachen Menschen auch etwas Intimeres für Sie aussprechen . . .« Es war deutlich, dass Pierre Züge von George, Jaffier Züge Hofmannsthals trug. Der Gegensatz ihrer Naturen hatte von je Hofmannsthal keine Ruhe gelassen und zur Gestaltung gedrängt; schon Claudio und der Freund, dann des Chandos Brief an Bacon sind Beispiele dafür. Auch in Georges Dichtung sind Spuren davon, aber verborgener.

George erwiderte: »Ihre beiden hauptgestalten können mich nicht überzeugen. Jaffier der am meisten zu reden hat haben Sie nur mit unleidlichen zügen ausgestattet... so wird auch die freundschaft und handlungsweise Pierre's unglaubwürdig.«

In der Tat, die Freundschaft war unglaubwürdig geworden: die Widmung verschwand in den folgenden Ausgaben. Zwar schrieb Hofmannsthal im Frühjahr 1906 noch einmal: »Ich fühle mich Ihnen weder ferner noch fremder, noch minder zugetan als jemals«; aber dies war der letzte Satz des letzten Briefes, den er an George schrieb, und George hatte schon vorher auf Fortsetzung des Gesprächs verzichtet. In seinem Nachlasse fand sich postfertig ein Brief vom 4. Dezember 1905, der mit der traurigen Feststellung schloss: »dass es kaum noch einen punkt zu geben scheint wo wir uns nicht missverstehn«. Diesen Brief hat George nicht mehr zur Post gegeben.

Das Gedicht »Der Verworfene« im Teppich des Lebens hält fest, wie George schliesslich den ehemals Umworbenen sah. Wie Hofmannsthal später über den einst Zurückgestossenen und dessen Wirken dachte, hat er in seiner Ankündigung des Verlages der Bremer Presse vom Oktober 1922 – einem vergessenen Dokument, dessen Kenntnis ich Johannes Oeschger verdanke – höchst vornehm so ausgesprochen:

»...George fast allein mit dem Kreis der Seinen, die er leitet, hat sich der allgemeinen Erniedrigung und Verworrenheit mit Macht entgegengesetzt. Er war und ist eine herrliche deutsche und abendländische Erscheinung. Was von seinem Geist berührt wurde, hat sein Gepräge behalten, und man erkennt seine Schülerschaft unter den jüngeren Gelehrten noch mehr als unter den Dichtern an einer ungemeinen strengen Haltung. Einem seichten Individualismus hat er den Begriff geistigen Dienens entgegengehalten und damit dem höchsten geistigen Streben der Jugend, so an den hohen Schulen, als in den Verbindungen einzelner Schweifender und Suchender, reines Leben eingeflösst...«

Sieht man die Photographien an (T 32, 33), so versteht man fast besser als die Anziehung der Jungen das Auseinandergehen der erwachsenen Männer: diese sind sehr verschieden. Am ehesten zugehörig sieht Hofmannsthal auf der Photographie (T 33 l, 84) der den Blättern in der Siebenten Folge beigegebenen Dichtertafel aus. Aber er hatte gewiss keine Freude an der Wiedergabe seines Kopfes zwischen den Autoren der Blätter für die Kunst, obwohl George ihm einen bevorzugten Platz zugeteilt hat. Er schrieb an George, dem Plan eines Sammelbildes wolle er sich nicht anschliessen; an Dichtern interessierten ihn die Gesichter recht wenig. George nahm dies als Scherz: ob Einer ein Dichter sei, das erkenne er ebenso am Gesicht wie am Gedicht.

Es war wohl nicht nur Scherz von Hofmannsthal. Als ich dem Briefwechsel Bilder der beiden Dichter beigeben wollte, widersetzten sich die Erben Hofmannsthals diesem Wunsche; vermutlich verhielten sie sich so in seinem Sinn. Es ist bezeichnend für Hofmannsthal, dass er 1902 George nicht um ein Bild aus seinem Mannesalter bittet, sondern um eines aus der Knabenzeit: »die schöne Hieroglyphe des menschlichen Gesichtes in ihrer weicheren unbestimmteren Formung ist so viel für die Einbildungskraft«.

Über Hofmannsthals Kopf schrieb mir der Maler Karl Bauer im Jahre 1933: »Abgesehen vom Ausdruck der schönen Augen machte er mehr den Eindruck eines Sportsmannes als eines geistigen grossen Talentes. Er war ungeheuer lebhaft in körperlicher Beziehung, so wie es der Maler Graff von Schiller erzählt, sass mir aber doch noch zu einer kleinen Farben-Skizze, die ich noch aufbewahre und für das grosse Gruppenbild der »Runde« verwenden wollte, was er später ablehnte. Er wollte die Gemeinschaft mit den anderen Herren (ausser George) nicht festgelegt haben. Ich freute mich über die klar absetzenden Flächen des schmalen Gesichtes, wie man sie so häufig bei der mittelländischen Rasse, auch bei jüngeren Gesichtern der Antike und in der Renaissance-Zeit sehen kann. Der tief hereingehende Ansatz der Haare ließ die Stirn jedoch nicht bedeutend erscheinen, was später durch Ausfall jener wesentlich besser wurde und einen guten Bau erkennen liess.«

Österreich vertrat fast mehr noch als Hugo von Hofmannsthal der Dichter Leopold von Andrian (T 40 l). Seine Verse in den Blättern für die Kunst

> Ich denke derer die wir einstmals kannten
> Mit lichten Augen und mit lichten Haaren
> Da mit der Sehnsucht wir von sechzehn Jahren
> Der Seelen gleiches Zittern Liebe nannten —

und »Der Garten der Erkenntnis« zeugen von dem angeborenen Zartgefühl und der dichterischen Kraft dieses katholischen Europäers. Für das Münchner Kugelzimmer ist dieses stille Buch von Hand abgeschrieben worden. In einem Brief an Hofmannsthal rühmt George Andrians vornehme Haltung. Etwa zehn Jahre nach Erscheinen des Gartens der Erkenntnis sprach George — wir gingen den Rheinsprung in Basel hinauf — mit unverhohlener Bewunderung davon, und dabei zitierte er wörtlich Stellen daraus, wie etwa die »von unserm glücklosen Kampf mit den Preussen«. Kaum je sei die Luft einer Stadt so in einem Buch enthalten, wie die Wiens im Garten der Erkenntnis. »Wenn der Poldi wüsste, wie ich ihn lobe! Ein unmusischer Mensch weiss mit solch einem Kunstwerk gar nichts anzufangen«. Auch später noch gaben wir manchmal dem Schmerzlichen einer Trennung Ausdruck durch die Erinnerung an den Abschied Erwins von Clemens in einem Bahnhofhotel in Bruck.

Georges Freude an Andrians Buch liess ihn auch Verwey davon sprechen. Verwey erzählt, wie die Übersetzung ins Holländische entstand und von beiden Dichtern, zusammen mit Kitty Verwey, als »Handschrift in drie handen« geschrieben wurde. Im Gedicht »Den Brüdern — an Leopold Andrian« — hat George seine Liebe zu Österreich ausgesprochen, und im Siebenten Ring hat er den Schatten Erwins noch einmal beschworen in ein paar Versen, die Andrian erst zu Beginn des zweiten Weltkrieges bei mir zu sehen bekam. So weit ab von George und seinem Werk waren Andrians Wege gelaufen.

Ein anderer Freund Hofmannsthals war der Komponist Clemens von Franckenstein (T 30 u l), dem das Gedicht »Winterwende« gewidmet ist. Er hat in Frankfurt Musik studiert, war dort auch mit Cyril Meir Scott in Verbindung und stellte in Wien die Brücke zu August Mayer-Oehler her. George kündet in einem Briefe aus Berlin vom Oktober 1899 Franckenstein das ihm gewidmete Gedicht so an:

durch Herrn M. Lechter

Berlin W Kleiststr. 3
23 october 1899

Lieber Clemens Franckenstein: es bietet sich eine gute gelegenheit ein ungerechtfertigtes langes schweigen zu unterbrechen ... im nächsten monat erscheint mein neues buch aus dem Melchior Lechter ein grosses kunst-denkmal geschaffen hat dergleichen bei uns noch nie gesehen wurde ... nun steht aber im lezten teil — dem mehr liedhaften der widmungen an freunde enthält — auch Ihr name: und mir schiene es fast unpassend wenn nach erscheinen ein dritter zufällig Sie davon in kenntnis sezte ... möchte Sie das gedicht an die meist winterlichen abende in jenem frankfurt voll ab- durch- und rückreisen nebelig erinnern! Ich werde Ihnen näheres mitteilen oder mitteilen lassen über die art der veröffentlichung ... nehmen Sie vorläufig diesen gruss und erwidern Sie ihn mit zwei worten

Ihr freund Stefan George

Auch neue »Blätter-bände« erscheinen eben · wohin darf ich sie Ihnen senden. August Mayer hat darin wieder viel schönes. wären Sie so gütig mir zu sagen wo er eben weilt?«

Der Blätter-Dichter August Mayer-Oehler war ein schlanker, schwarzhaariger Mann, der beinah die ganze griechische Anthologie auswendig wusste; er ist bekannt aus den Büchern von Wolters und Salin als einer, der die Antike liebte in Dichtung und Kunst (er besass eine nun unauffindbare Replik des hellenistischen Homer). Zeuge davon sind seine Dichtungen, die Übersetzung der Antigone und der Kranz des Meleagros. Wie George von ihm dachte, geht aus diesem Brief hervor:

lieber Dichter: für Ihre neue sammlung: Pharos der feigengarten danke ich Ihnen. mir war es freude zu sehen wie Sie darin die vorzüge Ihrer ersten gedichte bewahrt und erhöht haben. Sie wissen bereits dass diese in die neue nummer der »Blätter« aufgenommen wurden. ich befürwortete dass keines von diesen schönen scheuen und ehrfürchtigen liedern ausgeschlossen würde. Vor den jüngeren dichtern die in dem lezten jahre uns nahten wurde Ihnen der kranz zuerkannt. möge er Ihnen wert sein. Ich bleibe mit grosser künstlerischer hochachtung Ihr teilnehmender   Stefan George
Berlin 15 november 1897

Dieser Dichter und Gelehrte, der 1920 neununddreissigjährig in Leysin gestorben ist, hat als Sterbender über George geschrieben:
»So ist es dieser Dichter, aus dessen Werken wir die nächste Anregung dazu geschöpft haben, das hellenistische Epigramm mit den eigenen Mitteln unserer Sprache nachzubilden und dessen so vielfältig befruchtender Erscheinung wir auch dies verdanken, dass wir das Dasein dieser antiken Gedichte nicht nur geschichtlich zu verstehen, sondern auch lebendig zu besitzen vermögen: »Denn wir erleben nichts aus der Vergangenheit, was die Gegenwart uns vorenthält.« Dass es uns gegönnt war, dem grossen Vorbild, das seit den Tagen der Jugend unsere Pfade leitet, auch auf diesem Wege zu nahen, sprechen wir mit einer Dankbarkeit aus, die nie erlöschen kann.«

Im Mai 1892 ging George nach Belgien, um Paul Gérardy kennen zu lernen, den er als Dichter so hoch schätzte, dass er an Hofmannsthal schrieb: »wer weiss, ob ich – wenn ich Sie nicht oder Gérardy als Dichter gefunden hätte – in meiner Muttersprache weitergedichtet hätte!« Die Photographie von Gérardy (T 31 u r) zeigt ein merkwürdig unbestimmtes Gesicht, als ob alle Möglichkeiten vorhanden wären, ohne dass man sagen könnte, wohin es sich wenden werde. Wolters schreibt von ihm, er sei in den Geschäften der Welt so wenig erfahren gewesen »wie die Maler des lateinischen Viertels, nach deren Vorbild er sich ein wenig lässig trug: mit einem braunen Sammtjackett und einem kleinen runden Hut auf den braunen Haaren.« In deutsche Hotelanmeldungen, die damals nach der Religion gefragt hätten, soll er sich als

»Heide« eingetragen haben. Der runde Hut kennzeichnet ihn auch auf den Tilffer Photographien. Einen Deutschen, der allerdings zum grossen Teil französisch schreibt, nennt ihn Klein — oder George, der Klein beim Schreiben über die Schulter guckt — in einem Brief an Hofmannsthal, und George selber schreibt von ihm: »... mir Nachbar und Kind der Eiffel.«

Das Gedicht an Gérardy im Jahr der Seele gibt nicht den Umriss seiner Gestalt, doch steht dort:

Es waren tage gross wo ihr euch gabet.

In den Neunzigerjahren, als George regelmässig nach Belgien kam, hat er Gérardy wiederholt getroffen, und viele Briefe Gérardys zeigen, dass er sich über die persönlichen Begegnungen hinaus dem Dichter verbunden fühlte. Aber in einem Brief Georges an Karl Wolfskehl vom Juli 1899 steht: »Paul Gérardy aber sizt in Brüssel fest, als leiter einer geldmanns-wochenschrift wird er der Dichtung und sonderlich der deutschen verloren sein ...«

In Tilff bei Lüttich sind die »Sprüche für die Geladenen in T ...« entstanden, und dort, in der Villa Joli-Mont, hat George die belgischen Freunde auf Hofmannsthal hingewiesen: »auf dem Dichterberg — wir waren vier — zu Tilff — las ich Sie vor ...« In der Gruppe auf Tafel 35 erscheint stehend Edmond Rassenfosse, dem Dichter wohl der nächste unter den belgischen Freunden. »Car je le sens de race« schrieb von ihm Stuart Merrill, und an ihn könnte der folgende Brief, der etwa aus dem Jahre 1895 stammen mag, und dessen überpersönliche Bedeutung die Wiedergabe rechtfertigt, gerichtet sein:

dimanche matin

Mon cher Ami: Vous voyez par cette grande feuille de papier que j'ai la meilleure intention de vous écrire autant que possible. je sais très bien apprécier votre confiance et suis bien loin de vous condamner pour une chose si communément humaine. je m'y attendais un peu ... si un jeune homme de votre âge se dit profondément malheureux il y a toujours u n e seule cause.

Chacun de nous a eu dans sa jeunesse une telle crise. il est impossible d'éloigner la douleur mais il faut songer à la garder p u r e. vous me comprenez — c'est mon seul conseil. La grande douleur silencieuse anoblit le caractère. la véhémence détruit le caractère et dans ce cas aussi l'amour. quand j'avais à peu près vingt ans j'ai souffert également de l'immense amour — jusqu'à en vouloir mourir. aujourd'hui ces peines passées me rappellent une vie élevée une vie surhumaine. les années m'ont appris qu'il y a une douleur bien plus forte, celle-là: voir dans la vaste plaine de la vie — toute couverte de cendres — où toutes les

douleurs toutes les joies toutes les émotions s'endorment lentement...
Et c'est là ma seule consolation pour vous: qu'il y a une douleur bien
plus forte que la vôtre, et que votre ami en souffre. oui! plus forte, plus
aigüe précisément parce qu'on n'en meurt pas.

Vous comprendrez que je ne peux dire que des choses générales dans
un drame d'âme où je connais trop peu les acteurs, et qu'on ne peut pas
toujours écrire ce qu'on pourrait facilement raconter.

Il y a deux divinités sublimes et froides qui s'appellent le devoir et
l'amitié — souvent elles réussissent à guérir les blessures de la passion.
Je serais heureux si ces lignes vous donnaient quelque courage et la
volonté d'éviter un rapprochement qui pourrait écraser une vie si jeune
encore! Tenez-moi toujours au courant de vos aspirations et de vos
expériences et jusqu'au jour où j'aurais le plaisir de vous rencontrer
(à peu près dans huit jours je partirai pour tout l'hiver) croyez-moi
votre bien affectionné   S.

Wie George um jene Zeit ausgesehen hat, wissen wir von dem Schwe-
den Gustav Uddgren, der ihn im Frühling 1893 in Berlin kennen lernte
und 1898 darüber berichtete:
».. . Der andere hingegen wirkte so stark eigenartig, dass ich die Blicke
ein paarmal von ihm wenden musste, bis ich den Mut fand, seine Gesichtszüge zu erforschen.
Es war ein beinah leichenblasses Antlitz mit stark zurückfallender
Stirn und mächtigem Hinterkopf mit schwarzem glatt zurückgestriche-
nem Haar. Die Augen waren tief eingesunken und umgeben von grossen
dunklen Augenhöhlen. Sein Blick war nur schwer aufzufangen, er war
nach innen gewandt und schien beständig etwas Weitentlegenes zu
schauen. Da er einige Male auf mich sah, fühlte ich eine unerhörte
Glutkraft mir entgegenströmen. Die Nase war leicht nach unten gebogen, der Mund ganz und gar ebengestreckt und mit einem eigentümlich zitternden Zug wie einem stillen Lächeln vor Schmerz, aber über
seinem ganzen Gesicht ruhte jene Klarheit, die uns der Kampf mit
starken Stürmen verleiht. Ich fühlte instinktiv, dass ich vor mir einen
von denen hatte, die des Leidens grosse Tiefe gepeilt haben. Er hatte
etwas Imperatorisches in seinem Wesen. Sein Anzug war schwarz und
eng anliegend. Er sprach langsam aber mit einem Enthusiasmus der
keine Widerrede duldete«.

Im Jahr der Seele ist ein Gedicht, das mit den Worten beginnt:

Ich fahre heim auf reichem kahne

Es ist an Ida Coblenz (T 41, 42) gerichtet. Diese ungewöhnliche Frau hatte George schon 1890 in Bingen kennen gelernt. Sie hat mir davon erzählt und die Aufnahmen (T 43) gegeben, die aus den frühen Neunzigerjahren stammen dürften und vermutlich im Anwesen ihres Vaters gemacht worden sind. Mich dünkt, er sehe glücklich darauf aus. Sie hat berichtet, er sei gern zu ihr in das gepflegte Haus gekommen. »Im raum von sammetblumigen tapeten« habe er seinen Stuhl gehabt, von dem aus er, während sie ihm vorspielte, die Bildnisse ihrer Vorfahren an der Längswand des Esszimmers betrachtet habe. Nie sei ihr Zusammensein dort gestört worden.

Ihre Spaziergänge, besonders im Herbst 1894 und im Sommer 1896 führten sie Nahe-aufwärts über die Drususbrücke oder auf den Rochusberg. Dazu trafen sie sich an der Post, die im beinah letzten Haus der Stadt war. Sie gingen den Fussweg hinauf durch die Reben, am alten Friedhof mit dem eisernen Anker vorbei. Auch fuhren sie zusammen nach Kreuznach, einen länglichen, eckigen Smaragd auszusuchen. Zeitlebens hatte George Freude an edlen Steinen.

Auf einem der Nahe-Gänge waren sie verstimmt. Am andern Morgen kam er und sagte, in der Nacht habe er Verlaine für sie übersetzt, dann habe er ihr »mit einem ungeheuer starken, eindringlichen Ausdruck« die ersten Strophen von »Il faut, voyez-vous, nous pardonner les choses« auf deutsch gesagt. In jener Zeit sei auch das Gedicht »Der Turban des Korsaren« (Im unglücklichen tone dessen von...) entstanden.

Vor mir liegt ein Blatt, das er ihr später gebracht hat; darauf steht von seiner Hand:

Wir müssen — siehst du — uns versöhnlich einen
So können wir noch beide glücklich werden
Und trifft auch manches trübe uns auf erden
Sind wir doch immer nicht wahr? zwei die weinen

P. Verlaine
(a. d. Liedern ohne Worte)

und darunter:

Ich ahne hinter leisem geraun
In feinem umriss alte stimmen
Und in dem tönevollen glimmen
Bleiches lieb! ein neues morgengraun.

P. Verlaine

Auch noch andere Übertragungen hat er ihr gebracht:

und
> Dein herz ist ein erlesenes gefild
>
> Im alten einsamen park wo es fror.

Kam er von Reisen zurück, so eilte in jenen Jahren seiner Ankunft ein Wort voraus mit der Bitte um ein Zusammensein. »Wie man sich doch in ein paar tagen so nah treten kann«, heisst es in einem frühen Briefe; in einem andern: »wo Sie im saal meiner andenken tronen wissen Sie«. An sie sind die Gedichte »Rückkehr«, »Entführung« und »Blumen« gerichtet. Sie ist Menippa. Den »Weissen Gesang« hat er für sie ersonnen, als sie nach dem Tode ihrer kleinen Schwester ihn um ein tröstendes Gedicht bat; den »Rat für Schaffende« mit dem Motto aus Dante »qui si parrà la tua nobilitate« für sie aufgeschrieben. Die »Hängenden Gärten«, erstmals ihr allein vorgelesen, dann zum zweiten Mal in ihrer Gegenwart bei Frau Brück, sind zweifellos für sie entstanden; »Semiramis-Lieder« sagte sie, und er habe das gern gehört. Den zweiten Teil davon (S. 103–112 der Gesamtausgabe) hat er ihr — wohl für den von ihr geplanten Abdruck in einer Sondernummer des Pan — abgeschrieben: »Indem Sie die Bitte aussprechen jene verse der ,Hängenden Gärten' zu besitzen ist dieselbe schon erfüllt«.

Als nach jenem zweiten Vorlesen sie bemerkte: »Sie haben ja ein Wort geändert«, habe sich sein Gesicht verklärt. »Nie habe ich ihn so strahlend gesehen«. Es handelte sich um den Vers

> Wenn ich heut nicht deinen leib berühre.

Meinend, das Wort Leib habe ihr beim ersten Vorlesen missfallen, änderte ers; aber dann setzte er es wieder ein, und bei Zustellung der Abschrift schrieb er ihr in einem post scriptum: »Sie erinnern? das eine wort das Sie damals nicht so liebten als das veränderte steht nun doch wieder, es ist farbiger – der umgebung angemessener«. – Mir sagte sie, sie habe nichts gegen das Wort vorgebracht, nur sei ihr die Änderung aufgefallen.

Mit niemandem habe er sie bekannt gemacht; auch Wolfskehl und Lechter habe sie ohne ihn kennen gelernt.

Aus all dem erhellt, was sie ihm damals war. Wie muss ihm zu Mut gewesen sein, als sie im April 1895 einen beliebigen Geschäftsmann heiratete, in der Ehe unglücklich war und im Juli ihm schrieb, er hätte sie davor warnen müssen, es sei grässlich. In seiner Antwort steht: »Haben Sie denn in meinem gesicht nie geraten dass es (mit ganz kleinen äusserlichen veränderungen) das nämliche ,grässliche' war, was m e i n e s lebens ganze qual gewesen ist und möglicherweise sein wird?«.

Später verband sie sich dann Dehmel, dessen Wesen und Werk George
tief zuwider war. Schon bevor sie seinetwegen spontan an den ihr damals noch unbekannten Dehmel schrieb, hat George seiner Missach-
tung für Dehmels literarische Produktion ihr gegenüber Ausdruck
gegeben. Als er dann 1896 auf ihrer Schwelle zufällig Dehmel begegnen sollte, brachte er ihr bald darauf, in Begleitung von Wolfskehl,
diesen Brief:

»dank für sendung des bildes und auch herzlich für den brief der mir
lieb war. nur — ich bitte — schmähen Sie die f r e u n d schaft nicht.
unter UNS entsteht sie dadurch dass eines sein grosses und edles ins
andre hineinzutragen vermag — wächst und nimmt damit ab — schwin-
det dann ganz wenn dem einen etwas gross und edel scheint was dem
andren roh und niedrig ist. Durch Ihre worte zwangen Sie diese meinen
hervor.«

Sie hat darauf nicht mehr geantwortet und fortan mieden sie sich. Nur
noch zwei Mal sind sie sich begegnet, beide Male auf der Drususbrücke.
Das eine Mal war sie von ihrer Nichte, das andere Mal von Dehmel
und noch anderen Leuten begleitet. Grusslos und mit gesenkten Häup-
tern gingen sie aneinander vorüber.
Frau Isi sagte, diese Verse aus dem Siebenten Ring seien an sie
gerichtet:

>Geh ich an deinem haus vorbei
So send ich ein gebet hinauf
Als lägest du darinnen tot.«

Wenn ich auf deiner brücke steh
Sagt mir ein flüstern aus dem fluss:
Hier stieg vordem dein licht mir auf.

Und kommst du selber meines wegs
So haftet nicht mein aug und kehrt
Sich ohne schauder ohne gruss

Mit einem inneren neigen nur
Wie wir es pflegen zieht daher
Ein fremder auf dem lezten gang.

Und auch in dem Gedicht, das gleich darauf folgt, sei sie angeredet:

Darfst du bei nacht und bei tag
Fordern dein teil noch·du schatten·
All meinen freuden dich gatten·
Rauben von jedem ertrag?

Bringt noch dein saugen mir lust
Der du das erz aus mir schürftest ·
Der du den wein aus mir schlürftest –
Schaudr ich noch froh beim verlust?

Ob ich nun satt deiner qual
Mit meinen spendungen karge?
Zwing ich dich nieder im sarge ·
Treib ich ins herz dir den pfahl?

Einige Jahre vor dem zweiten Weltkrieg ist Frau Isi zu mir gekommen und hat mir in ihrer grossen Art alles geschenkt, was von ihm war: Briefe, Gedichte, Bücher, Erinnerungen. Bei einem ihrer Besuche entlieh sie sich von mir den Band Tage und Taten, den sie noch nicht kannte, um abends im Hotel noch darin zu lesen. Am andern Tag sagte sie: »nun habe ich zum ersten Mal den Hass-Brief gelesen. Er ist an mich gerichtet«. Gemeint war »Ein lezter Brief«. Sie wird sich kaum geirrt haben, und so hatte sie nach vierzig Jahren diesen Brief bekommen:

Du kannst ohne liebe lächeln, doch ich kann nur hassen. Viele menschen mag deine leichte anmut befriedigen, ich kann sie nicht in tausch nehmen für das wort das du hättest finden müssen und das mich hätte retten können. Du redetest einen ganzen sommer lang von den wolgeformten wolken von den rätselhaften geräuschen der wälder und den klängen der ländlichen flöte, aber für das eine wort bist du stumm geblieben. Was ist all deine schönheit all deine begeisterung wenn du dessen unkundig bist? nicht ein wort, minder als ein hauch, eine berührung! du hast gesehen dass ich tag und nacht darauf wartete. Ich konnte es nicht sagen, ich konnte es nur in träumen ahnen, auch hätte ich es nicht sagen dürfen, da du es hättest finden müssen. So träume und handle auf deine weise – uns ist nichts mehr gemeinsam: wenn du mir nahe kommst so muss ich dich hassen und wenn ferne bist du mir fremd.

George hatte ihr das Jahr der Seele zueignen wollen. Schon hatte er sie angefragt, ob sie es gestatte. Nach dem Bruch hat er das Buch seiner Schwester gewidmet. Die beiden Frauen mochten sich nicht. Anfangs 1937 hielt Frau Isi das Jahr der Seele in der Hand und sagte: »das hätte er mir nicht nehmen sollen«.
Ich glaube mich nicht zu irren, wenn ich annehme, dass diese Erfahrung auf sein Verhalten zu Frauen lange nachgewirkt hat. Gesprochen hat er mir nie davon. Frau Isi, meine ich, war die einzige Frau, die in seinem Leben solche Bedeutung gewann. Das wird bestätigt durch

65

einen Absatz aus dem Buch von Sabine Lepsius: »an diesem Abend sprach er noch von der Zeit, als er ganz jung in Berlin, ehe er zu uns kam, kaum einen Menschen kannte, ‚ausser Einer, und die war meine Welt!‘ Als wir ergriffen schwiegen, fuhr er fort: ‚Schön, nicht wahr, wenn man das noch von einem Menschen sagen kann‘. Viel später erst erfuhr ich, ohne zu forschen, wer diese wunderbare Frau Isi gewesen war.«

Gewiss, er hatte freundschaftlichen geistigen Austausch mit Hanna Wolfskehl, mit Sabine Lepsius und Gertrud Simmel, mit Gertrud Kantorowicz, Edith Landmann, Gerda von Puttkamer und anderen; aber das war etwas anderes. Mehr und mehr verschwanden die Frauen auch aus den Leseabenden, und die Zusammenkünfte wurden solche des Kapitels, ohne Ordensregel.

Zu den wenigen Personen, die der Dichter in den Neunziger Jahren in Bingen zu sehen pflegte, gehörte Frau Luise Brück, geborene Bram aus Coblenz, bei der er die Hängenden Gärten jenes zweite Mal vorlas. Sie war, nach Frau Isis Bericht, klug und streng katholisch, ein heiterer rheinischer Mensch. Der belaubte Balkon ihres Hauses am Rheinkai habe wie ein Vogelkäfig ausgesehen:

Unsrer laube von bläulichen ähren behangen

Einmal, etwa 1896 oder 99 sei sie aus Berlin gekommen — dort lebte sie in zweiter Ehe — und da habe sie im Binger Freundeskreis erzählt: nachts um halb zwei Uhr habe sie den Kopf eines Bekannten durch ihre verschlossene Türe blicken sehen, und der Kopf habe gesagt: »Gute Nacht Brück-Mutter«. Etwa zehn Tage später habe sie erfahren, dass dieser Mann an jenem Tage abends um sechs Uhr gestorben sei. Ihre Zuhörer hätten sich über den Vorgang und über die Stunden gewundert. George aber habe gesagt: »Ja, wenn der Mann all seinen Freundinnen Gutnacht gesagt hat, so brauchte er halt von sechs bis halb zwei Uhr, bis er zu Ihnen kam«. Dann aber habe er hinzugefügt: im Schlaf habe zuerst der Tag ausgelöscht werden müssen, bevor das andere sich habe äussern können.

In den Jahren 1892/3 hat George den gleichaltrigen Stuttgarter Maler Kaul Bauer kennen gelernt, dessen Zeichnung des George-Kopfes mit dem Colleoni im Hintergrund viel dazu beigetragen hat, eine zu vereinfachte Vorstellung vom Aussehen des Dichters zu verbreiten. Auch noch in anderen Zeichnungen des Georgeschen Kopfes und in den Porträts anderer Dichter entbehrt Karl Bauer der Abstufungen. Die Photographie (T 30 u r) zeigt ihn selbst, und mich dünkt, in dem entschlossenen, kräftigen Gesicht seien auch die Grenzen zu erkennen.

Dennoch ist wichtig, was Bauer über seinen ersten Eindruck von George aufgeschrieben hat:

»Ich war gleich bei der ersten Begegnung von dem merkwürdigen Kopfe künstlerisch und menschlich fasziniert. Soviel ich weiss, kam George damals aus Paris, wenigstens erzählte er vielerlei von dort, besonders von Verlaine und Mallarmé. Die Gesamterscheinung war aber damals eine andere als die bekannte des letzten Jahrzehntes, vor allem trat die Danteähnlichkeit noch nicht so auffallend hervor wie später. Er wirkte fast mehr wie mittelgross, da er sehr aufrecht ging und der Hals dabei durch einen hohen vorn geschlossenen Stehkragen mit anschliessender weisser Schleife länger wirkte, als er sein konnte. Der übrige Anzug war fast immer schwarz von modischem Schnitt. Man hätte ihn für einen Herrn der Gesandtschaft halten können. Die dunkelblonden zurückfliegenden Haare trug er ziemlich kurz und regelmässig, so dass der kugelrunde harmonische Schädel im Profil klar hervortrat. Der spätere auf meinen Bildnissen oft so hervortretende Hinterkopf entstand durch die längere Haartracht. Die grossen schmalen Hände fielen mir durch ihre damals vollkommene Schönheit auf. Wer Hände lesen kann, dem erzählen Georges Hände soviel wie sein Antlitz. Die Hautfarbe des Gesichtes hatte bereits den bräunlich blassen, dabei etwas dunklen Ton. Sehr auffallend fand ich den medusenhaften seltsamen Blick der tief unter den felsigen eckigen Stirnknochen liegenden graugrünlichen Augen, deren Iris um einen Ton heller gefärbt schien als die dunklere Epidermis der Lider und ihrer Umgebung. Dazu kam noch eine gewisse Gleichmässigkeit im Ausdruck dieser Augen ganz im Gegensatz zu den übrigen Gesichtszügen. Alles das gab und gibt noch heute dem Antlitz etwas Sphinxhaft-Dämonisches, wie wir es bei Napoleon geschildert lesen, wo die grossen Augen ähnlich aus dem fahldunklen Fleischton hervorbrachen oder vielmehr schimmerten. Die sehr breite nach oben stark zurückfliegende Stirn — mit den vielen Kanten und Flächen eine richtige Bildhauerstirn — die dichten dicken in ihrem Ansatz damals weit hereinreichenden Haare, dazu das triebsichere impulsive Kinn erinnerten mich an die Büste Alexanders des Grossen, ebenso der mächtige löwenhafte Kieferknochen, während mich das Ganze mit dem energisch gepressten Mund an die Münzen italienischer Renaissance (Malatesta, Colleoni und anderer) denken liess.

Wenn jetzt mehr Deutsches in dem Abkömmling lothringischer Bauern sich bemerkbar macht, so ist es gewiss nicht vom norddeutsch-germanischen Typus, sondern eher süddeutsch-keltisches Element. Wenn ich mich recht erinnere, so hielten andere George damals für einen Sprössling von Liszt, dem Musiker, auch Wagnerisches wurde hinter ihm vermutet. Die grosse Breite des Gesichtsbaues mit Magerkeit verbunden ist mir nie mehr im Leben vorgekommen.

Bei meiner langen Beobachtung und Darstellung an Dichtergesichtern sind mir hauptsächlich zwei Haupttypen (und Mischung unter sich) aufgefallen: ein Schiller-Dante-Typus und ein Goethe-Homer-Typus: Georges Kopf möchte ich mehr zu ersterem zählen. – Zum Physiognomischen möchte ich noch hinzufügen, dass bei George das Ohr besonders schön gebildet ist. Seine unregelmässige Nase erscheint (wie die Schillers obgleich ganz gegenteilig im Profil) bald gebogen bald wellig je nach der Drehung des Kopfes mehr halblinks oder halbrechts. Die Ähnlichkeit mit Dantes Maske wird immer hervortretender im Profil, und hier sind tatsächlich so ganz übereinstimmende Züge festzustellen, dass man an eine Wiederkunft denken könnte, zumal auch die bräunliche Gesichtsfarbe mit mangelndem Wangenrot dantesk ist, wie es heisst. Wesentlich verschieden von Dante ist eigentlich nur die untere Hälfte der Nase und der Bau des Kieferknochens. Wahntraum und bändigenden Willen vereinigen unseres Dichters Züge in seltener Weise. Dem Eindruck des Gefassten und Stolzen beim ersten Zusammentreffen steht bei näherer Bekanntschaft Lebhaftigkeit der Rede, ja Leidenschaftlichkeit und zarte Reizbarkeit im besten Sinne, die sich gern in Ironie flüchtet, gegenüber, und der Rheinfranke kommt bei der Wärme des Temperaments in der Sprache leicht zum Vorschein.«

Bauer hat einen Landsmann zu George gebracht, den jungen Karl Gustav Vollmoeller (T 59), dessen schönste Gedichte in den Blättern stehen. Dort trägt eine seiner »Landschaften« die Überschrift »Für S. G.« und endet mit den Versen:

> Bald weichen felsen sanften hügelgruppen
> Und immer neues glänzt und fällt in schuppen.
> Wir schaun vom rauch der grossen weiten schwer
> Der lezten berge lezte sieben kuppen ...
> Die ebene die hinrollt wie das meer.

Von ihm sagte George: »Der wird einmal Theaterdirektor oder Reichstagsabgeordneter.« Und wirklich ging Vollmoeller andere Wege. Welchen Eindruck er dennoch zeitlebens von George behalten hat, bis ins hohe Alter und auch noch in den Vereinigten Staaten, das enthüllt ein Gedicht, dessen Kenntnis ich Herbert Steiner verdanke und das ich mit Erlaubnis von Ruth Yorck-Landshoff hier abdrucke. Angeregt durch einen fragenden Brief Steiners, habe Vollmoeller etwa 1942/3 drüben – in Kalifornien war er damals in Haft – dieses Gedicht gemacht:

PRAECEPTOR GERMANIAE

I

STEFAN GEORGE — ein ironisches
Herrisches Schicksal spie dich in die Wüste
Des deutschen Worts, in die entmannte Dürre
Geistlosen Geists um achtzehnhundertneunzig.
— Das müde alte Reich zersprengt, die Hälfte
Der deutschen Seele künstlich abgespalten,
Der Grossen grosses Erbe schnell vertan:
Beethoven überwagnert, Faust verspiesst,
Nietzsche ein letzter Baum in steiniger Öde
Von Gottes Blitz zerschmettert in Turin . . .
— Das junge Reich verwirrt von preussischen Siegen
und rauschendem Gewinn . . . Der braune Acker
Umwühlt von Gruben und umstellt von Schloten,
Bauer entwurzelt schon und Land entseelt . . .
Der Bürger hinter Butzenscheiben prahlend
Mit weichen Seufzern harte Taler fingernd,
Stolz auf die nüchternen geraden Strassen
Stolz auf die neuen Häuser und Kasernen
Stolz auf die neue Hässlichkeit.

II

So sahst du das Gewühl der Friedrichstrasse
Von deinem kargen Zimmer — schrittest so
Nachts im Gedränge, bleich erhobener Stirn,
Ein priesterlicher, bäuerlicher Knabe,
Den Dirnen an der Ecke weniger fremd
Als diesem geilen und geschäftigen Pöbel —
Schon alle Höllen alle Paradiese
In deiner Brust: Magister und Prophet
Büsser und Fürst mit vielen Dornenkronen
Prinz und Empörer — sinnlichster Asket
Zweifel und Zweifler — Beter und Gebet
Wunde und Schwert — Geissel und Märtyrer.

III

Dann war Paris dir Trost, mit lichteren Himmeln
Lichteren Herzen — silbriges Asyl
Unsrer beschwerten Jugend. Tönender
Klang deine Stimme, rollten deine Strophen
Im Strom der nächtlich bunt bewegten Menge

69

Im Schatten der Sorbonne, auf der Terrasse
Des Pantheon ... Da war es als erwuchs
Um dich, geschirmt vom Wald der fremden Sprache,
Das heimliche, das wahre Deutschland ... Oft
Sahn wir dich so — Verschworener im Geist —
Hart lächelnd auf den hellen Brücken gehn.
— Dann waren Stunden und du standst allein,
Trüb und bekümmert, zweifelnd und verzweifelnd,
Tief seufzend um dich selbst und um dein Volk
An dunklen Ufern hinter Notre Dame ...
Nicht wissend dass das kleine Weizenkorn
Das du gesenkt in frostige Heimaterde
Längst aufgekeimt, längst hoch in Halm geschossen —
Schon trug es Frucht, zehnfach und hundertfach.

Zu diesem Gedicht gibt es eine Vorstufe, einen Brief an Albert Mockel,
aus Stuttgart vom 30. Oktober 1903, worin Vollmoeller, zum Teil mit
fast gleichen Worten, über George spricht, aber jugendlich vorschnell
urteilt. Mehr galt damals seine Liebe Hugo von Hofmannsthal, zu dem
ihn verwandte Züge hinzogen. Mockel hat mir 1939 diesen Brief, aus
dem ein Absatz übersetzt in der Revue d'Allemagne erschienen ist, geschenkt; daraus sind diese Stellen von Bedeutung:

»Das ‚metaphysische‘ im Ausdruck — Ich habe es bewusst und unbewusst entwickelt und vorgezogen, im bewussten und unbewussten Gegensatz zu den zwei einzigen Dichtern unsrer Tage: Stefan George und
Hugo von Hofmannsthal. Georges Wortkunst birgt mir zuviel ge-
peinigtes, sie ist verhärtet durch den unerhörten, gewaltsamen Gegensatz zum Massenwort. Hier liegt Georges Ruhm und Märtyrertum. Eine
seltsame Laune warf diesen lateinischen, priesterlichen, ‚katholischen‘
Dichter (lateinisch, priesterlich, katholisch rein artistisch, handwerklich! es trifft auch im Charakter der Dichtungswerte zu, was irrleiten
könnte!) mit einem unbeugsamen und fast erschreckenden Wortgefühl
gerade in die deutsche Wüste oder was schauerlicher ist: in den deutschen Jahrmarkt. Er ist an dieser Ironie des Schicksals fast zum Prae-
zeptor erstarrt: Genius, Prophet, Geissel, Märtyrer — und dabei beinah
ein Schullehrer. Ich nannte mir selbst oft seine Bücher: Grammatik
und Lesebuch der kommenden Dichter. Das wird seine Stelle und sein
Ruhm sein.

Dass ich seinen Weg (ohne die sichtliche Beschwer die er für ihn den
Ersten suchenden hat) für zukünftig und erlösend halte, werden Sie
nicht bezweifeln, nach dem was ich anfangs über das deutsche Wort
lamentiert habe, aber es schien mir nie der meine.

Hugo von Hofmannsthal ist der göttlichste Symboliker, der je deutsch geschrieben und gesprochen hat; er ist ganz was Sie mir wünschen: andeutend, umschreibend, sinnfällig. Seine Verse gehen leicht wie auf nackten Füssen und seine Gleichnisse rollen rund wie Äpfel. Er schrieb als Knabe Verse, die nur der greise Meister ahnen konnte als er im Jahr 32 starb und übertraf mit sechzehn Jahren den achtzigjährigen an ‚Wissen um die Dinge‘.

Ich verdanke beiden Dichtern ungemein viel, (ich möchte sagen: alles wenn das nicht wie posierte Bescheidenheit klänge. Ich bin nicht bescheiden.) — Eines Tages ward mir klar, wo sich unser Weg schon lang getrennt hatte und weshalb. Das metaphysische. Ich halte die deutsche Sprache, meine Sprache für essentiell metaphysisch. Ich halte sie für das stärkste und feinste Instrument, um die Idee aus dem luftlosen Dunkel zu ziehen und an die goldnen Ringe der Sinnlichkeit (der Dinge) zu löten. Da ist ihre Eigenart, da ihre einzige grosse Tradition. Die deutsche Sprache verträgt für mein Gefühl weniger Symbolik und weniger Wortmosaik als alle andern mir bekannten und sie verträgt ein Mass von Gedanklichkeit und Begrifflichkeit im Ausdruck unter dem eine romanische Sprache bräche . . .«

Es ist überraschend zu lesen, wie der fünfundsechzigjährige Vollmoeller, der so vielerlei versucht hat, schliesslich George wieder sieht: im wilhelminischen Deutschland, im nächtlichen Berlin und an der Seine, den Verschworenen im Geist mit manchen Falten seiner geheimnisvollen Natur. Hat Vollmoeller mit diesem Gedicht, das nüchtern anhebt und fast begeistert endet, zurückgefunden zu der grossen Gestalt, der er auf seinem Wanderleben begegnet ist? Und so wie ihm ist es anderen gegangen und haben andere bekannt, nachdem sie viel gesehen hatten.

Zu den Freunden jener Jahre gehört auch Richard Perls (T 31 u l), der Anfang 1895 zu George kam, ein ruheloser Wanderer und Kenner romanischen Schrifttums, ein wirklicher Dekadent und Kranker. Sein quälender Zustand, aber auch seine Liebe zu George sind aus seinen Briefen sichtbar. George ist beunruhigt durch anhaltendes Schweigen von Perls, und er rühmt an einem Gedichte des Freundes »seine wehmütige und stolze ergebenheit«. Der Entwurf zu einem zweifellos für Perls bestimmten Briefe, aus dem Inhalt vom April 1896 datierbar, redet so zum Freunde:

freitag

»Sie müssten glauben, mein lieber freund dass Sie mir nie besonders teuer waren wenn ich Ihnen so leicht verzeihen könnte dass Sie uns seit monaten (ja seit dem neuen jahr habe ich keine zeile mehr von

Ihnen gesehen) in peinlicher schwebe über Ihr loos gelassen haben. So wird die freude endlich einen brief von Ihnen in [der] hand zu halten noch mit trauer gemischt sein. Und doch — soll ich Ihnen vorwürfe machen der so betrübendes immer mehr betrübendes mir ankündete? Seien doch die parzen sowol als die musen dem leidenden sohne gütig, dem von uns noch immer geliebten und mit hoffnung verfolgten ... Wie unglücklich dass Sie erst jezt nach Paris kommen und nicht vor einem monat als ich dort war. Dass ich es weiss wo Sie dort sind: wird dann das schicksal nie gnädiger und williger sein als wir selber und uns einmal wieder zusammen führen. Ich komme diesen monat von Belgien und Holland zurück wo ich im Haag eine lesung über deutsche Dichtung gehalten worüber ich vielleicht noch gelegenheit habe Ihnen zu berichten. Ich werde wol den ganzen sommer hier in Bingen fest gehalten sein, wie ich Ihnen bereits auf einer karte von Brüssel aus bemerkte. Sagen Sie mir doch was [Sie] gerade jezt nach P treibt wo Ganz-Paris sich schon nach den sommer-wohnungen umsieht? Sie werden doch wol den sommer nicht dort ganz zubringen. Es dauert auch so ungeheuer lang sich als fremder in sprechweise und gehaben der franzosen zu gewöhnen. Von all meinen bekannten die im mai noch die stadt bewohnen wage ich Sie keinem andren zu empfehlen als meinem teuren Lieder (Wohn: M. Venceslas de Lieder 6 rue des Ecoles). Schreiben Sie ihm vorher wenn Sie ihn zu sehen wünschen, er wird Ihnen mit jedem rat beistehn. Sie schreiben von einem buch das schon zu verlegen reif ist. Das sezt mich in grosses erstaunen. Soll ich denn nicht daraus einige seiten sehen können ehe der drucker es angreift? Ihr leztes gedicht süss u. traurig hat mein gefallen gefunden doch wartete ich auf weitere. Sie erkunden sich nach den Blättern, es freut mich dass Sie entgegen den äusseren anzeichen des vergessens ihnen noch teilnahme entgegenbringen. März 96 ist erschienen, ich werde schicken sobald ich weiss wohin. Wenn wir noch Ihre mithilfe hätten so könnten wir mai und juli wieder erscheinen lassen.«

In Paris hat Lieder sich des ihm Empfohlenen freundlich angenommen: wiederholt schrieb er an George über Befinden und Reisepläne des Kranken.
George hat sein Bild im Teppich und im Siebenten Ring — da in Erinnerung an ihr Zusammensein in Brüssel — festgehalten. Wie besorgt er um ihn war, steht auch in einem Brief aus Brüssel an Wolfskehl: »... Ich traf dort unsren lieben Richard Perls in einem leiblichen und seelischen zustand der ernsteste befürchtungen auferlegt ...«
An Hofmannsthal schreibt er im November 1898:
»Dann erhalte ich eben die traurige kunde dass unser mitarbeiter und

freund Richard Perls verschieden ist: Sie kennen ihn wol nicht als menschen doch wird Ihnen aus seinen gedichten sein schwermütiges lächeln in erinnerung bleiben.«

Und an Wolfskehl, aus Berlin, am 30. November 98:

»Lieber freund: hinter diesem TOTEN ziehen betrübt die dichter die ihn liebten. wenn S i e auch einige zeilen finden die auf Ihn gehen und Ihn ehren — so wird dies ein teil des kranzes sein den ich für Ihn flechten will, und dem nächsten heft der Blätter beilegen, auch am s o n n - t a g (wo sie leider weg sind und wo ich vor einem erweiterten kreis im hause unsrer freunde wieder lese) werde ich Sein gedenken. was haben Sie übrigens von seinem dichterischen nachlass erfahren? wäre es nicht pflicht diesen (wenn vorhanden!) zu retten...«

Unter den Dokumenten, die Frau Isi mir gebracht hat, befindet sich ein Sonderabdruck aus der Tweemaandelijksch Tijdschrift vom März 1896 mit einem Aufsatz: Stefan George door Albert Verwey. Das Heft muss von Verwey zu George, von George zu Frau Isi gelangt sein, und nun liegt es vor mir. Darin schon sieht Verwey den Dichter als pelgrim und priesterkoning, und als König hat er noch am Ende seines Lebens George gesehen, sich selbst als Freund.

> Wat gaat ge er als een koning om

sagt er im Gedicht Der Einsame, und noch deutlicher im Zang:

> »Gij zijt de Koning ... Ik mag de Vriend zijn ...«

Ihre Freundschaft begann 1895, und ihre Zuneigung hat die Trennung überdauert. Verwey hat die Geschichte ihrer Freundschaft erzählt in seinen ritterlichen Erinnerungen, in denen er wirklich mit »einer hellen Flamme der Zuneigung« ihr Verhältnis beleuchtet hat. Noch in Minusio hat George von Verwey als von Einem gesprochen, von dem man zwar getrennt, der aber Freund geblieben ist. Ich erinnere mich, dass er damals wünschte und hoffte, Verwey werde als Dichter den Nobelpreis bekommen, und Verwey hat noch nach Georges Tod in »Het Lachende Raadsel« für seine Freundschaft Worte gefunden, die kein klares Auge lesen kann, ohne feucht zu werden.

Gewiss war dies die männlichste Freundschaft in Georges Leben, ich meine: die Freundschaft mit einem ausgewachsenen Mann und Dichter, der seinen Stand hatte im eigenen Lande, unabhängig von dem jüngeren Freund, und dessen ruhige Sicherheit einen unbestechlichen Partner abgab für das geistige Gespräch.

In einem altmodischen Photographien-Album Stefan Georges fand sich ein Bild Verweys von 1885 (T 37 1), ein Gemälde, oben rechts Jan Veth signiert, bartlos mit Lavallière, bei dem ich daran denken musste, dass

Wolfskehl — oder George — im Gedicht »Ein Abschied« über ihn geschrieben hat, es »stand ein Junger auf«.

Noch unmittelbarer zeigt sich dieses Junge von Verweys Wesen in der Aufnahme des Dreiundzwanzigjährigen aus dem Jahr 1888 (T 37 r).

Die Photographie der Tafel 38 r zeigt den bärtigen Mann, ruhig prüfend, mit dem Sinn für Wirklichkeit: einen, der nicht leicht zu gewinnen und, gewonnen, kaum zu verlieren ist.

Eine andere Aufnahme, etwa vom November 1905 (T 38 l), zeigt Verwey sinnend, mit gefalteten Händen und mit weisser Krawatte. Etwas Souveraines ist um Stirn und helle Augen, Entschlossenes um den Mund. Ich habe den Abzug von Wiesi de Haan erhalten, und er trägt auf der Rückseite von Verweys Hand die Aufschrift: »Aan Willem de Haan en zyn dochter Wiesi, ter herinnering aan den 31sten Januari 1906 te Amsterdam. Albert Verwey.« Kein anderes Bild zeigt wie dieses das Dichterische, das ihn Stefan George verband.

Aus dem Jahre 1902 ist das Münchner Bild (T 65), auf dem Verwey unberührt von den Leidenschaften der anderen erscheint.

Die Photographie mit dem Enkelkind, von 1924 (T 39 l), zeigt den Sechzigjährigen, und die Aufnahme von 1935 (T 39 r) den Siebzigjährigen, den Dichter des »Lächelnden Rätsels«.

»Eine Begegnung zweier Dichterleben« hat Verwey ihr Verhältnis genannt, und er erzählt in diesen Erinnerungen von ihren Besuchen und Gängen, Gesprächen und gemeinsamen Übersetzungen, von ihrer Nähe und Entfernung. Die Vorrede dazu hat er am Tage von des Freundes Begräbnis geschrieben, und bald darauf ist das Buch erschienen.

Schon zu Beginn ihrer Freundschaft erschien es Verwey als der wesentliche Unterschied ihrer Dichtung, dass George die Majestät der Persönlichkeit suche und Abstand bewahre von den Dingen, er selbst aber die Wirklichkeit verherrliche und zu den Dingen eine holländische Liebe habe.

Hinzu kam, was Verwey »mijn hollandsche pronksloosheid« nennt: »gerade durch sie unterschieden wir uns. Man brauchte uns nur nebeneinander zu stellen, um es einzusehen«. Für den rheinischen Katholiken gab es freilich einen sinnlichen Ausdruck für die Hierarchie im Geistigen, und die Gott-Unmittelbarkeit des Protestantismus war ihm zeitlebens zuwider. In einem Briefe, wohl von 1897, schreibt George an einen unbekannten Empfänger:

» ... den punkt von mensch und gott — hab ich immer für den ausdruck des protestantischen erb-lasters erklärt — das nach meinem glauben nie zu etwas führt — ich weiss dass dies für den heutigen menschen mit vorläufig noch geringen ausnahmen ganz haarsträubend ist ... «.

Aus dieser Verschiedenheit, oder aus der Annahme einer solchen Verschiedenheit, entstand dann auch die Entfremdung, die bei Erscheinen des Siebenten Rings sichtbar wurde und schliesslich zur Trennung führte. Dabei ging es um die Gestalt Maximins.

Beim Rückblick auf jene Zeit sagt Verwey, nicht die Wirklichkeit sondern die Kulturgeschichte habe Georges Einbildungskraft am stärksten berührt, und auch das Maximin-Erlebnis sei seinem Wesen nach kulturhistorisch gewesen. Und darauf folgt die Aussage, er wisse, dass die Konzeption von Maximin bestanden habe, bevor Maximin erschienen sei.

Freilich, wenn Verwey Verse wie diese

> Warst es du nicht   mein gefährte
> Den ich suche   seit ich lebe?

nicht als Ausdruck der eingeborenen Sehnsucht eines Lebens empfand, sondern als gedacht, und wenn er dies aussprach, so musste er George damit an der empfindlichsten Stelle verletzen.

Diese verschiedene Sicht wurde dann noch dadurch verstärkt, dass die eine als deutsch, die andere als holländisch angesehen wurde, und das machte das Übel noch größer. Denn ein Übel war es, dass die beiden Freunde sich verloren, und ergreifender als der Streit der Meinungen sind die Schmerzen, die sie darum litten.

Wie betrübt schreibt Verwey von ihrem Zusammensein im Juni 1904: »wir wollten einander so gern zu Willen sein, selbst wenn es nicht von Herzen ging«. Und vom folgenden Jahre: »maar onze personen begonnen zich te gewennen aan een scheiding«.

Im selben Jahre gesteht George: »unsere äusseren wege haben sich ganz verloren«, und gleichsam sich selbst bestärkend fährt er fort: »der gemeinsamkeit der inneren bleibe ich gewiss«. Aber im August 1907 spricht er aus: »Was ist dieser Verwey mir fremd geworden«, und wenn er auch da noch einmal sich und Verwey versichert: »ich glaube dass die grössten schwankungen zwischen uns vorbei sind«, so muss doch Verwey von derselben Begegnung sagen: »er kritisierte mich, reihte mich unter seine Feinde ein«.

Bei den Gesprächen im Juni 1910 in Bonn und Bingen wird die Scheidung dann offensichtlich: mit Heftigkeit spricht George aus, dass er allein gegen die ganze Welt stehe, und Verwey sagt, indem George Prophet werde, vermindere er sein Dichtertum.

In der Erzählung dieses Gesprächs sieht Verwey den Freund plötzlich mit der bildnerischen Kraft des frühen Mittelalters, und es gelingt ihm diese grosse Vision:

»Es gab während dieses Sprechens Augenblicke, in denen die Landschaft, der Berg und drüben die Türme von Bingen mir verändert vorkamen – als ob ich auf dieser Höhe nicht mit einem Menschen sondern mit einem Engel wandelte. Auch in seinem Zimmer war in dem weiten Ausschauen seiner schmalen blassblauen Augen, in dem Niederhängen seiner grossen durchäderten Hände etwas, das mich an solch einen Himmlischen denken liess. Nicht ohne Grund hatte Lechter diesen Typus in ihm erkannt und ihn als solchen gezeichnet. Nun zeigte es sich gross und offen, wie ich es wohl auch einmal dunkel und entstellt gesehen hatte«.

Zwar lasen sie noch Gedichte miteinander, im Haus an der Hinteren Grube; aber sie fanden sich nicht mehr zusammen. Nachdem Verwey ihm sein Gedicht »Der Zeitgeist« vorgelesen hatte, sagte George: »das ist mir völlig fremd, nicht das Dichterische sondern das Menschliche ... wie man nie wissen kann, wie man so anders ist«. Und als Verwey versöhnlich sagte, wenn sie auch verschieden seien, so habe doch jeder von ihnen Lust, den andern zu sehen, wie er sei, erwiderte George: »ich will aufrichtig sein, ich habe diese Lust nicht mehr so wie früher«, und Verwey musste sich gestehen, dass Sprechen fortan nichts mehr bessern werde.

Das Gespräch war zu Ende, und der Krieg hat die Kluft nur noch breiter und tiefer gemacht. Zwar schrieb Gundolf 1915 – natürlich mit Georges Zustimmung – zu Verweys 50. Geburtstag:

Verlier uns nicht und kenne deine Freunde

und Verwey schickte darauf das »Sichtbare Geheimnis«; aber Georges Antwort warf doch dem Freunde vor, er habe sich nicht zu denen bekannt, die allein noch das Ewige Bild bewahrten.

Gegen Ende 1917 war George bei mir auf dem Kästrich in Mainz. Da hiess er mich drei Zeilen auswendig lernen, sie so über die Grenze tragen und von Basel aus auf einer Postkarte nach Noordwijk schicken:

Der dichter will er tag für tag sich sagen
Wo wahr und falsch von rechts nach links sich jagen
Muss dafür jahrlang schweigend busse tragen.

Verwey erzählt, dass er diese Verse, die ihn selber meinten, auf George bezogen habe, und seine Antwort war demgemäss. Über das Missverständnis sei George erzürnt gewesen. Wie Verwey gefunden hatte, dass Georges Dichtung durch das Prophetische gelitten habe, so hatte George ihm sagen wollen, dass Tages-Schriftstellerei dem Dichter schade. Schliesslich, im Frühjahr 1919, besiegelte George den Schluss ihres Austausches durch die Zeilen:

Ik zweeg en weet nu dat ik verder zwyg
Daar Gij niet meer Een woord van mij verstaat.

76

Dass sie sich nachher noch einmal sahen, auf dem Schlossberg in Heidelberg, hat nichts mehr daran geändert. Der Tod, schrieb Verwey am 6. Dezember 1933, hat den Streit geschlichtet, indem er ihn in seine Einsamkeit aufnahm.

Aber der Tote liess Verwey keine Ruhe; davon zeugen seine Gedichte »Bij de dood van een Vriend«. Dass der Holländer »met zijn meer gesloten ernst«, dass der bejahrte Mann darin ausbrach in den Ruf

Ik zoek u, ik ontbeer u zo,

dass er das Nicht-genug-verstehen beklagte, und vorsah, bald würden sie ohne Bedacht auf Unterschiede Grab an Grab liegen und dasselbe Geflüster der stillen Stimme vernehmen, dass er noch mehr fühlte, was er auch vormals beim Abschied gewusst hatte, es gäbe ein tieferes Band, das sie unscheidbar eine, und dass er im toten Freunde nun alles mit Bewunderung sah — Sonderung, gewichtige Gebärde, Glanz im Wort, Formung der Jugend — und dass er mit den Worten schloss:

Mijn Koning! en ik zwijg en ga

das enthüllte am Ende seines Lebens, rein und gross, noch einmal den Adel und die Treue seines echten Herzens.

In den Erinnerungen erwähnt Verwey, dass er 1897 in London Dowsons Gedichte entdeckte und darüber schrieb, und dass George daraufhin nach London fuhr und Dowson besuchte (T 36 l). Von dort habe ihm George eine Postkarte geschickt und auf dieser Karte — sie trägt den Abgangsstempel vom 16. August 1898 — beschrieben, wie Dowson aussah: »... aber ganz wichtig ist nur eines, mein mehrmaliges zusammentreffen mit E. D. darin war ich glücklich. als schreiben nur das wenige: sehr seltsam, hochgradig fühlsam, an unnatürlich gedrehte gesichter Aubr. Beardsleys erinnernd und — etwas leben-los! ...«

Damals war Dowson schon im Niedergang. George hat ihn in einem verwahrlosten Zimmer, bekleidet mit einer alten Oxford-College-Jacke angetroffen. Noch nicht dreiunddreissigjährig ist er im Februar 1900 gestorben. Wie unbekannt Beardsley's Freund in England war, illustriert die Tatsache, dass Cyril Meir Scott den Namen Dowsons zum ersten Mal von Stefan George vernahm.

Scott (T 36 r) studierte in Frankfurt Musik, lernte dort 1896 bei Clemens von Franckenstein den Dichter kennen und behielt von ihm einen grossen Eindruck. Von dem damals siebzehnjährigen Engländer haben uns zwei Äusserungen besonderes Vergnügen gemacht. Die eine, an George gerichtet: »In England die Menschen sehen bedeutend aus, aber vielleicht sie sind nicht bedeutend; in Deutschland vielleicht sie sind bedeutend, aber sie sehen nicht bedeutend aus«. Die andere, eine

Frage an Gundolf: »Wie kann ich historischen Sinn bekommen?«
Auch später noch, als ich ihn in Berlin sah, etwa 1911, erfreute er
durch sein unbekümmertes Wesen, so etwa, wenn er, als eine gewagte
Bemerkung fiel, mit englischem Akzent sagte: »Ich werde rot.«
George brachte ihn zu Willem de Haan (T 49 r), dem Schwiegervater
Karl Wolfskehls und Dirigenten des Darmstädter Orchesters, der
»partly out of friendship for Stefan George« sich entschloss, die erste
Orchester-Komposition Scotts zum ersten Mal aufzuführen. Für den
grossherzoglichen Beamten holländischen Ursprungs war dies kein
leichter Entschluss in der Zeit des Burenkriegs, zumal die damals moderne Musik Scotts ihm wenig gefiel. Aber »he was too broadminded a
man to let his own limitations, as he modestly called them, stand in the
way«. Dieser gütige Mann und Freund Verweys, Bewunderer von Georges Gedichten und Übersetzer Dantes blieb mit den Seinen zeitlebens in freundschaftlichen Beziehungen zu dem Dichter, der seit
dem Frühjahr 1899, allein oder mit Gundolf, gern in das Haus de Haan
kam, zum Tee und zu absichtslosem Gespräch. Ihrer Verbundenheit
in der Liebe zur Göttlichen Komödie hat George dadurch Ausdruck gegeben, dass er eines Tages — im März 1906 — Willem de Haan, angeregt
durch ein Gespräch des Vortags, seine Übertragung der Anfangs-Verse
aus dem VIII. Gesang des Fegefeuers in dieser ersten Fassung brachte:

ABENDSTUNDE

Zur stunde wo den fahrern auf den schiffen
Die sehnsucht kehret und das herz erweichet
Die heut der freunde hand beim abschied griffen,

Zur stunde wo der neue pilger schleicht
Voll rührung beim geläut der fernen glocken
Die klagen bei dem tage der verbleichet.

In Berlin brachte George den jungen Engländer zu Lechter (T 49 l),
den er allerdings in einem Briefe von Silvester 1900 bitten musste,
seine Wohnung nicht anderen zu verraten, »zumal dem kleinen Scott
nicht der so vortrefflich er sonst sein mag unvorsichtig und red-
selig ist«.
Aber der kleine Scott wusste, wer ihm begegnet war; das geht aus
seinen Briefen und aus seinem Buch hervor. In einem dieser Briefe —
vom 4. April 1908 — findet sich der Absatz:
I regard my days in Bingen with you as some of the most incenced I
have ever passed and your friendship means to me more than I can say.
My thoughts are constantly with you.
Auch in seinen »Years of Indiscretion», so wenig zurückhaltend im Be-
langlosen sie auch sind, bekennt er: »...Both in appearance and

manner Stefan George was the most striking and unusual personality
I have ever encountered ... He was not only a great poet, but looked
one ... at that time I admired him more than any man I knew.«
Und als Scott nach einigen Jahren der Entfernung George wiedersieht,
kommt ihm dieser grossartige Vergleich: »I felt as I had so often done
before that he represented in persons what a place like Siena repre-
sents in towns.«
Dass er nicht nur in der Frühzeit sondern auch später sich der Bedeutung Georges bewusst war, zeigt der Satz: » ... a day will come when
Stefan George will be recognised as one of the very great poets of the
world ...«
Im Teppich hat George ihm drei Gedichte gewidmet, die er zuerst
englisch gedichtet hat, und Scott hat schon 1910 etwa 50 Gedichte Georges ins Englische übertragen; das hübsche kleine Buch, das sie enthält, hat er den Brüdern Gundolf gewidmet — to the friends of the
friend.

Scott und Verwey halten in ihren Erinnerungen das Bild Lechters fest
in der Photographie und durch Worte. Die Abbildung der Tafel 47 r
findet sich auch bei Verwey, aber ohne die Legende. Bild und Text
sind für Lechter bezeichnend: der westfälische Kopf mit bäuerlich-
katholischem Ausdruck, die beringte Hand, ein samtenes Gewand, mit
Lackschuhen, der Stuhl mit geschnitzten Ornamenten, nach Lechters
Angaben angefertigt, schliesslich Inhalt und Form der Legende. Sie
spricht von der Drucklegung des Jahrs der Seele und erinnert damit
an das beste Druckwerk, das Lechter für George geschaffen hat und an
ihre gemeinsamen Bemühungen um die Herstellung schöner Bücher.
Die erste Ausgabe des Jahrs der Seele hat sich Seite für Seite an das
Manuskript des Dichters gehalten, und gewiss ist das diesem Druck zu-
gut gekommen. Das Titelblatt (T 51) aber ist ausschliesslich Lechters
Werk: der orgelspielende Engel vor dem Blumenteppich, schwarz-
weiss, dann in kräftig dunkelroter Schrift der Name von Buch und
Dichter, und darunter, klein, die Angabe von Verlag, Ort, Jahr — das
ganze auf sandigem Grund aus sammetartigem Papier: diese Kostbar-
keit mag Lechters Kunst hier würdig vertreten.
Dass Lechter auch dem Teppich des Lebens, den drei Bänden Deutsche
Dichtung, dem Gedenkbuch für Maximin und dem Siebenten Ring die
sichtbare Form gegeben hat, führte zu einer zehnjährigen Zusammenarbeit der Freunde. George hat Lechter 1894 kennen gelernt, das Jahr
der Seele ist Ende 1897 erschienen, die grosse Teppich-Ausgabe Ende
1899, das Gedenkbuch Ende 1906, der Siebente Ring im Sommer 1907.
Wie sie sich fanden, hat Lechter mir in den letzten Monaten seines

Lebens, die er vor dem zweiten Weltkrieg im Wallis (T 50) zugebracht hat, erzählt: Er hatte die Blätter gelesen und an den Herausgeber geschrieben; da fand er eines Tages in seinem Briefkasten die Visitenkarte von C. A. Klein, ohne dass es an der Tür geläutet hatte. Ein paar Tage später läutete es in Lechters Wohnung, und es kam ein Besucher, der sich C. A. Klein nannte. Da dieser Name Lechter bekannt war als der des Herausgebers der Blätter, so sprach er ihm begeistert von den Folgen und insbesondere von den Gedichten Stefan Georges, der sich schliesslich zu erkennen gab.

Sie verstanden sich, und in Lechters Wohnung, im fünften Stock des zweiten Hinterhauses der Kleiststrasse 3 — sieben Türen musste man durchschreiten, bis man in der Wohnung stand — empfing George in jenen Jahren seine Freunde, wenn er in Berlin war. Dort hielt er sich tagsüber auf, dort wurde auch gelesen; dem folgenden Billet ist zu entnehmen, wie er dort ein- und ausging:

»1:M: so verliess ich denn Ihre halle um mit der leeren nacht zu tauschen ... die ampel die ich nicht zu behandeln verstehe liess ich in scheu brennen · denkend dass Sie ohnedies bald zurück wären.«

Zugleich enthüllen diese zwei Sätze, wie der Dichter einfache Dinge einfach und doch eigen sagt. Man erschrickt beinah über die magische Kraft dieser Sprache.

Ich selbst bin in dem »hohen blanken Kloster« der Kleiststrasse nur ein Mal gewesen, im Herbst 1910, habe aber wohl in Erinnerung behalten, welch ungeheurer Gegensatz zwischen der einheitlichen Stille dieser Räume und dem verwirrenden Lärm der Grosstadt bestand. Alles, was diese Wohnung enthielt, Wände, Decken, Kachelöfen, Tische und Stühle und Glasfenster, Bilder und Bücher, jedes Stück des Hausrats war von Lechter entworfen oder angefertigt. Allem sinnlich Wahrnehmbaren innerhalb seines Bereichs derart seinen Stempel aufzudrücken, im Gegensatz zu einer mächtigen Umwelt, musste selbst einen vorlauten jungen Mann wie Scott verstummen machen: » ... I felt as if I ought to speak in whispers, never laugh, and in fact conduct myself in every way as if I actually had been in church ...«

Verwey hat in dem Gedicht an Melchior Lechter — von Gundolf übersetzt —

Es reichen deine träume sich die hände ...

und in seinen Erinnerungen diese Behausung, die nun zerstört ist, festgehalten.

Was Melchior Lechter dem Dichter in dieser Zeit gewesen ist, zeigen die Verse im Jahr der Seele, worin Lechter angeredet ist »bruder im stolz« und »bruder im leid«, zeigt die Vorrede zur allgemeinen Ausgabe vom Teppich des Lebens, der der »erlauchte namen« vorgesetzt ist, zeigt am grossartigsten die erste der Tafeln im Siebenten Ring, deren letzte Zeilen lauten:

Deinem Sein allen einsamen trost und geleit —
Turm von bleibendem strahl in der flut-nacht der zeit!

Im Nachlass Lechters fanden sich kostbare Blätter, Gedichte Georges, vom Dichter selber aufgeschrieben für den Freund, manche zu dessen Geburtstag am 2. Oktober, vor allem die Tafel aus dem Siebenten Ring mit dem Datum des 2. Oktober 1899, dann das freilich nicht an Lechter gerichtete Gedicht:

Wenn dich meine wünsche umschwärmen

unter der Überschrift:

AN MELCHIOR LECHTER * GEDENKEN SEINER DUNKLEN UND MEINER LICHTEN STUNDEN * IN DEN WEIHEVOLLEN RÄUMEN * ZUR ZEIT DER LEZTEN HERBSTTAGE ACHTZEHNHUNDERTNEUNUNDNEUNZIG *

TRAUMDUNKEL

ganz in grossen Buchstaben, mit Fleiss geschrieben, schwarz und rot und blau.

Zum 2. Oktober 1904 hat George für Lechter »Das lezte Gedicht Maximins« — in dessen Todesjahr abgeschrieben. Mit Brief vom September 1905 hat er ihm »Goethes lezte Nacht in Italien« mit blauer Tinte auf graues Papier geschrieben, jede Seite angefüllt von einer Strophe, unten mit einem kleinen roten Stern verziert, das Titelblatt in roten Majuskeln, und zum 2. Oktober 1905 hat er ihm von seiner Dante-Übersetzung die Franziska von Rimini gesandt.

Auch fand sich im Nachlass das Manuskript der Herodias-Übertragung, die Lechter in sieben Exemplaren höchst kostbar drucken liess, jedes mit Handmalerei. Dazu schrieb ihm George im April 1905:

»lieber Melchior: meinen freudigen dank für diese überraschende gabe: die wunderbare Herodias für deren erdenferne nichts besser passen konnte als die blauundgoldnen buchstaben und der sagenhafte blau und goldne vogel des stolzes! ... Welch ein trost dass über alle ungunst des schicksals hinaus so prunkende schöne dinge weiter gedeihen...«

Aus dem Siebenten Ring hat er ihm

Welt der gestalten lang lebewol!

»für Melchior im November 1905«, und das Gedicht »Kommunion« abgeschrieben »für Melchior Lechter am vierten Februar des Jahres neunzehnhundertundsieben von seinem treuen freund Stefan George.«

Schliesslich schrieb er ihm noch Bruchstücke von Aufzeichnungen Maximins ab im November 1907.

Diese dauernden Zeugnisse ihrer Verbundenheit sind mit grosser Sorgfalt und Liebe hergestellt. Ebenso Niederschriften aus Georges Dante-Übertragungen, an denen Lechter, dessen Geist dem katholischen Mittelalter zugewendet war, besonders Anteil nahm. Aber offensichtlich rascher hingeschrieben ist das Sonnet CXLVI

Arm seel! du mitte meiner sündigen erd'

und dann lag bei den kunstvollen Handschriften, ganz einfach, ohne Verzierung, als sollte auch in diesen Gaben die Rückkehr zur Schlichtheit angedeutet sein, das »Seelied« aus dem Neuen Reich:

Wenn an der kimm in sachtem fall . . .

Für die Verbundenheit der Freunde zeugen auch ihre Briefe, in denen hauptsächlich von der Drucklegung der Bücher die Rede ist. Doch berichteten sie sich auch von ihrem Leben und von Eindrücken auf Reisen. Oft sandte Lechter auf einer Postkarte das Bild einer Landschaft, einer Stadt oder eines Kunstwerks eingerahmt von seinen klaren Schriftzeichen (T 47 l).

Er pflegte alles in grossen Buchstaben zu schreiben und gab dadurch dem beschriebenen Blatt eine gleichmässige Bedeckung. Wie die beiden Freunde ihre Schrift empfanden, bezeugt ein gut überliefertes Gespräch:

»Stefan, wenn Sie schreiben, kann es nicht dick genug sein, und wenn Sie drucken, kann es nicht dünn genug sein.«

»Und wenn Sie schreiben, kann es nicht dünn genug sein, und wenn Sie drucken, kann es nicht dick genug sein.«

Zu Beginn ihrer Verbindung, im Januar 1896, schreibt Lechter: » . . . und seltsam: meine letzte Empfindung ist — vergegenwärtige ich mir Ihr Gesamtwerk — eine Farbenvorstellung oder besser Farbenempfindung, und zwar habe ich vorwiegend die Vorstellung von Gold in Verbindung mit Blaugrün und Rot in allen Tonwerten, zusammenklingend durch ein goldiges Halbdunkel, darin überall seltsam streng geformte Kostbarkeiten reich mitflimmern und in Schatten untertauchen.«

Man sieht, wie dieser Maler Dichtung empfand. In jenen letzten Walliser Wochen betrachtete Lechter einmal mit mir die Fresken in der Kirche von Raron; da sagte er, Gold sei der gemässe Grund für die höchsten Dinge, und plötzlich klang seine starke und sonore Stimme in dem kleinen Chor:

Und gold die farbe aller träume hiess.

Vom Gesamtwerk Georges war zur Zeit jenes Briefes freilich nur einiges vorhanden, und später haben die Farben der heimatlichen Landschaft und die Formen des neuen Lebens die Kostbarkeiten der frühen Zeit zurückgedrängt. Aber durch Jahre hindurch liebte George die Pracht der Lechterschen Ausgaben. So schreibt er aus Bingen:

Lieber freund: wie schön war der druck auf dem dünnen japan und wie unerwartet der herrliche »Schatz der armen« in alt-pergament. wie seltsam öffneten und betrachteten wir in den tagen verjährter feierlichkeit dies künstlerisch so überraschende und wahrhaft festliche buch ... herzlichen dank. — sonst kann ich als antwort Ihnen nur das beifolgende arme blatt überreichen . es giebt immer eine vorstellung davon wie ich mir (etwa in einem nächsten buch) die schwierigkeiten der versanordnung überwunden denke. — ich hoffe dass Sie diese oft trüb-machende reihe von ungerechtfertigt stillen tagen in der sonst lärmigen stadt mit gelassenheit ertragen und mit den besten vorbedeutungen den wechsel des jahres erleben.

Bingen   Ihr freund
am Stefanstag 1898   Stefan George

Wie er hier von der »lärmigen stadt« spricht, so kommt auch sonst zum Ausdruck, dass er Berlin nicht mag, wie auf der Postkarte vom 13. Februar 1899 (T 48). Lieber hat er München, von wo er im Februar 1901 an Lechter schreibt: » ... Hier ist das leben doch lebbar denn hier giebt es noch Geister etwas aus der Berliner luft ganz verjagtes nach dem Ihnen schon einmal die sehnsucht kommen wird.«

Ähnlich klingt es aus einer Nachschrift zu dem Brief über die Herodias, in der er von München und von seiner Trauer in dieser Stadt spricht: »Eben trifft Ihr brief ein. was beginnen Sie mit einem schelten auf die Bierstadt? davon seh i c h überhaupt nichts. München ist die einzige stadt der Erde ohne ‚den bürger' hier gibt es nur volk und jugend. Niemand sagt dass diese immer angenehm sind aber tausendmal besser als dieser Berliner mischmasch ... Ich bin die ganze zeit im schatten dieses Toten gewandelt — und als die jährung nahte wurde die traurigkeit immer beängstender! ich hielt es schliesslich in M nicht mehr aus. Was mir grossen trost gewährte war dass Sie, mein teuerster freund, mich damals begriffen und die rechte auffassung von diesem mir übersinnlichen ereignis hatten — das die menge im günstigsten fall scheel ansehen wird. — Ich habe nichts wesentliches seither hervorgebracht vielleicht wenn das buch fertig ist dass ich dann von neuem aufblühe! ...«

Es ist erstaunlich, wie häufig George, der doch in seinen Briefen sich sonst gern auf praktische Mitteilungen oder Winke beschränkt, da-

mals das Bedürfnis empfindet, Eindrücke und Gedanken Lechter mitzuteilen. Am 28. August 1899 ist er in Frankfurt, wo der 150. Geburtstag Goethes gefeiert wird. Von dort schickt er Lechter eine Karte mit
Goethehaus und Bildnissen Goethes und der Eltern, und zwei Tage
darauf schickt er ihm den Goethe-Spruch, der im Siebenten Ring als
Goethe-Tag abgedruckt ist. Auch richtet er an Lechter den ersten Brief
im neuen Jahr:

Bingen 1 jänner 1900
Lieber und verehrter freund: als eine schöne pflicht empfinde ich die
ersten zeilen dieses jahres zu einer botschaft an Sie zusammen zu
fügen und so die lange unterbrechung unserer gespräche zu kürzen.
in dem fruchtbaren frieden dieser schweigsamen landschaft habe ich
mir gleich die vielfältigen arbeiten der geplanten übertragungen vornehmen können · manches begonnen und einiges vollendet — doch um
schliesslich zu dem geahnten Ihnen vielleicht unerfreulichen ergebnis
zu kommen. Ich fühle bei allen das gleiche: Huysmans der nur in sehr
gesichteter wahl wertvoll wird: Villiers de l'Isle Adam von dem mir
der Brüsseler Kunstverleger Deman eine sehr schön ausgestattete
sammlung schickte Mallarmé und Baudelaire selber haben in ihrer
ungebundenen rede sämmtlich diese seite »boulevardier« mit der Sie
wol hie und da nachsicht haben die Sie aber allgemein zurückstossen
oft mit offenem widerwillen. Für mich als übertrager kommt in be-
tracht dass ich nur geben kann was geist von gleicher höhe ist — nicht
was eine stufe weiter unten steht. Missverstehen Sie nicht: es spricht
keine geringschätzung: all diese stücke sind sogar so gut dass ich sie
von den besten unsrer nachkommen und schüler gerne für den deutschen leser umgeschrieben sähe der aus mangel an besserem immer
noch gereimte und ungereimte barbareien federführender bastarde als
leistungen ansieht.
Aus keinem der obgenannten Franzosen lässt sich also das buch das
Sie erträumen hervorlocken — sondern nur bruchstücke lassen sich zu
einem einklingenden ganzen fügen.
Nun zu unsrem Jean Paul. sobald Sie mit den zeichnungen fertig sind
lassen Sie es mich wissen. auch kann die neue arbeit erst bei v. Holten
beginnen wenn er über die frühere endgiltig rechnung abgelegt. Sollte
er das bereits an Sie gesandt haben so ersuche ich Sie alles an mich
zur vergleichung und durchsicht gelangen zu lassen.
Soweit geschäfte! Nun reden Sie einige worte über sich und das fort-
schreiten Ihres schweren werkes — auch über den ausgleich der im
vergangenen jahre kämpfenden gewalten. Dann erfülle ich noch den
wunsch meiner ganzen familie indem ich von der hohen bewunderung

rede mit der man Ihr buch aufschlägt und unsere freundlichen erinnerungen und glücksprüche anschliesse. Stefan George

Als Lechter ihm einen traurigen Brief schreibt, fertigt George eigens für ihn ein Trostbüchlein an — ist damals nicht das Goethesche wieder gefunden worden? — in dem er seine Übertragungen folgender Gedichte zusammenschreibt: »Gebrochene Musik« von Rossetti, »Mondschein« von Verlaine, »Erinnerung« von D'Annunzio, »Im Garten des Serail« von Jacobsen und »Folg den verborgnen ...« von Verwey.
Mit grosser Geduld wartete George immer auf Lechter, der fand, es komme nur darauf an, dass etwas Gutes gelinge, wann es gelinge, sei gleichgültig. Darum mahnte und flehte und erinnerte George, und schliesslich schrieb er so:

»L:M: Ihnen einwände zu machen — ich weiss es — ist unnötig, dass alles wie Sie es anordnen schön wird daran zweifl' ich keinen augenblick. Nur wag ich schüchtern dies vorzustellen: Denken Sie sich ich Unglücklicher hätte (was wirklich der fall ist) zehn bücher in bereitschaft so blieben mir nur zwei gleich unselige möglichkeiten: entweder ich müsste die bücher nach meiner bescheidenen weise ausstatten lassen und dafür das ganze leben Ihren tadel und Ihr schelten hinnehmen — oder S i e leiten die ausstattung und dann muss ich mich gefasst machen etwa das fünfte und sechste dieser bücher auf dem todesbette überreicht zu bekommen ... weitere schöpfungen inzwischen ausgeschlossen ...
Vielleicht aber sucht Ihr erfinderischer geist eine lösung und übersendet sie mir mit linder mahnung meiner undankbarkeit ...«

Auch musste George daran erinnern, dass letzten Endes doch er die Verantwortung für seine Bücher trage:

»lieber Melchior: ich muss auf Ihre karte sehr dringlich erwidern und ich weiss dass Sie der Sie meine grosse verehrung und liebe für Ihr wesen und Ihr werk kennen nicht missverstehen. Ich erkenne zwar Ihre gründe an dass es schöner und süsser ist mich mit dem fertigen buch zu überraschen muss Sie aber darauf hinweisen dass es in dem fall nicht ganz gerechtfertigt ist da das buch nicht ausgedruckt werden kann eh ich eine vollständige probe des ganzen gesehen und nicht erscheinen kann eh ich darüber angewiesen habe · denn in lezter linie hafte ich mit meinem namen für die ganze sammlung sowol als für dies eine J.-P. Es liegt darin gewiss nicht das leiseste misstrauen für Sie eingeschlossen: aber ganz abgesehen davon dass gewisse dinge des textes, stellung der roten ränder zum text, stellung der überschriften u. s. w. Ihrem darin ungeübten auge leichter entgehen könnten als mir, so ist die durchsicht a l l e s i n h a l t l i c h e n schliesslich M e i n e aufgabe deren ich mich nicht entziehen darf.«

Zwar hat Lechter alle Zieraten nach eigenen Wünschen gestaltet, aber für Anordnung der Seiten und Zeilen, Überschriften und Anfangsbuchstaben hat George ihm manchmal vorher auf ein Blatt aufgeschrieben oder skizziert, wie er es sich dachte.

Wie sich dann nach dem ersten Weltkriege ihr Verhältnis gestaltet hat, das können wir beim Lesen der spärlichen Briefe jener Jahre fühlen:

München jan. 19

»L. M: es freute mich zu hören dass es Ihnen noch leidlich in B. geht. Freilich haben sich seitdem die dinge bedenklich verschlimmert ... Hier ist alles noch verhältnismässig harmlos ... Das gedicht von Sw. war mir allerdings bekannt · es ist eins der berühmtesten und die von Ihnen abgeschriebenen strofen riefen mir das ganze wieder ins gedächtnis. Dass ich aber heute noch zu einer umformung solcher verse tauge glaube ich kaum · es ist ein wahrer sturzbach von klängen und bildern — ohne als ganzes bildhaft zu sein ... wie mir deucht eher die stufe eines idealen Hofmannsthal (wenns den gäbe!) als die meine ...«

Im Jahr 1919 ist George der Dichter des Neuen Reiches, und doch scheint Lechter noch gemeint zu haben, George könnte Freude daran haben, ein Swinburne-Gedicht zu übertragen. So verschieden waren damals ihre Neigungen und ihr Denken.

Der letzte Brief, der erhalten ist, rührt an die letzten Dinge; zugleich aber ruft er ihre gemeinsame Liebe zu Dante in Erinnerung:

B. Grunewald 30 oct: 19

lieber Freund: Sie schienen es vermisst zu haben dass Sie während Ihrer krankheit so wenig von mir hörten. Doch war ich stets von mehren seiten über Ihren zustand unterrichtet und hoffte sicher · wie jedes jahr · Sie im herbst hier zu treffen. Ob ich Ihnen freilich Berlin jezt anraten könnte! ... Und doch was soll unter den von Ihnen angeführten umständen mit Ihnen werden? Jedenfalls bitt ich wenn Sie einen entschluss gefasst haben es mir zu melden ... ich bleibe voraussichtlich bis ende november ... Ihr ton klingt etwas traurig · doch Ihren wunsch nach der »andren ebene« kann ich nicht billigen. Ob die eine ebne von der andren etwas weiss bezweifle ich · nur soviel ist gewiss wenn eine verbindung besteht dass nur der auf der andren ein bessres los zu erwarten hat der auf d i e s e r den lauf richtig vollendet. Auf Ihren wunsch hin hab ich den bildhauer R. gesehen ... Sie werden dabei Ihre gedanken gehabt haben ... so tat ich es. Viel sinn hat es nicht ... was ich über das schicksal der heutigen bildenden künste meine ist Ihnen genügend bekannt · diese jungen wollen alle zeugen nachdem sie erst h a l b geboren sind. Solang sie auf dieser erde oder ebne weilen ist das wichtigste was allem vorausgehen muss: ihre richtige geburt! ich meine nichts dichterisches oder mystisches sondern ein ganz wirkliches … R. versprach von jenen so hochbelobten aufzeichnungen einige mir zu schicken … ich gebe Ihnen dann mein urteil … Auch mehre aufnahmen seiner sachen … Karl schrieb grad eben · aber nichts von einer reise hierher … Das neue was ich für Sie habe ist dies: dass eben die XI und XII folge der Blätter in druck ging. ich hoffe einiges davon wird auch für Sie von grossem wert sein · zumal die Dante-stellen: als der Hungerturm · Sordell und das tal der blumen · Die Voraussage der Verbannung im Par. XVII. Mir geht es dies jahr gut … reichlich arbeitsam! Nun sorgen Sie dafür dass man auch Ihrerseits gutes hört und teilen Sie es Ihrem freund mit

— Ist R. nicht für einen bildner sehr »weltlich«?   Stefan George

Die Anreden in diesen Briefen zeigen den Grad der Nähe: im Dezember 1897 kommt zum ersten Mal: »lieber Freund«. »Teuerster Meister Melchior, lieber Melchior, teuerster freund«, beginnen die Briefe. Im November 1898 verschwindet die Kursivschrift und dafür beginnen die später St.-G.-Schrift genannten Schriftzeichen. Die Schlussworte der Briefe verändern sich mit den Anreden: im Januar 1899 ist die Unterschrift zum ersten Mal: »Stefan«, im Mai 1899: »Ihr freund Stefan. In stetem herzlichem gedenken Ihr freund Stefan, in herzlicher freundschaft Ihr Stefan«; so enden die Briefe.
Aber 1909 begann die Unterschrift wieder sich zu wandeln in: »Ihr freund Stefan George«. Ohne Zeichnungen Lechters erschien 1913 der Stern des Bundes, und auf einem undatierten Blatte fragt George: »ob aussicht besteht, Sie noch einmal im Grunewald zu sehen«. Also sahen sie sich damals nicht mehr täglich und nicht mehr in Lechters Wohnung.
In den Briefen Georges findet sich eine Stelle — vom August 1907 — aus der ersichtlich ist, dass er schon zur Zeit des Siebenten Rings mit den Prachtausgaben nicht mehr so ganz einverstanden war; er schreibt mit Gundolfs Hand:
»Da Ihr Herz nun einmal an einer noch vornehmeren Luxusausgabe hängt, so will ich denn, obwol mir der Gedanke eigentlich nicht ganz zusagt, Ihnen die Japanausgabe mit dem Seideneinband in Gottes Namen zugeben; aber ich bitte Sie dringend dann abzustehen von einer dritten Klasse für Mittelvornehme: Exemplaren in Lederband. Wem der oben genannte Einband nicht vornehm genug ist, der soll und wird dann schon den Seideneinband nehmen.«

Als aber George seine Gedichte ohne Beiwerk drucken liess und sich wieder mit guter Schrift und gutem Papier begnügte, fehlte den Freunden die gemeinsame Arbeit. Zwar gibt es einen Brief vom 31. August 1927, aus dem ersichtlich ist, dass Lechter noch mit dem Druck der Gesamtausgabe zu tun hatte. George schickt ihm da eine Skizze für die Anordnung der Titelseiten des ersten Bandes; aber man ist in Versuchung zu denken, dass dies mehr aus Tradition geschah. Denn George kehrte zu seiner eigensten Art zurück: das Gedichtbuch Algabal hat er selbst geschrieben, geheftet, gebunden und mit dem Titel versehen, und genau so wie die Vorlage sieht das erschienene Buch aus. So war es auch bei den anderen frühen Büchern. Obwohl er sich mit Lechter in der Liebe zu stilisierter Pracht getroffen hatte, war doch die frühere Form seiner Buchausgaben ihm gemässer.

Die Verschiedenheiten ihrer Naturen traten deutlicher vor, und ihre Wege gingen auseinander. Lechter war als katholischer Christ aufgewachsen, wurde Glasmaler für Kirchenfenster, hatte eine grosse Liebe zur Musik und einen Hang zur Mystik, der ihn mehr und mehr zum Indischen führte. Das führte ihn aber weg von George, und es ist bezeichnend, dass Lechter schliesslich die Stätten malen wollte, wo Rilke gewesen war — Muzot und Raron — und dass nun sein Grab auf demselben Friedhof liegt wie das von Rilke. Dort in Raron bei der Kirche und beim Grab zeigt ihn die letzte Aufnahme, die kurz vor seinem Tode — er starb am 8. Oktober 1937 — gemacht wurde (T 50 r).

Als ein jüngerer Freund einmal kritisch von Lechters Kunst sprach und meinte, der gotische Zierat und die indischen Symbole passten doch eigentlich nicht zu dieser Dichtung, wurde er von George heftig zurechtgewiesen — vielleicht weil damit eine empfindliche Stelle getroffen war. Damals sahen sich die Freunde kaum noch; doch ist George noch zu jeder Ausstellung des Freundes gegangen. Ihre Entfremdung wurde erschütternd sichtbar in jener kurzen Szene am Albangraben in Basel, wo Lechter, der an Stöcken ging, dem in einiger Entfernung quer Vorübergehenden zurief: »Stefan, Stefan!« und dieser, der incognito in Basel war, ihn nicht hörte.

Nach Georges Tod, am Dreikönigstag 1934, hat Melchior Lechter zum Gedächtnis des Freundes in Berlin eine feierliche Ansprache gehalten und deren Text, der bei Bondi erschienen ist, auch an Verwey geschickt. In einem Briefe vom 31. Mai 1934 hat Verwey ihm dafür gedankt und dann auch über Wolfskehl geschrieben. Am Schlusse heisst es: »Dass Sie mit ihm, und Sie und er mit mir verbunden blieben und bis zum letzten verbunden bleiben mögen, ist mein Glück und mein Wunsch«. Im Sommer 1934 haben die drei Freunde sich noch einmal getroffen, in Meilen bei Zürich, und von einander Abschied genommen.

Immer hat George Freunde gesucht und mit Freunden gelebt. Etliche Freundschaften sind zerbrochen, andere sind eingeschlafen; ganz wenige blieben bestehen, am grössten die, welche der Tod unsterblich machte. Damit eine Freundschaft mit Erwachsenen lebendig blieb, brauchte es ein gemeinsames Tun. Jugendlichen konnte er von seinem Reichtum geben; hatte einer bekommen, was er aufnehmen konnte, so war seine Zeit zu Ende, wenn nicht ein fruchtbares Zusammenwirken kam. Einmal hat er gesagt: »Wenn ein Verhältnis erschöpft ist, so wendet sich ein aktiver Mensch einem neuen zu. Da hilft mir meine Natur«. Dass das auch für ihn nicht schmerzlos war, wissen wir aus den Gedichten.

Später hat er Melchior Lechter im Grunewald empfangen; dort pflegte er in der Zeit von September bis Dezember zwei bis drei Monate bei seinem Verleger Georg Bondi (T 58 r) zu wohnen, erstmals im September 1915 und dann jährlich, mehr als zehn Jahre hindurch.

Im Frühjahr 1898 hatte er Bondi in Rom bei Ludwig von Hofmann kennen gelernt und wiederholt im Café Aragno gesprochen. Von da an bis zum Tode blieb er bei dem Einen Verleger, und Bondi nahm in Dingen seines Verlags stets auf Georges Wünsche Rücksicht. Von diesem seltenen Verhältnis des Verlegers zum Dichter zeugen Bondis bescheidene Erinnerungen, die mit dem schönen Satze schliessen: »George war vielleicht der stolzeste, aber zugleich auch der am wenigsten eitle der Menschen«.

Die Nachfolge Bondis hat Helmut Küpper (T 58 l) angetreten und in schwerer Zeit durchgehalten — der »Mentor«, wie George ihn nannte. Auch ihm geht es um das Werk und um die Gestalt des Dichters, der ihn zuerst 1926 und besonders in den fünf letzten Jahren regelmässig sah.

Bondi erzählt, in seinem Hause habe George am 22. Oktober 1902 Gedichte aus dem Manuskript des Siebenten Rings vorgelesen, und Salin erwähnt, dass unter diesen Gedichten ein Zeitgedicht »Der Preusse« war, das nie veröffentlicht wurde. Karl Wolfskehl, von Salin schriftlich befragt, hat Ende April 1948 aus Auckland geschrieben: »‚Der Preusse‘, damals 1902 bei Bondi vor Geladenen mit den anderen Gedichten gesprochen, muss schon sehr bald sekretiert worden sein, wenn nicht, wie ich vermute, ganz vernichtet«. Da Bondi ausdrücklich erwähnt, dass George bei der Lesung den Karl grad vor sich sitzen haben wollte, so lässt dessen Zeugnis keinen Zweifel bestehn. Nur in seiner Vermutung hat er nicht ganz das Richtige getroffen: Dreiundzwanzig Verse dieses Zeitgedichtes hat George ausgeschnitten, aufgeklebt und mit sich geführt. Sie fanden sich unter den wenigen Dingen, die er, bei seinem Tode, in Minusio hatte, und so ist ein Fragment erhalten, das die Überschrift BISMARCK führen kann (T 52). Da dieses Gedicht doch einmal bekannt würde, wird es besser hier abgedruckt.

· ·

In des ehrwürdig römischen Kaisertumes
Sandgrube dieses reich gebaut, als mitte
Die kalte stadt von heer- und handelsknechten
Und herold wurdest seelloser jahrzehnte
Von habgier feilem sinn und hohlem glanz?

Tat so nach väter traum der berg sich auf?
Sei ungeschmält dir was du deinem herrn
Errangst und klug erdachtest — doch entrissen
Was du dir nahmst und toren auf dich luden
Als vorbild unsres ganzen volks

Du griffest — doch nicht weit genug ... du trogest
Nicht kühn genug ... drum wird lästrung heissen
(Für gimpel leim): wir Deutsche fürchten Gott!
Du siegtest stets mit schlag und list im feld
Du fielest stets in heim und frieden — sahest
Vor abend deine liebsten kähne scheitern ...

Nie war dir schritt noch regung die das blut
Uns höher trieb — nie wort das niederzwang
Uns staunend noch vorm korsischen kometen ...
Bei macht gebrach dir edelfreie hand
Und stolz des schweigens als man dich entliess
Du wolltest diener sein — kein Grosser · fänden
Wir andre grabschrift dir als du dir selbst?

Im vorgelesenen Gedicht soll die dritte Zeile des Fragmentes gelautet haben:

Die stadt der huren- heer- und handelsknechte.

Wie George die Gegebenheiten seines Landes empfunden hat, die Not, in der sein Volk seit Jahrhunderten stand und noch steht, die grössere Gefahr, die aus dem inneren Niedergang droht, und seine Berufung als Mahner, als Warner vor dem Zerfall, das enthüllt ein postumes Gedicht (T 152), ein kaum lesbarer Entwurf von des Dichters Hand, geschrieben auf die Rückseite einer Druckvorlage zum Anhang des Jahrs der Seele für den vierten Band der Gesamtausgabe, also vom Winter 1927/28, und etwa so entzifferbar:

Das im innersten [uns] lieb
Wie kann dieses volk bestehn?
Dieses volk wie kanns bestehn
Rings nur nachbarn offnen mauls
Spähend uns ein weitres stück
Auszuhaun aus unsrem fleisch
Und kein helfer fern noch nah!

Weh der feind sizt in [uns] selbst
Gleiche   füllt
Bundgenoss der wimmelwelt
Ist verwehrt was wir erwünscht
Hat bestehen dann noch sinn?

Fallen wir wo sie auch tost
Ritter in der lezten schlacht

Und wie er, was kam, vorausgeahnt hat, nicht in den Einzelheiten
natürlich, aber als Gesamtes, das steht auf der Tafel »Stadtplatz« im
Siebenten Ring, der 1907 erschienen ist, neun Jahre nach Bismarcks
Tod und sieben Jahre vor Ausbruch des ersten Weltkrieges, als Berlin
noch in blinkender Rüstung rasselte:

                    ... Mein volk ich weine
          Wenn sich das sühnt mit armut not und schmach.

Die hohen Qualitäten des Preussentums, das um eben dieser Qualitäten
willen gefürchtet und geschmäht wird, wusste er wohl zu schätzen: es
sind die Eigenschaften des Mannes, der sich bewährt auch in der schwierigsten Lage, und George forderte sie von den Seinen. Aber dass er auch
die Grenzen der Preussen kannte, steht in der Tafel

NORDMENSCHEN

Wohl nehmt ihr jedes ziel mit sicherm trott
Und zuckt der strahl: so klärt auch euch das schöne.
Doch steht euch rausch nicht an — wer den verpöne
War nie geeinigt mit dem Höchsten Gott.

In den Berliner Wintern um die Jahrhundertwende verkehrte George
in den Häusern Lepsius und Simmel, mit Wilhelm Dilthey, Botho
Graef und anderen, von denen Wolters spricht. Diese freundwilligen
Zuschauer luden ihn ein in bürgerliche Häuser, er aber schaute damals
schon aus nach einem Stern über anderem Dach.
Briefe Gundolfs, der 1902 in Berlin studierte, lassen uns, auch in Georges Abwesenheit in jene Häuser hineinschauen: »... in Gesellschaften

komme ich selten jetzt – Lepsius' Jour ist für diesen Winter beendet. Dagegen hatte ich diese Woche zwei Mal das Vergnügen von Frau Simmel gezeichnet zu werden und in Westend zu Abend zu essen und ich fühle mich sehr wohl dort, trotz Nordischen Recken und Priestern des Dionysos ... Die Zeichnung selbst gefällt Frau Gertrud, missfällt ihm, schmeichelt mir ...«

»ich habe nun so manche schöne und vollkommene Stunde bei Simmel genossen, dass es mir immer leid tut, noch höher Verehrten davon keinen Hauch zuwehen zu können ... Die Margarete Susman habe ich neulich dort getroffen, schwarz schwer still stolz reinlich rassig. Behmer ist mir wieder etwas unangenehmer geworden; das liegt vielleicht mehr an mir ... Bei Lechter sind jetzt jeden Sonntag buddhistisch-spiritistische-transcendentale-metafysische Streite und der Meister ist eben voll Blavatskyscher Geheimlehre ... und der Hofnarr macht schnöde Witze, wenn die anderen um ihr Seelenheil reden.«

Gross und sublim leuchtet die Freundschaft zu Reinhold und Sabine Lepsius (T 53, 54) aus dem Gedicht »Blaue Stunde« im Teppich des Lebens, und aus der Tafel »An Sabine« im Siebenten Ring. Auch spricht George in einigen seiner an Sabine Lepsius gerichteten Briefen ganz innere Dinge aus. Diese tüchtige und tätige Frau, die mit Malen und Schreiben ihrem Mann alle Sorge für Haushalt und Familie abnahm, hat dem Dichter in den Jahren 1896 bis etwa zu Beginn des ersten Weltkrieges viel bedeutet. Zum Schönsten gehört die Erwähnung von Maximins Tod im kurzen Brief vom Juni 1904:

»... Nach dem aufsteigenden winter in Berlin viel sorgliches und endendes und der vernichtende schluss: ich trauere über einen unbegreiflichen und frühen tod der auch mich an die lezten klüfte hinführen wollte ... Ich mache keine pläne als solche die erholung versprechen.«

Und dann jener grossartige Brief vom April 1905, in dem George sein Verhalten zu den Freunden erklärt:

»... Soll ich Ihnen noch einmal schriftlich und endgiltig bestätigen was Sie lange wissen? Warum soll ich meinen freunden von den gefährlichen abgründen berichten die alle meine fahrten begleiten? – und grad von den lezten besonders furchtbaren – indessen sie die freunde nichts können als in mitleidiger ferne hilflos dastehn ... Giebt es für trostlosigkeiten überhaupt ein andres vorm schlimmsten rettendes als dass niemand sie weiss? – Ich kann mein leben nicht leben es sei denn in der vollkommnen äussern oberherrlichkeit. was ich darum streite und leide und blute dient keinem zu wissen. Aber alles geschieht ja auch für die freunde. Mich so zu sehen wie sie mich sahen ist ihr stärkster lebenstrost. So streit und duld und schweig ich für sie mit. Ich gehe immer und immer an den äussersten rändern – was ich hergebe ist das lezte mögliche ... auch wo keiner es ahnt....«

Sabine Lepsius und fast mehr noch ihr Mann werden diesen Brief in seinem ganzen Ernst verstanden haben. Die vornehme Erscheinung von Reinhold Lepsius ist mir aus den Jahren vor dem ersten Weltkrieg ebenso in Erinnerung wie seine Gewohnheit, keine Briefe zu schreiben. Später sagte er ein Mal traurig von George: »Die jungen Leute haben ihn mir genommen«. Daran war etwas Richtiges; aber schliesslich ging es jedem so, und man musste darauf gefasst sein.

Von den Bildern, die Sabine Lepsius ihren Erinnerungen beigegeben hat, haben manche etwas merkwürdig forciertes. Von den drei hier wiedergegebenen ist das Dreiviertel-Profil vor dem Bildrahmen (T 55 r) das stillste. Das Dreiviertel-Profil mit dem hoch gewirrten Haar (T 55 l) zeigt einen grossartig brütenden, fast explosiven Ausdruck; darauf erscheinen nun einmal, was so selten ist, Steilfalten über der Nasenwurzel – als ob er ärgerlich gewesen wäre. Aus derselben Stunde muss das Profil mit dem aufgestützten rechten Arm stammen (T 56). Haar, Steilfalten und Ausdruck sind gleich wie auf jenem Bild.

Vielleicht darf ich zu diesen Aufnahmen die Stelle aus dem Buch von Sabine Lepsius anführen, wo sie den schlafenden Dichter betrachtet: »... In der Pause erklärte er plötzlich, eine Viertelstunde schlafen zu müssen, da er Frühaufsteher sei und ihn infolgedessen der Schlaf gelegentlich bei Tag überwältige. Ich konnte ihm nur eine Decke auf den Fussboden legen, einen Mantel über ihn breiten und mich ganz still verhalten. Nach wenigen Minuten schlief er fest. Er lag da wie ein schlafender Ritter. Das Pathos eines Monumentes umgab ihn, alles Zufällige des Lebens war gebannt, der Schlafende schien über sich selbst hinausgehoben.

Mit Musse konnte ich, noch ungehinderter als im Wachen, die Bildung dieses edlen Hauptes studieren: die über den Brauen löwenartig hervorgebeulte Stirn flieht zurück gegen den dichten Haaransatz. Die Ohren sind gut geformt. Das Jochbein tritt stark hervor, ebenso die hagere Kinnlade. Die Nase ist asymmetrisch, jedoch im Profil von schöner Linie. Die Lippen schmal, die Unterlippe etwas hervorgeschoben trotz des normalen Gebisses.

Die Augen, die weniger ‚zum Sehen geboren‘, als ‚zum Schauen bestellt‘ sind, liegen tief in den Höhlen und spielen scheinbar die geringste Rolle in dieser Physiognomie, wie oft bei Musikfernen. Aus einer unbewussten Schonung für sein Gegenüber mag George sein Blicken dämpfen, wie der Löwe die Kralle einzieht. Trotzdem aber sind die Augen, gerade weil sie mehr nach innen als nach aussen schauen, beteiligt an den unendlichen Ausdrucksmöglichkeiten dieses Kopfes, an dem es kein Beiwerk gibt, sondern jeder Muskel, jede Linie durchgeistigt ist.«

Im Hause Lepsius, bei einer Lesung im November 1897, hat die Schriftstellerin Marie von Bunsen den Dichter gesehen und in einer Zeitung so darüber berichtet: »... Niemals in meinem ganzen Leben ist mir ein so merkwürdiges Gesicht begegnet: Blass, verarbeitet, mit müden schweren Lidern, mit herbem ausdrucksvoll vibrierendem Mund. Die Backenknochen sind stark geprägt, wuchtig wölbt sich die Stirn, aus der sich schwere dunkle Haarmassen erheben. Von Gedanken und inneren Kämpfen ausgemergelte Züge, weit weit älter als seine achtundzwanzig Jahre. Das Profil hat eine verfolgende Ähnlichkeit mit dem Dantebild im Bargello. Der ganze Kopf, die mageren nervösen Hände erinnern sonderbar an den jungen Liszt ...«

Zum Freundeskreis im Westend gehörte die tapfere Gertrud Kantorowicz (T 57), die einzige Mitarbeiterin der Blätter für die Kunst, Freundin Simmels und des Hauses Lepsius — »sublim durch ihre Intelligenz wie durch ihre Güte«. Ohne anderen Glauben war sie dem Dichter und seinem Werke aufs innigste verbunden, und sie fand darin Kraft auch in ihren letzten schweren Jahren. Mut hatte sie und Haltung — »endlich eine die schweigen kann«, sagte von ihr George, der sie auszeichnete. Schon immer voll Hilfsbereitschaft für schöpferische Menschen, zeigte sich ihre Noblesse ganz, als die Verfolgungen begannen. Den Ernst Gundolf versuchte sie, aus dem Lager Buchenwald herauszubringen; auf dem Bahnhof Weimar steckte sie ihm warme Sachen zu. Einem Flüchtling, der unüberlegt aus England nach Berlin zurückgekommen war, seine Mutter zu besuchen, waren die Häscher auf den Fersen: rasch entschlossen legte Gertrud Kantorowicz seinen Pass, die Uhr und Brieftasche ans Kanalufer, schickte die weinende Mutter zur Polizei und brachte den jungen Mann über die grüne Grenze. Gedrängt, endlich sich selbst zu retten, erklärte sie, nicht eher werde sie Deutschland verlassen, als bis sie all ihre gefährdeten Freunde hinausgebracht haben werde. Schliesslich, beinah in der Schweiz, wurde sie nur darum festgenommen, weil sie ihre betagte Tante, die nicht rasch gehen konnte, die Mutter des Ernst Kantorowicz, nicht im Stiche lassen wollte. Im August 1942 wurde sie nach Theresienstadt gebracht; dort pflegte sie die Kranken, und dort ist sie im April 1945 gestorben. Aber die bewunderungswürdige Frau hatte die Kraft, bis zuletzt an ihrem Buch über die griechische Kunst zu arbeiten. Und während des Transportes nach Theresienstadt und in Theresienstadt selbst schrieb sie mit Blei Verse auf armselige Papierfetzen; diese Verse hat ihr Bruder drucken lassen, und hier ist ein Beispiel:

AMOR FATI

Theresianopolitana
Winter 1943—44

I

»So tritt herzu! Du wusstest vom Altare
Von Opfertieres reiner offener Kehle
Vom freien Sang und Leib geschmückter Seele
Und von der stolzen Glut um Bett und Bahre.

Und wusstest nichts! Nun höhnen alle Flammen
Verstöhnt das Opfer, kein Gesang blüht wahr
Vom faulen Rausch besudelt Dein Altar
Der Gott schreit laut«
                    »Ich küsse seine Flammen.

MÜNCHEN

Zu jenem letzten Besuch bei Frau Isi — ich sagte es schon — hat der
Dichter seinen Freund Karl Wolfskehl mitgenommen. Den hatte in
Giessen Georg Edward, der in der I. und II. Folge als Mitarbeiter der
Blätter erscheint, auf George aufmerksam gemacht, und so hatte
Wolfskehl dreiundzwanzigjährig die Gedichte, vierundzwanzigjährig
den Dichter kennen gelernt. Das war 1893, — »meine Bekanntschaft
mit d. M. datiert, nachdem Ende 92 Briefe gewechselt waren, vom
August 93« — und von da an bis zum Tode hat Wolfskehl an George
festgehalten. Gedichte Wolfskehls finden sich in den Blättern für die
Kunst von der zweiten bis zur letzten Folge; an den Merksprüchen hat
er beträchtlichen Anteil. Sein Name schmückt, mit dem von Gérardy
und von Lieder, die Bücher der Hirten- und Preisgedichte, und im
Jahr der Seele hat er sein Gedicht. Freilich ist darin schon angedeutet,
dass die Wege der beiden Dichter nicht die gleichen sein werden:

> Dein leben ehrend muss ich es vermeiden.

Aus den Briefen, deren es für eine so langjährige Verbindung nicht so
sehr viele gibt — auch von Wolfskehl hat George welche zurückgeholt
und vernichtet — ist Beides ersichtlich: Nähe und Ferne, dazu die bild-
liche Kraft der Sprache; ein Brief Georges aus München, vom 24. Januar 1897, beginnt so:
»lieber freund: der sturm der briefe und draht-nachrichten ist vorüber. was hat Ihnen so trübe dinge eingeflösst? ich dachte an nichts
als Sie mit aufträgen zu verschonen die Ihr geist willig empfängt aber
Ihr fleisch unfähig ist auszuführen. Da kenn ich keinen willen und
keine schuld und keinen zorn ...«

Auf einer Karte aus Bingen, vom 22. März 1897, steht:

»... wie gewöhnlich laute vorabende verbrachte ich den verflossenen in der friedlich rollenden stille.«

Und auf einer Karte aus Wiesbaden, vom 22. Juli 1898:

»nach D[armstadt] komme ich wohl nächste Tage ... ich zweifle dass dort feld angebaut wird, die jünger lieben aber schwach'. vielleicht schon kommende woche geh ich auf einige zeit nach England ...«

Aus Bingen, am 29. März 1899, auch auf einer Karte, findet sich die Feststellung: »... doch das schreiben ist nicht meine art der mitteilung ...«

Ebenfalls aus Bingen, auf einer Postkarte vom 12. Juni 1899, steht die Nachschrift:

»Viel zu schüchtern bringe ich die bitte vor von den mannigfachen aufsätzen die Sie namhaft machen selber was zu lesen.«

In einem Briefe aus Berlin vom 5. Oktober 1899 verraten etwa solche Stellen den Dichter:

»... Da Sie so ferne weilen kommen nur leise züge der hier waltenden stürme zu Ihren ohren ...«

und am Schluss: »meine erschöpfte feder sinkt ...«

Schliesslich — aber das ist schon im März 1927 — als der ganz andere Lebens-Rhythmus Beiden längst bewusst und ausgesprochen war:

»... und doch Sie wissen: jeder kann nur raten und helfen gemäss seinem lebensfluss— jeder will nur rat und hilfe gemäss dem seinigen! ...«

Dazu von Wolfskehl, aus einem Brief an George vom Oktober 1929 eine kurze Stelle:

»... Ach Meister ich weiche nicht weg vom Pfad innerlich!! glaub ich — aber ich bin oft müd und möchte mich hinlegen.

Die Zeiten sind furchtbar, ich sehe Grauenhaftes kommen über die Welt. Ich möchte nur wissen nur das Eine noch wissen dass Sie mich so sehen wie ich immer war, denn ich bin es, obwohl ich weiterlebe. Meister dieser Brief und sein Gesamtinhalt ist nur für Sie. Ich lege mich ganz in Ihre Hände. Ich bitte Sie aber mir zu antworten mit einer Zeile.

Unverbrüchlich bin ich   Ihr Karl«

Hanna Wolfskehl hat mir berichtet, dass es Wolfskehl war, mit dem George einen ganzen Nachmittag lang erwogen hat, ob »im wind ein schaukeln wie von neuen dingen« oder »der lüfte schaukeln wie von neuen dingen« besser sei, und Verwey erzählt, er habe George und Wolfskehl so über Verse sprechen gehört, wie er selbst mit Jugendfreunden gesprochen habe. So verband sie jene Liebe zum Wort, die den Dichtern eignet. Diese gemeinsame Liebe liess sie die drei Bände

»Deutsche Dichtung« auswählen, die den Menschen deutscher Sprache
eine Schule der Poetik sein könnten.

Zwar hielt George die Jüngeren fern von dem dionysischen Dichter,
dessen Rhythmus ihm für sie nicht förderlich schien. »Ein wenig geduld und viel eingebung!« wünscht er dem Freunde am Schluss eines
Briefes aus Brüssel vom Sommer 1896, und ein andermal, im März 98,
schreibt er: »Sie der mensch der tausend geschicke vergessen leicht ein
tausendeinstes«. Aber der nach allen neuen Dingen Gierige war und
blieb der Hingabe fähig:

> Der horcher der wisser von überall
> Ballwerfer mit sternen in taumel und tanz
> Der fänger unfangbar — hier hatte geraunt
> Bekennenden munds unterm milchigen glast
> Der kugel gebannt die apostelgestalt:
> »Hier fass ich nicht mehr und verstumme.«

Während ich dies schreibe, kommt aus Neuseeland die Nachricht vom
Tode Karl Wolfskehls. Am 30. Juni 1948, im 79. Altersjahr, ist er gestorben. In den Jahren seines Neuseeländer Aufenthaltes, den letzten
zehn Jahren seines Lebens, hat er sich selbst immer wieder als exul
bezeichnet. Als Exul und als Hiob. Heimatlos fühlte er sich, obwohl
man ihm drüben das Bürgerrecht verliehen hatte, und als einer, dem
alles genommen war.

Sein Wesen wird von Freunden festgehalten, die ihn besser kannten
als ich, und es blickt aus seinen Werken. So will ich für diesen Bildnis-
band nur die Bilder skizzieren, die jetzt, beim Eintreffen der Todesnachricht, vor mir aufsteigen.

In München, in der Römerstrasse, vorher an der Leopoldstrasse — hielt
er mit Hanna Wohlfskehl- de Haan sein gastliches Haus. Zwar wollte
George nicht, dass ich dort zum Jour erschiene, doch nahm er mich
zum Essen im Familienkreise dahin mit, und Wolfskehl kam hinauf
ins Kugelzimmer, das für seine mächtige Gestalt fast zu eng und zu
niedrig war. Dort fehlte ihm Raum zum Ausschreiten im Gespräch;
so musste er stehend, oder halb liegend auf der Bank, vorbringen, was
heraus wollte. Er nannte George beim Vornamen und fing leise an zu
sprechen, mit etwas Flehendem, Gewinnendem im Ton aber andrin-
gend. Es war, als ob die Worte sich ihm überstürzten, als ob er nicht
rasch genug die richtige Silbe finden könnte, auszusprechen, was in
seinem rastlosen Geist in eben diesem Augenblick aus Erfahrung und
Wissen und Witterung zusammenschoss und zum Ausgang drängte.

Dann seh ich ihn auf Stift Neuburg am Neckar stundenlang mit Baron
Bernus an einem kleinen runden Holztisch sitzen. Beider Hände lagen

mit gespreizten Fingern auf der Platte und berührten sich. Unermüdlich sagte der eine oder der andere das ABC her, bis bei einem der Buchstaben der Tisch schaukelte oder beinah tanzte. Diese mit Hilfe des Tisches ausgewählten Buchstaben gaben, zusammengesetzt, Worte und Sätze, in denen entweder von germanischen Opferbräuchen oder von mittelalterlichem Mönchstum die Rede war. Bald verdrängte Wolfskehls Germane den Christen, bald des Bernus Mönch den Heiden. Der Heidnische wollte, dass man drüben im Odenwald in der Johannisnacht Knaben und Mädchen opfere und Kupfergeräte dazu verwende; der Christliche sagte, wenn wir im Garten des Stiftes grüben, fänden wir einen kostbaren Kirchenschatz. »Es wurde auch gegraben; aber man fand nur Knochen.«

In der Villa Sciarra in Rom, bei der Totenfeier für Stefan George, ganz kurz vor Betreten des Saales, sagte Wolfskehl zu mir: »eben denk ich um, was ich in ein paar Minuten sagen werde.« Gleich darauf schritt der erschreckend kurzsichtige Mann, für dessen Füsse die Stufen kaum tief genug waren, rasch aufs Podium, und da stand er nun, übergross und überbreit mit dem blinden Blick Homers, »den Bart aufgereckt nach der Engelsspeise«, scheinbar hilflos und doch nicht hilfebedürftig, und begann zu reden, indem er die Worte suchte und sich verhaspelte, und so ergreifend war dieser blicklose Mann, der stammelnd Zeugnis ablegte für den gestorbenen Freund, dass auch solche betroffen waren, die ihn nicht verstanden.

Das war in den Jahren seines europäischen Exils, die er in der Schweiz und in Italien verbrachte, und in dieser Zeit habe ich ihn einmal in Florenz besucht, in einem Haus vor der Porta Romana. Hinter dem Haus lag ein ansteigender Garten und zuoberst in dem Garten sprachen zwei mit einander, von denen Einer Wolfskehl nicht begegnen wollte. Aber der hatte Wind davon bekommen und eilends lief er auf den schmalen Gartenwegen hinauf, um den Versteckten mit seinen schwachen Augen, die alles entdeckten, anzusehen.

Ein Jahr später oder zwei gingen wir einmal zusammen von Recco nach Camogli und zurück. Er hatte meinen Arm genommen, schritt weit aus und sprach eifervoll, dass mich nachher Arme und Beine schmerzten. Camogli hatte er entdeckt, die rötlichen Häuser der Fischer, deren Söhne zur Kriegsmarine gingen, den kleinen Platz am Strand, wo man draussen sitzend Espresso trank, Ruta mit Nietzsches Hotel, Ölgebüsch und Südmeer zeigte er mit solcher Intensität, dass dem Zuhörer durch den Sinn fuhr: und du hast es geschaffen!

In Rom durchlief er sein Quartier bei der Spanischen Treppe wie ein giovanotto. Oft zitterte man, er werde überfahren werden, aber er war so flink und geschickt, und seine Ortskenntnis war so genau, dass er jedes Mal das bestimmte Ristorante erreichte, in dem es das Gericht gab, das er gerade heute essen wollte und das dort so zubereitet wurde, wie es ihm gefiel. Die Römer kannten ihn und mochten ihn; er war der professore tedesco, dessen eigenwillige Art sie achteten.

Und zum letzten Mal waren wir in Genf zusammen vor seiner Ausreise zu den Antipoden; man trank Tee, aber plötzlich packte ihn eine Vision von dem, was im Anzug war. Er sah es kommen, und in furchtbarer Erregung sprach der Blinde von seinen inneren Gesichten. Er wolle nicht dabei sein, sagte er, und fuhr nach Neuseeland. Es kamen Nächte, wo man ihn darum beneidete, und es kamen Jahre, wo er darunter litt.

Und nun hat der rastlose Geist Ruhe geben müssen, und sein Tod im Exil erscheint als grosser Ausgang eines ungewöhnlichen Lebens.

Die beigegebenen Photographien illustrieren seinen Weg:

Die Aufnahme aus Darmstadt (T 64 o l) mit Widmung an Stefan George gibt, obwohl im Vollbart, den jugendlichen Intellektuellen wieder, dessen Blick und Kopfbewegung Idealismus, dessen Haltung und Anzug Konvention und Herkunft zeigen. Die folgende Photographie (T 64 o r) mit Buch und Blatt, gesenktem Kopf und Blick atmet eine schöne Stille. Danach das lebhafte Profil (T 64 u l) – der Kopf ist leicht gehoben und nach der linken Schulter gewendet – das schon den Propheten ankündet, den die Aufnahme im Stuhl vor den Büchern (T 66 l) ganz enthüllt: blicklos mit leicht geöffnetem Mund schaut der zurückgeworfene Kopf ferne Traumbilder.

Viel später, etwa 1934, bartlos, aber noch immer aufwärts gewendet und mit offenen Lippen, der reife Mann (T 66 r) – »Allallalle« hat er unter den Abzug geschrieben. Der Kopf vor dem Feigenbaum (T 67) ist im April 1940 in Neuseeland aufgenommen worden. Auf die Rückseite des Abzugs, den er seinem Freunde Edgar Salin schickte, hat Wolfskehl geschrieben: »Bin ich noch ich? Ich weiss es kaum.« Zu dem Feigenbaum hat er im ersten Gedicht des »Mare Nostrum«, betitelt »Exules ambo«, so gesprochen:

> Darbst nicht allein. Wir beide sind gestrandet.
> . . . . .
> Was hält uns noch im Licht? Wir wissens kaum!

Die letzte Aufnahme »unter fremdem Gezweig« vom Dezember 1947 zeigt den Exul und Hiob (T 68).

Dazwischen fesselt unsern Blick das Bildnis von Hanna Wolfskehl-de Haan (T 64 u r), die den turbulenten Mann geliebt, bis zum Beginn des Exils begleitet und ertragen hat, die Hüterin des Herdes, mütterlich und gastfreundlich, holländischen Ursprungs:

99

An Güte war sie grundlos wie das Meer,
An Liebe grad so tief ...

Der Vierzeiler im Siebenten Ring spricht aus, was sie Stefan George
gewesen ist, zumal im Todesjahr Maximins, und die Briefe Walter
Wenghöfers lassen erkennen, wieviel sie Einem bedeuten konnte, der
am Leben litt. Dasselbe zeigt eine Sendung Lieders aus Warschau vom
September 1905. Damals schickte der polnische Dichter an Hanna
Wolfskehl eines der eben im Verlag der Blätter erschienenen 25 Exemplare von Georges »Übertragungen aus den Werken von Waclaw Rolicz-
Lieder« und vorn hinein hat er die Widmung aus dem Band Wiersze V
geschrieben (T 29).
Wie sie aber noch war: weiblich, klug, beobachtend, geschickt und
amüsant, und dabei echt und treu, das mag dieser Brief an George bezeugen, der Meinungsverschiedenheiten wiederspiegelt, die am »Jahrbuch« deutlich geworden sind:

Letzter Abend an der Fröhlichgasse.   [Bad Tölz, 3. August 1912]
W[enghöfer] las mir heute aus dem Teppich vor.

        Einziger und geliebtester Meister.
Morgen geht es fort! nach Tölz kommt jetzt Holland! auf der Rück-
reis hoff ich in D. Sie zu sehen! ich habe so viel zu erzählen. Heute
dass ich bei Addy [Furtwängler] drüben in Tegernsee war um Sabine,
Reinhold und die 3 jüngeren Kinder wieder zu sehen! ich empfand es
sehr ohne Karl zu sein, aber ich versuchte so tapfer wie es ging die
Männersache ohne Unliebenswürdigkeit zu halten! Vielleicht gelang es
ein bisschen! Kaum als ich ankam sagte Sabine, sie wolle mit mir allein
gehen! aha dacht ich! und sieh da! nach 2 Schritten waren die 2 Brok-
ken schon hingeworfen: die Frau — die Musik! ich versuchte erst
lächelnd zu sagen das sei ja dasselbe über welche Nuance sie denn
mit mir reden wolle u. s. w. verwies sie dann mit Complimenten (»Ihre«
schöne und capriciöse Frau kam mir wieder ins Ohr) an Karl selber
und was die Frau anginge sagt ich ihr: hätten wir ja alle keinen besseren Freund als Stefan (den grossen, nicht den Botho-neffen) Ich
macht's recht weiblich als könnt ich keine Diskussion durchhalten
sprang recht herum und landete dabei wie das alles seinen Sinn habe
— aber wie auch darin ein Sinn läge dass sie und Reinhold zu den
ersten Freunden des Kreises gehört hätten und wie man dankbar sein
müsse sich von der übrigen Menschheit doch hierher retten zu dürfen
u. s. w. Dass dazwischen einzelne Wegesverschiedenheiten seien, gab
ich zu, wenn wir nur darüber nicht das Hauptziel verlören sondern auf
Umwegen alle uns wieder träfen u. s. w. so dass sie gar lieb bleiben

musste. Dann griff sie Lechter an! Sachen zu verteidigen, bei denen man der Ansicht des Gegners ist, das wär so was für Karl! mir fiels recht auf die Seel aber doch sagt ich und kramt aus zu Lechters Gunsten was mir einfiel! Die Unmodernität seiner Malerei wollt sie noch hingehen lassen (welch ein Verdienst seine Augen ändern zu können – aber bloss à la mode) aber das Tagebuch. Ach sagt ich – das kommt daher weil uns hier mal Lechters Format auffällt! Wie Sie nicht aus Ihrer Palette herauskönnen, und darin dürften Sie sich anstellen wie Sie wollten, so hat er sein Format! Bei den Glasfenstern findet man es angebracht – hier passt Ihnen der Querschnitt nicht! ich werde Ihnen eine Geschichte erzählen! dann sprach ich von unsrer Schloss-Suche und wie Schmitz und Lechter mit uns ausfuhren die Burg beschauen. Beim Überschlag der Reparatur meinte Schmitz: 20'000 M. – Lechter: w a s ? 200 × 000!

Ich wurde recht ausführlich und breit (was Karl denken wird dass es mir nicht schwer fiel) und wir blieben in der besten Laune. Reinhold war nur noch von Van Gogh erfüllt! Van Gogh den man Ihnen so ähnlich findet und glaubt dass in späteren Zeiten die Menschen das noch synthetischer sehen! Gott sei ei'm sein Beistand! Was ein Glück dass ich ihn gerade genau gelesen hatte – alle Achtung ja mehr als das für ihn – doch die Plätz darf man nicht verwechseln.

Vom übrigen erzähl ich Ihnen ein andermal! Das Wiedersehen mit Putti! die talentvollen Kinder und die historische Geselligkeit! Dass mir dabei aber etwas weh tat, Menschen so schön ausgestattet zu sehen, so reich bedacht und dass all dies Verführerische nichts helfen kann – das war mir mehr als schmerzlich gerade weil ich sonst so entzückt war. Die Zeit geht unheimlich rasch und wer nicht mit Schritt hält und noch nach Ästhetik umschaut der bleibt zurück! und dennoch liebt man sie – liebt sie zu sehr.

Von Walter Wenghöfer hab ich den Eindruck: nach und nach könnte er sich doch ein bisschen mehr geben – zu sich kommen und auch zu andern! Es ist ja nicht auszudenken wie verzaubert dieser Junge ist! und wie Kundry kommt er mir vor: scheint er den einen Abend etwas geschmolzen dann ist er am nächsten doppelt stachelig und verwehrt! fürchtet man dann wieder das Böse – dann sehnt er sich danach vom Guten erfasst zu sein. Immerhin hat ihm die Sonne hier gut getan und er gibt zu dass wenn er mal herauskönnte so glaube er jetzt auch dass er lernen wolle! dann quält er sich dass ihn niemand lieb hat – hat aber eine honette Exigence – kurz es war ein rechter Kampf und ich habe stündlich Sie o Stefan angerufen in mir dass Sie helfen.

Die 10 Tage sind um! Wir fangen an Freunde zu sein und ich bin besser dran als er denn seine absolute Sicherheit im Ablehnen jeglicher

Surrogate zeigt und gibt mir viel! für ihn wünsch ich nun die Verwandlung dieser negativen Vorzüge in positive – es kann werden – Stefan er ist ein Deutscher, aber allein darf er so lang nicht mehr bleiben!

Von Herzen   Ihre Hanna

Die Malerin Charlotte Wendel, später von Grunewaldt, hat nach vielen Jahren einen Nachmittag bei Hanna Wolfskehl festgehalten, der die Luft des Hauses und das Sinnbildliche im Tun Georges zeigt:

»Es war einer jener seltenen Nachmittage, wo sie allein war und man zu einer stillen beschaulichen Teestunde zu ihr kam. Seit Tagen wurde im Hause Wolfskehl von nichts anderem gesprochen: ,Teneriffa' das war die Losung. Es sollte so schön dort sein, so billig, man müsste absolut den Winter mit der ganzen Familie und etlichen Freunden dort verbringen.

Der Karl schrieb an seinen Vater darüber und alle warteten fiebernd auf die zustimmende Antwort.

Und die Antwort kam, als der Karl nicht zu Hause war; Hanna und George lasen den Brief – aber die Antwort war absolut nicht zustimmend, im Gegenteil: ein ganz klares Nein – ungeordnetes Leben etc. stand da zu lesen.

Man zitterte, wie der Karl dieses Nein aufnehmen würde. Da kam Stefan George zum Tee herunter zu Hanna, in den Händen eine Unmenge schwarzer Bänder, Krawatten alles was er schwarzes im Hause hatte finden können, das wurde überall in den Zimmern aufgehängt, ,Trauerfahnen' damit der Karl beim Heimkommen gleich im Bilde wäre, dass die Fahrt nach Teneriffa ins Wasser gefallen sei.«

Wolfskehl erscheint dann noch auf dem Münchener Gruppenbild (T 65) mit den beiden andern Kosmikern, und auch Verwey sitzt dabei, als ein Fremder, und George, der diese ungleichen Menschen zusammengebracht hatte.

Wolfskehl hat gesagt, bei Aufnahme der Gruppe habe Klages sich dagegen gesträubt, mitphotographiert zu werden, und der böse Ausdruck seines Gesichtes sei dadurch zu erklären. Aber ein anderes Bildnis von Klages (T 69 o) hat dieselben Elemente, und sein gehässiges Verhalten nach dem Bruch und die widerliche Einführung zu Schulers Nachlass, den Klages – bezeichnenderweise 1940 – herausgab, zeigen, wie weit er gehen konnte. Und doch war Klages einmal, wenn auch nicht der Liebe, so doch des Aufschwungs fähig. Briefstellen und die Schrift mit dem merkwürdigen Titel »Stefan George von Dr. phil. Ludwig Klages« beweisen es, und das Gedicht an L. K. im Jahr der Seele bezeugt, welche Kräfte George in ihm witterte.

Aber von Natur schon war der ausserhalb des Limes geborene Bilder-
stürmer ein Widersacher; das zeigte sich frühzeitig, und was Verwey
später fühlte, hat George schon in einem Briefe ausgesprochen, dessen
Entwurf so lautet:

Bruxelles 66 rue du Midi   11 febr 96
mein lieber Herr Klages: mit Ihrem brief verhält es sich so: er traf
mich zu spät um Ihnen noch nach München beantwortet werden zu
können. Sie sagten Ihre reise an, dann hatte die meinige statt. ich hätte
gern Ihnen des längeren auf Ihre ausführungen widerredet doch waren
es viele neue dinge die mich abzogen. Wie es so gewöhnlich geht haben
Sie in dem was Sie bejahen recht — in dem was Sie verneinen unrecht.
Eine bildungswelt (Kultur) einmal erkannt lässt sich nicht wieder
vergessen. wie könnten Sie sich Ihre lateinische und griechische wissenschaft aus dem sinn schlagen? versuchten Sie es so wäre das die künstliche rückzüchtung. Sie haben mit Ihrem geist unsre bildungswelt aufgenommen. Sie konnten sie jedoch — gemütlich unfähig — nicht geniessen. daher Ihre auflehnungen.
Doch traue ich weiter auf Ihren geist. Geben Sie nur ganz ohne hintergedanken I h r wesen so gehören Sie ganz zu denen von heute. Auch
hat der grosse wesens-unterschied zwischen Ihnen und uns den zwischen uns selber viel zu gering anzunehmen verleitet.
Was Ihre gedichte angeht so hören Sie was ein Dichter Ihnen rät:
Nicht weicher zarter schwankender sollen Sie werden sondern reiner
stärker und bestimmter. O gelänge es Ihnen nur uns die töne deutlich
zu machen wenn »die winde durch die nadeln der tannen harfen«.
Seien Sie vor denen gewarnt die geistig weit unter Ihnen stehend doch
durch die drückende gewohnheit einen einfluss üben könnten.
Ich erwarte weiteres von Ihnen, vielleicht schon für das nächste heft?
sobald ich selber in der lage bin zu senden erhalten Sie die verspro-
chenen sachen. dann wiederhole ich Ihnen auch meinen auftrag wenn
not von meiner und wille von Ihrer seite noch da ist.

Ihr wolgewogener
Stefan George

Doch ohne Hintergedanken konnte Klages sich nicht geben, und ein
Dichter war der Analytiker nicht. Wohl aber damals schon ein Grapho-
loge und Charakterologe: George hat ihm Schriftproben der Blätter-
Autoren gegeben, freilich mit Nennung der Namen, und es ist nicht
auszuschliessen, dass Klages unbewusst von Georges Beurteilung der
Personen etwas beeinflusst war, als er »nur nach dem Gefühl« diese
klug beobachteten Abbilder zeichnete:

Mein lieber Herr George:

Verzeihen Sie mein Säumen. . . .

Nun zu Ihrer Sendung! — Meinen herzlichen Dank! Sie haben mir damit viel Freude bereitet. Es ist als wenn Sie mir ebenso viele Silhouetten interessanter Physiognomien geschenkt hätten. — Darüber liesse sich sehr viel sagen — ich will mich auf einiges Wesentliche beschränken.

Zunächst fällt dieses auf: bei grosser individueller Verschiedenheit haben doch die meisten dieser Handschriften einen typischen Zug gemeinsam. Auch handschriftlich also bestätigt sich, dass die »Blätter« im Zeichen eines Geistes stehen. Indem ich meine Schriftzüge verglich, wurde mir von neuem die grosse Differenz bewusst. Fast alle diese Menschen sind mehr Gefühls-, weniger Verstandesnaturen als ich. —

Eine geradezu frappante Ähnlichkeit mit der Ihrigen hat die Handschrift Verwey's; eine mehr äusserliche die C. A. Kleins. Der Erstere muss von Natur mit Ihnen verwandte Züge haben. Jedenfalls sind unter diesen geistig sich nahestehenden Menschen Sie und Verwey die am meisten typischen, am wenigsten ablenkbaren Erscheinungen. Auch die Schrift des Verfassers der »Dante Sinfonie« (er ist Glasmaler, wie Sie sagten; mir ist der Name entfallen) hört in diese Gruppe; ist mir aber weniger sympathisch, weil gar zu weiblich, gar zu gefühlsmenschenhaft. Die Selbstbeherrschung dieses Charakters ist eine ganz äusserliche und künstliche. — Schon weniger hierher gehört: Hofmannsthal. Eine äusserst interessante Handschrift und leicht zu ergründen — so schwer auch ihr Schreiber im Leben zu ergründen ist. Ein Mensch von Geschmack, Schönheitssinn und hoher geistiger Klarheit. Diese Vorzüge verbunden mit intellektueller Grazie und ausserordentlicher Beherrschung der Form lassen übersehen, dass er nie völlig einem bourgeoisen Milieu entwuchs (es finden sich nahezu kaufmännische Zeichen) und der tiefen einheitlichen Leidenschaften entbehrt. Aus der Schrift ist mir jetzt noch weit verständlicher, dass ein Hofmannsthal trotz seines Geschmacks in litterarischen Meinungen durchaus schwankend ist. Statt elementarer Schöpferkraft, welche einzig dauernde Neigungen begründen kann, haben wir graziös spielende Phantasie und eminentes Kunstverständnis. Schriftzüge und Dichtungen stimmen im Fall Hofmannsthal genau zusammen. — Ausserdem will ich aber noch bemerken, dass die Schrift einen Menschen verrät von sehr viel praktischem Verstand, von grosser Undurchdringlichkeit und absoluter Unzuverlässigkeit. —

Ganz aus diesem Rahmen treten aber zwei Handschriften nämlich die Waclaw Lieders und Gerardys. — Die erstgenannte setzte mich sehr in

Erstaunen: sie ist weit mehr die eines Gelehrten als eines adeligen polnischen Dichters. Ich hatte eine ganz andere erwartet. Das ist ein Mensch von ausserordentlicher Einfachheit, dem jede Pose und Phrase fremd. – Der meint alles sehr ernst, was er sagt. – Einen grösseren Gegensatz zu Hofmannsthal kann man sich nicht denken. Lieder ist die Treue selbst. Stille, in sich selbst ruhende Würde, die nicht viel Lärmens macht. – Aber diese pathetischen, gewaltigen Verse kann ich mir mit der Handschrift nicht zusammenreimen. Sie zeugt – wie gesagt – mehr für einen Gelehrten denn für einen Dichter. –

Gerardy. – Das ist mir von allen Handschriften vielleicht die interessanteste; schwer zu enträtselnde Züge! Man würde einen Tag lang gebrauchen, um sie ganz zu ergründen. Weniger Poet als Gemütsverworrener Philosoph, Grübler, Sophist und Revolutionär. Aber alles aus einem Unterweltschaos der Seele heraus. Eine einfach prachtvoll verworrene und zügellose Handschrift. Hat dieser Mensch eigentlich schon sich selbst erkannt? Ich glaube kaum. Lyriker in Ihrem Sinne ist der gar nicht; aber mich sollte es nicht wundern, wenn er eines Tages einen grossen Dramatiker in sich entdecken würde. Der müsste Shakespeare verstehen! – Sicherlich ein Mensch, von dem noch ausserordentliches zu erwarten ist. – Grüssen Sie doch Gerardy von mir. Ich sähe ihn sehr gern einmal wieder. –

Doch genug! Ich werde ausführlich. – Nur noch Ihr Brief an Hofmannsthal. – Die Klarheit und Hoheit Ihrer Ziele ist heute wohl ohne Beispiel. Ich habe den Brief mit Andacht gelesen! – Aber – »zwei Seelen wohnen – ach – in meiner Brust«. Doch Sie kennen zur Genüge diesen Zwiespalt des ungeselligen Nordländers, der zu lange einsam in seinen Nebelwäldern hauste! – Nehmen Sie meinen Dank für die Mitteilung dieses königlichen Briefes. –

Nächstens noch weiteres über die mir gesandten Handschriftproben; zumal auch über diejenige Ihres Vaters, welche ich ausführlich charakterisieren werde.

Die im vorstehenden gemachten Äusserungen dürfen Sie nicht als »graphologische« nehmen. – Sie sind ganz ohne alle Wissenschaft nur nach dem Gefühl zustande gekommen. – Entschuldigen Sie die Eile meiner Schrift – die Zeit drängt. – Empfehlen Sie mich bitte Ihrer Fräulein Schwester. – Vielleicht schreiben Sie mir ehe Sie abreisen noch einige Zeilen. Leben Sie herzlich wohl!

Ihr L. Klages

Bald vergass ich: Perls. Ich sah ihn letzthin lange nicht, da ich mich von allem zurückhalten muss. Eine Woche lang ging es ihm sehr schlecht. Jetzt jedoch wieder besser. – Davon, dass Sie in München waren, weiss er nichts. Ich habe ihm also auch nichts gesagt. Ich sagte ihm neulich, dass Sie brieflich nach ihm gefragt hätten. Er war sehr glücklich. —

Wie Klages und Schuler mit Wolfskehl befreundet waren und dessen Gastfreundschaft genossen, mag diese Stelle aus einem Brief, den Hanna Wolfskehl am 12. Januar 1901 an Stefan George schrieb, dartun: » ... Nicht nur wir freuen uns auf Ihr kommen, sondern alle Freunde des Hauses und da besonders Klages und Schuler ... Sowohl Klages als Karl und Schuler (die drei Heiden, wie ich sie nenne) hoffen viel von Ihrem Kommen. Alle drei haben den Winter über oft Ihrer gedacht. Bei ihren Gesprächen sitze ich als Squaw in der Ecke und lausche der Weisheit. Da habe ich nun viel gehört und gefühlt, sodass ich mich auch beinah als Zugehörige einer neuen heidnischen Welt betrachte ...«

Ein paar Jahre danach hat Klages, und mit ihm Schuler, dem Freunde nicht mehr die Treue gehalten, und nach dem Bruch hat der nordische Klages den jüdischen Wolfskehl mit einem Hasse verfolgt, der vielleicht in einem Gemeinsamen ihres Wesens wurzelte:

> Blond oder schwarz demselben schooss entsprungne
> Verkannte brüder suchend euch und hassend
> Ihr immer schweifend und drum nie erfüllt!

Neben Klages ist ein Bild des damals wohl fünfundzwanzigjährigen Alfred Schuler zu sehen mit Schnurrbart und Lavallière (T 69 u l); später, auf dem Gruppenbild, erscheint er glatt rasiert und im geschlossenen Rock mit starrem Ausdruck; schliesslich zeigt die dritte Aufnahme, die 1922, ein Jahr vor seinem Tode gemacht wurde, einen gezeichneten, kranken Mann (T 69 u r).

Schulers Dämonie droht aus manchem Gedicht Georges: seinem Ingenium ist »Porta Nigra« gewidmet; im »Maskenzug« zeigt er sich neben dem Caesar: als »hausgeist der um alte mauern wittert« beschwört er im Stern römische Reste, und selbst im »Geheimen Deutschland« erscheint noch einmal »unheimlichen schleichens der Dämon«.

Die nachgelassenen Schriften Schulers können die starke Wirkung, die von seiner Person ausging, nicht bestätigen, und beim Anblick der zierlichen Buchstaben seiner Handschrift (T 71) fragt man sich unwillkürlich, ob hier nicht ein verworrener und schwacher Mensch, der mit seiner »Maman« lebte, den ungeheuren Abstand zwischen Wunsch und Erfüllbarkeit seiner Träume unter Rokokoformen verbarg.

Ludwig Curtius hat Schuler noch als Archäologen in Furtwänglers Seminar erlebt, und nun hat er, nach 50 Jahren, höchst anschaulich in seinen Lebenserinnerungen Dämonie und Dürftigkeit Schulers gezeigt.

In unverfälschtem Pfälzerisch habe Schuler eine gewisse Virtuosität der mündlichen Rede erreicht. »Aber nicht in dieser bestand ihre Hauptwirkung, sondern in der Persönlichkeit Schulers selbst, der tief von der Wahrheit seiner Lehre durchdrungen wie ein Gottbegeisterter sprach, ja sich selbst für einen von den Göttern Geweihten und auch Heimgesuchten hielt, auch einen im besonderen Sinn mit Ludwig II. von Bayern und der Kaiserin Elisabeth von Österreich Schicksalverbundenen. Sein Einfluss war gross. Von ihm stammt die Verklärung der späten römischen Kaiserzeit in Georges ‚Algabal‘ und noch in der ‚Porta Nigra‘. Er hat dem Hakenkreuz, das er bei Bachofen fand, zu seiner verhängnisvollen Rolle in der jüngsten deutschen Geschichte verholfen, und zu den Quellen, die den deutschen Antisemitismus gespeist haben, gehört auch sein Hass gegen das jüdische Christentum.« Allerdings hat George erst 1893 Schuler kennen gelernt, und der Algabal ist 1892 erschienen; aber Schulers Bedeutung ist dennoch gross und von Dauer gewesen.

Vor Curtius hat Verwey, der für sich in Anspruch nimmt, dass er den Sinn für werkelijkheid habe, die Kosmiker mit den Augen eines holländischen Malers gesehen:

Wolfskehl nennt er ein Naturwunder, »seine Gestalt, sein Kopf sind die eines griechischen Reigentänzers, eines Bacchanten, eines von Dionysos Besessenen mit grossen, wie Edelsteine glänzenden Augen und einem grossen roten Mund. Er ist lang, schlank und geschmeidig, hat einen kleinen Kopf mit einem leicht rotblonden Bart, schwarzen schlängelnden Locken an der Stirn. Geistreich und liebenswürdig wird er dieses letztere noch mehr durch ein plötzliches ungeduldiges Stottern. Er ist sehr kurzsichtig. Seine Verehrung für George ist grenzenlos.«

Von Klages schreibt er: »er ist eine behende, leidenschaftliche Natur, von Aussehen etwas zu lang, aber mit einem Kopfe von durchaus schöner Einfachheit — braune Haare, schmale blaue Augen, eine Gesichtsfarbe wie Milch und Blut. Er sprach mit einer seltenen Deutlichkeit und Kraft . . .« Und Verwey ergänzt diese Schilderung durch die Bemerkung: »aber in Klages gab es Züge, die unter allen Umständen Schwierigkeiten verursacht hätten . . . immer aber war in seinem Wesen etwas von Unzufriedenheit, von Verbissenheit . . .«

Schuler, den Bundesgenossen von Klages, schildert Verwey so: »gestern abend, bei Wolfskehls: Schuler und Klages. Schuler ist ein jüngerer Bruder Napoleons, sagt Stefan. Kurz, mit einem kleinen deutlich sichtbaren Bäuchlein und einem verhältnismässig viel zu grossen, länglich viereckigen Kopf, mit grossen Augen, worin viel Weiss, und einer hohen Stirn, auf der das Haar aufrecht eingepflanzt ist. Blond natürlich. Durch die äusserste, sogar süsse Sorgfalt seiner Umgangsformen

— er küsst Frau Wolfskehl die Hand, als ob sie von Schaum wäre — und die ebenso gewählte, obwohl kräftige Formulierung seiner Gedanken, lässt er an einen französischen Abbé des 18. Jahrhunderts denken, der zugleich ein deutscher Gelehrter wäre. Er war in Schwarz, trug ein Jakkett mit umgeschlagenem Kragen, zugeknöpft bis an den Hals und eng anliegend um das Bäuchlein, und die Illusion war so stark, dass ich die Soutane um seine Beine zu sehen meinte. Seine Gesichtszüge sind sehr ausgeprägt, Nase und Mund nicht gross, aber gut geformt und besonders fest in das recht fleischige Gesicht gesetzt. Kein Schnurrbart oder Bart, das Haar ziemlich kurz geschnitten und schon etwas dünn. Er war bewunderungswürdig im Ziehen einer Schlussfolgerung. Drei oder vier Gedanken gleichzeitig, die er wie einen in seinem Geiste gepflückten Strauss mir mit Selbstgenügsamkeit, Vertrauen und Höflichkeit — und schliesslich, wenn ich ihn annahm — mit einem verzückten Lächeln anbot.«

Es ist reizvoll, nach den holländischen Gemälden die Porträts anzuschauen, die der bayrische Schwabe mit geistvoller Feder gezeichnet hat: »Klages, damals in der Fülle seiner ersten Entfaltung, war ein schlanker, grosser, blonder Mensch des schönsten germanischen Typus mit dem länglich geschnittenen, von einem kurz gehaltenen blonden Vollbart umrahmten unsinnlichen Gesicht, das von einer schönen gewölbten freien Stirne über etwas kühlen, leicht misstrauischen blauen Augen beherrscht wurde, worauf blondes Haar in die Höhe stieg und sich wie ein edles Gefieder in der Mitte teilend nach beiden Seiten senkte. Schuler war ein kleines dickliches Männchen mit einem grossen kürbisartig ansteigenden, schon leicht glatzigen Kopf und einem glattrasierten, breiten, fetten Gesicht mit Neigung zum Doppelkinn und sehr grossen blauen, leicht herausquellenden Augen, von dem nicht zu denken war, dass er jemals jung ausgesehen habe, und das mir immer wie das eines buddhistischen Klosterbruders vorkam. Er trug damals einen einreihig bis an den Hals geschlossenen dunkelblauen Rock, der ihm etwas Pastörliches verlieh. Aber an Regentagen kam er in seiner trippelnden Art mit kleinen Schritten in einem kuttenartigen dunklen Mantel mit einer spitzen Kapuze auf dem Kopf daher und sah dann aus wie ein katholischer Mönch.«

Curtius vollendet sein Porträt durch die Erinnerung an ein Künstlerfest am Fasching 1903, an dem die Mitglieder des archäologischen Seminars als Thraker auftraten, und Schuler, dem dies viel mehr war als ein Spiel, plötzlich verlangte, dass ein griechischer Tanz aufgeführt werde, was ohne Vorbereitung nicht möglich war. »Als ich ihn wieder ablehnte, gewahrte ich zu meinem Schrecken, wie er in den Vordergrund in der Mitte der Bühne schritt und dort allein anfing zu tanzen, wenn man sein unbeholfenes den Kopf Hinundherwerfen, mit den Armen in der Luft herumfuchteln und sich stampfend oder springend um seine Achse Drehen Tanz nennen will, zu dem seine ungelenke rundliche Figur keineswegs geschaffen war. Aber schon stürzte G. von Seidl aus der Kulisse auf mich zu. »Was fällt denn dem Hanswurst ein«, und ich musste Schuler aus seiner Verzückung reissen und von der Bühne abführen. Er fühlte sich wirklich als Orphiker. Er hatte früher mit anderen ernsthaft den Plan vorbereitet, Nietzsche in Weimar durch Umtanzen von seinem Wahnsinn zu heilen.«

Das Treiben der Kosmiker, ihre Überspannung und Entzweiung sind von Franziska von Reventlow, Roderich Huch, Verwey und Wolters, von Hoerschelmann und anderen dargestellt worden. Auf die Schmähschrift von Klages einzugehen, wird nicht nötig sein:

non ragioniam di lor, ma guarda e passa.

Nur zu einer Überlegung gibt sie Anlass. Mir ist erzählt worden, Klages und Schuler hätten von George gefordert, dass er Juden, und damit auch Wolfskehl, aus seiner Umgebung verbanne, und diese Forderung habe zum Bruch geführt. Bei dem masslosen Judenhasse der Beiden ist das wohl möglich; das ekelhafte Schuler-Klages-Buch gibt einen Begriff davon.

Übrigens sollen diese beiden Kosmiker sich auch gegenseitig bekämpft haben. Stefan George liebte Schulers Äusserung zu zitieren: »Klages stammt aus Hannover, bis nach Hannover sind die Phönizier gekommen, also Klages auch ein Jude.« Der Satz ist bezeichnend für Schulers Art, Schlüsse zu ziehen und sie vorzutragen.

Wolfskehl hat mir gesagt, zum Umgange Schulers mit allerlei Burschen habe auch ein junger Mann aus dem Personal der Vier Jahreszeiten, der Ferdinand, gehört und ein anderer namens Adolf. Im ersten seiner Vorträge, die Schuler 1922 im Hause Bruckmann in München hielt, steht der Satz: »im Zentrum des alten Lebens steht als Symbol das Swastika, das sich drehende Rad«, und dazu habe Schuler sich aus dem Stegreif eindringlich über dieses verbreitet. Man weiss, wer damals zu den Besuchern des Hauses Bruckmann gehörte. Dort hat ein maniakischer Rabulist, der doch »ein tief gütiger liebenswürdiger Mensch von beinah gewählten Formen weltmännischer Höflichkeit gegen Jedermann« gewesen sein soll, seine verwirrenden Behauptungen in das arme Hirn eines hybriden Tölpels gesenkt. Es war Schulers Saat, die aufgegangen ist und zur Zerstörung Deutschlands geführt hat.

Ende 1903 kam es mit Klages zum Bruch. Am 12. Januar 1904 bat Klages noch »um eine Unterredung unter vier Augen«; diese ist ihm verweigert worden:

Stefan George an Ludwig Klages

So richtig Ihr satz ist — eine unterredung ist nach meiner ansicht dennoch zu vermeiden wenn die grundstimmungen der parteien so verschieden sind dass jedes wort nur die klüfte weiter öffnet — während beide ehrlich auf schliessung hoffen was nur durch zeit und veränderte umstände geschieht. ... Schon voriges jahr als noch niemand dazwischen treten konnte hatte ich das sichere gefühl einer entfremdung und zwar durch jede Ihrer worte und mienen (mein gefühl kann mich zwar täuschen nicht aber lässt es sich weg r e d e n) — ich war wol betrübt aber nicht zu sehr erstaunt denn in unsrem ganzen nun schon langen gemeinsamen leben wechselten fluten gegenseitiger anziehungen mit ebben von toten punkten ...

Tiefere innere sowol vorübergehende wie dauernde spaltungen äussern sich nach aussen in verschiedenster weise ...

Laut Ihrem wort und brief wollen Sie mir zum zweiten mal zu verstehen geben was ich vorigen donnerstag bereits teilweise hörte:

Ich würde es als verletzend und beleidigend zurückweisen wenn Sie mir wieder anhefteten dass menschliche vorlieben und a u s s e r künstlerische gründe mich bestimmten in unsren Blättern beiträge ein und abzuschieben — Sie würden verse die ich aufgenommen habe als kläglich stümperhaft u. s. w. bezeichnen, ich würde Ihnen durch Sie beschüzte verse entgegenhalten die ich noch für weit stümperhafter und verlogener halte — Sie würden menschen mit denen ich verkehre für scheusslich erklären — ich würde Ihnen solche Ihres verkehres anführen die ich noch für weit scheusslicher halte ... und Ludwig Klages! wozu das alles? dass jeder recht zu haben glaubt und das schlimmste: dass wendungen gebraucht werden können die eine weitere menschliche beziehung unmöglich machen ... Ich bitte Sie daher auf eine unterredung von der ich mir nichts erspriessliches erwarten kann vorläufig zu verzichten.

Soweit der Entwurf oder die Abschrift. Klages antwortete darauf, am 15. Januar 1904, eine Trennung der Personen hätte ihm nicht nötig geschienen »trotz wachsender Unterschiede der Weltanschauungen«. Da George die Trennung wolle, so stimme er ihr zu; der Bruch werde fürs Leben sein und öffentlich. Dazu fand Klages Gelegenheit in verschiedenen Druckschriften, und er konnte darin Wendungen gebrauchen, die in der Tat eine weitere menschliche Beziehung unmöglich machten.

Aus jener Zeit gibt es einen Brief Gundolfs an George, aus dem ich — als Chorlied zu den Ereignissen — ein paar Sätze anführen möchte:

»Dass die kosmische Welt früher oder später wie eine grosse schöne schillernde Seifenblase platze, war auch unprophetischen Gemütern vorauszusehen. Das einzig dauernd Traurige dabei wäre nur, wenn die

Kraft der Erhobenheit und der wundervolle Schwung des Landsträsser Edelhirsches [= Klages] verloren ginge. Dass der violette Ringelnero im bösen Spiel stäke, glaube ich zu ahnen. Der lag lang wie ein Alp auf der Leopoldstrasse und K[arl] folgte ihm oft nur aus Angst vor der Corybantiasis bis zum humanitär-wissenschaftlichen Comité. Wie schön wäre es, wenn all diese Greuel endeten und eine Klarheit der ersten Lehre und Leere folgte. An neuen Füllungen wird es nicht fehlen. Wenn K[arl] doch endlich seine Weisheit festhielte und formte — kein Mensch weiss mehr — und die oft verheissenen Saule, Mosesse und Psalmen uns schenkte, — manchmal muss ich lachen, wenn ich denke, wie ich vor einem Jahr noch angefahren wurde, wenn ich an Sch[uler]'s Allweisheit zweifelte! — Was jetzt noch übrig bleibt, ist hoffentlich die berüchtigte Nur-Kunst, die als graues Aschenputtel der gedunsenen Semiramis Kosmik die Schleppe tragen sollte und dabei den übelduftigen Staub zu schlucken bekam, den jene aufwirbelte . . .«

So Gundolf. Schuler scheint sich aber mit Klages damals nicht ganz identifiziert zu haben; denn von ihm sind vom Januar und Februar 1904 Briefe vorhanden, deren Ton unverändert freundlich ist (T 71).

Unverändert war auch die Haltung von Ludwig Derleth (T 70 o). Sein Bildnis ist auf der Dichtertafel oben rechts zu sehen, und Verwey hat auch ihn gezeichnet: »er war sehr klein und zart, hielt sich aber so aufrecht, dass er gross scheinen konnte. Ganz in schwarz. Seine Jacke hatte einen emporstehenden Kragen, der so hoch war, wie sein Stehkragen und darüber ging (später kleidete sich George ebenso). Auch Haar und Augen schwarz, das Gesicht mondbleich, etwas verschoben, sein Mund zu klein, seine Worte abgebrochen, sein Gebahren bis ins Erschreckende durchgeführt, das eines grossen Mannes und Feldherrn. So auch seine Sprache voll von Kommandoworten wie ‚Halt' ‚Vorwärts' und seine Auseinandersetzungen von Gedanken wie die eines technischen Strategen . . .«

Im Siebenten Ring ist Derleth ein »unerbittlicher verlanger« genannt, und ich meine die Aufnahmen zeigen ihn als solchen. Dort ist aber auch gesagt, dass er die Forderung des Bereit-sein-ist-alles erfüllte, und im Stern sind sogar die Namen Franziskus und Bernhard für ihn angerufen. Beinah achtzigjährig ist dieser unzeitgemässe Christ 1948 im Tessin gestorben.

Das Bild seiner Schwester Anna Maria (T 70 u r) der »bösen nonne« — »sie zündete, bevor sie uns allein liess die Kerze vor einem Muttergottesbild an« — ist von dem des Bruders nicht zu trennen:

> De reinste Jonkvrouv, vreugde in't hel gelaat,
> En hem, Gods Veldheer, strijdbare als niet één.

111

> Sie reinste Jungfrau · freud auf heller stirn
> Streitbar wie keiner Gottes Feldherr: Er!

Aus dieser Münchner Zeit ist ein Stiller noch zu nennen, August Husmann, ein Bauernsohn von der Insel Rügen, den Klages im Laboratorium kennen lernte und zu George brachte; er muss ein schwermütiger, ernster Mensch gewesen sein, und George sei ihm mit reiner Güte begegnet. Aber Klages soll die Hinwendung des Verdüsterten zu George nicht ertragen haben; es habe seinen Hass nur noch geschürt.

Von Husmann gibt es eine Briefkarte, ohne Datum und ohne Poststempel, mit diesen ungelenken, noblen Versen:

> Ich preise Deinen Namen Du hast mir
> In meiner Nacht tröstenden Stern enthüllt
> Ich baute Dir einen Hausaltar
> Da trete ich zum Morgenopfer hin
> Und bringe freudig meinen Dank Dir dar
> Und lege meinen Mund zu langem Kusse
> An jene Säule die Dein Bildnis trägt.

Und auf der Rückseite steht: »Mit diesen Worten, die ich für Sie niederschrieb bevor ich Sie noch zum ersten Male sah sende ich Ihnen ein kleines Buch hoffend dass Sie mir die einst bewiesene Neigung bewahrt haben. Mit freundlichem Grusse   August Husmann«.

Das kleine Buch heisst: »Das Buch von dem der da kommen soll«. Darin stehen diese kummerschweren Worte:

> Schon irre ich ein Jahr durch Nacht und Graus.
> Der letzte Schimmer meiner Welt losch aus.
> So soll ich nie den Rettungsweg erspähn,
> Der mich zurückführt in des Tages Haus?

George hat versucht — das steht im Jahr der Seele — ihn herüberzuziehen ins Leben:

> Du sanfter seher der du hilflos starrest
> In trauer über ewig welke träume ·
> Gib deine hand! wir zeigen dir gefilde
> Um saaten der erlösung hinzustreun.

Aber August Husmann wollte ins Kloster gehen:

> Mein Gott, nur deinen Willen will ich fürder leben.
> Das sei mein Weg auf allen meinen Wegen.
> O lehr mich weise meine Kräfte pflegen,
> Dass sie sich freudig deinem Dienst ergeben,
> Dass sie entfalten ihren reichsten Segen.
> Mein Gott, nur deinen Willen will ich fürder leben.

1918 soll er auf Rügen gestorben sein.

SEIN BILDNIS
UM DIE LEBENSMITTE

An den Tafeln 72 bis 83 ist ungefähr der Weg zu verfolgen, den George von 1897 bis 1903 zurückgelegt hat, also etwa von seinem 30. bis zu seinem 35. Jahre. Zwar sind die Datierungen nicht alle zuverlässig, und es ist möglich, dass daran Änderungen erfolgen müssen; aber diese Bilder stehen doch als Meilensteine an seiner Lebensstrasse.

Das Profil von 1897 (T 73) wirkt wie eine Quattrocento-Büste. Zieht man vor dem Gesicht eine senkrechte Linie, indem man ein Blatt Papier dahinlegt, links vor die Nase, so wird die Modulation des Profils an den Abständen deutlich, die von dieser Senkrechten zum Haaransatz, zur Stirnwölbung über dem Auge, zur Nasenspitze, zur Ober- und Unterlippe und zum Kinn reichen. Diese Abstände sind sehr verschieden gross. Der Willensausdruck im Kinn wird durch den Unterkiefer mit seinem zum Ohr aufsteigenden Winkel noch verstärkt. Die Unterlippe ist etwas mehr vorgeschoben als gewöhnlich. Das dunkelhäutige Auge und die fleischlose Wange geben dem Kopf etwas Bedingungsloses, Unausweichliches. So fern von Romantik, so ganz unsentimental sahen Deutsche selten aus. Auch der Dichter selbst zeigt sich sonst kaum in dieser erbarmungslosen Nacktheit. Die Aufnahme stammt von Stoeving, ein Abzug hing in Lechters Schreibzimmer.

Nach diesem Profil hat die rechte Gesichtshälfte (T 72), die immer etwas milder ist, mit Rock und Kragen und Krawatte, beinah etwas Bürgerliches: es ist derselbe Kopf, aber der Ausdruck ist weich. Vielleicht ist diese Aufnahme doch später gemacht worden.

Die Tafel 75 zeigt ihn in seinem Binger Zimmer, vor dem Büchergestell, mit beiden Unterarmen auf die Rückenlehne des Schreibtisch-Stuhles gestützt. In der rechten Hand hält er einen Band Petrarca mit Widmung Karl Wolfskehls von 1897. Der nach links, dem Beschauer zugewandte Kopf zeigt die hohe Stirn über klaren Augen, deren Blick dies Mal dem Beschauer mehr zugewendet ist als sonst. Auch Nase und Mund sind von ruhiger Bestimmtheit, der Ausdruck weder gesteigert wie auf der Quattrocento-Büste noch lass wie auf dem Profil nach rechts. Nur schade, dass die rechte Seite des Gesichtes vom Fenster her zu stark, die linke zu schwach belichtet ist; aber wer das Bild auch nur einmal gesehen hat, dem ist es unvergesslich.

Wohl am gleichen Tage des Jahres 1899 ist die Aufnahme (T 74) entstanden, die ihn mit verschränkten Armen links am Fenster seines Binger Zimmers stehend und hinausblickend zeigt. So ist die rechte Gesichtshälfte sichtbar, und sie hat einen stillen, freundlichen Ausdruck. Aber auch bei dieser Aufnahme hat das Licht vom Fenster die Modellierung des Profils verflacht. Auf der nächsten Abbildung (T 76) ist ihr dunkler Reichtum sichtbar.

Im Nachlass hat sich ein Briefentwurf oder die Abschrift eines Briefes gefunden, der aus dem Jahre stammt, in das diese Aufnahmen datiert sind. Er schliesst mit den Worten: »... und wünsche Ihnen wie jedem jungen ein gedeihen in stille und ehrfurcht.« Ein solches Gedeihen scheint auf seinem Gesicht in jener Zeit zu stehen.

Aus dem gleichen Jahr 1899 dürfte das ruhige Brustbild (T 77) stammen, das den Stehenden fast im Profil nach links zeigt. Ein Brief an Wolfskehl von Ostern 1901 enthüllt das Bewusstsein, in dem er damals lebte: »... und indem ich unser aller werk durchblättre wird mir ein schöner und genügender Glaube: jeder ist weitergekommen und stark geblieben und noch ist keine gefahr dass der jugendliche strom im delta der zeit verschlamme ...«

Auch die Aufnahme der Tafel 80 ist ruhig und klar und dem Beschauer zugewendet, das Auge nicht verschleiert und jeder Teil des Gesichtes deutlich. Wenn die Datierung zutrifft, so wäre damals der Teppich erschienen gewesen, und die Photographie spiegelte den Beginn jener Periode wieder, von der er später sagte: »... im Teppich schien das Leben schon gebändigt. Im Siebenten Ring bricht alles chaotisch wieder herein ...«

Damals, etwa 1900, ist die Profilaufnahme (T 78) gemacht worden, die in der Mitte der Dichter-Tafel wiederkehrt: als ob es von einer Statue wäre, so steht dieses königliche Haupt vor der Helle, von Laub umrahmt. Der Stirnvorbau über Auge und Nasenansatz erscheint hier in seiner ganzen Wucht.

Um die Jahrhundertwende waren Stefan George noch ältere oder gleichaltrige Freunde nötig; aber schon begann er nach jüngeren Ausschau zu halten, sie an sich zu knüpfen und Mitte für den eigenen Kreis zu sein.

Aus der Zeit des Übergangs, von 1900 oder danach, stammt das Dreierbild (T 60 u), das Klein, Gundolf und George neben einander sitzend wiedergibt: Klein einfach und direkt, Gundolf genialisch, George mit einer kaum verhaltenen Bereitschaft zur Tat. Sein Blick hat hier etwas Messendes; es ist der Blick Eines, der genau sieht, wie weit es von hier bis dort ist. Dieser Sinn für die Realitäten darf über dem Schauenden seines Auges nicht vergessen werden. Vom selben Tag stammt die Aufnahme, die, auf derselben Tafel 60, ihn mit Lechter und Klein zeigt.

Er muss — das zeigt der folgende Brief an Wolfskehl aus Berlin vom November 1903 — ein Gefühl jugendlicher Kraft gehabt haben:

»lieber Karl: der monat neigt sich und mein Berliner aufenthalt geht zu ende. das meiste ist gelöst. manches wartet noch der lösung · die erhoffte reise nach München in diesem herbst noch — ist endgiltig aufgegeben. Nun ist es weise vorzubauen! Der dezember bleibt zum teil für meine familie — gleich nach den Festen aber bin ich frei für München ... Für das frühe frühjahr sind reisen auswärts — auch abenteuerliche — in aussicht. Von mir werden Sie einige meist schmerzliche erfahrungen hören · die auch ein stück unsres nächsten weges bestimmen ... Alles schlechthin äusserlich genannte aber — auch der körper! blühet in seltener stärke und reckt weithinaus seine arme.

Auf bald Ihre nachrichten!   Ihr Stefan

Das ganz innerliche Bild mit geschlossenen Augen und aufgestütztem rechtem Arm (T 79) hat Karl Bauer aufgenommen. Als George es mir gab, im Jahr 1905, sagte er, ich dürfe es niemandem zeigen, und auch Karl Bauer selbst wehrte sich später gegen Herausgabe seiner Photographien. Ich meine aber, heute solle man diese vorzüglichen Aufnahmen nicht mehr vorenthalten.

Bei dem schmerzlichen Fast-Profil nach rechts (T 82) sind wir vermutlich in der Lebensmitte angelangt. Mich dünkt, diese Aufnahme gehöre zu denen, wo nach Dantes Wort, die Seele sich an den Balkonen von Auge und Mund zeigt, wenn auch verschleiert.

Merkwürdig fern ist der Blick und verschlossen sind die Lippen auf einem Bilde (T 81), das den Dichter von vorn und an einem kleinen Tische sitzend sehen lässt, die Hand auf einem Buche. Es wird aus der gleichen Zeit stammen und auch das folgende (T 83), das in der Gesamt-Ausgabe dem Jahr der Seele vorangestellt und von 1898 datiert ist; doch dürfte die Aufnahme eher etwa 1903 gemacht worden sein.

Die Dichter-Tafel selbst (T 84), 1904 der Siebenten Folge beigegeben, zeigt Stefan George mit zwölf Autoren der Blätter für die Kunst. Heute, nach bald fünfzig Jahren, wird man sagen dürfen, dass von den Abgebildeten George, Hofmannsthal und Wolfskehl als Dichter bestehen bleiben werden.

Mit diesen Bildern haben wir etwa jene Jahre erreicht, von denen George in der Vorrede zu Maximin schreibt: »Wir hatten eben die mittägliche höhe unsres lebens überschritten und wir bangten beim blick in unsre nächste zukunft«. Manches Mal, das lesen wir in den Gedichten, hat ihn auf seinem Weg ein Bangen erfasst, und das ist begreiflich, wenn wir bedenken, wie wenig er sich selbst betrog. Auch gibt es einen Ausruf, in einem Brief an Wolfskehl allerdings vom Oktober 1905, der fast erschreckt und erschreckend lautet, als ob er von Nietzsche wäre:

O meine brüder! o meine nächsten!
solltet auch ihr mich wirklich
missverstehen!

In Abschriften, die Salin aus Briefen Gundolfs anfertigen konnte, findet sich eine Stanze, deren beide letzten Zeilen Edith Landmann in Basel am Rheinweg von George gehört hat. Sie lautet:

TEUFLISCHE STANZE

Noch jeder Gott war menschliches geschöpfe
Die immer seligen sind allein die tröpfe
Nur was die narren sprechen ist orakel
Nur was nie war ist frei von jedem makel
Die tugend dankt am meisten dem vergehen
Die liebe kommt vom mangelhaften sehen
Kein heiliger ders nicht aus dem sünder wurde
Und ewige wahrheit bleibt nur das absurde.

Als ich zum ersten Mal diese Zeilen las, an Ostern 45, schrieb ich etwa so an Edith Landmann:

Wenn diese Verse von George sind, so könnte er sie in früher Jugend geschrieben haben, etwa um die Zeit der Reifeprüfung. In diesen Jahren spricht man so etwas aus. Gewichtiger wäre es, wenn sie aus der Zeit stammten, von der er schrieb: »wir hatten eben die mittägliche höhe unsres lebens überschritten ...« Dann würden sie jenen Zustand aussprechen, aus dem ihn die Begegnung mit Maximin befreite. — Mir ist nicht bekannt, dass er je eine Stanze geschrieben hätte, wie er überhaupt überkommene Formen vermied. Auch widerspricht diese Strophe dem »poetry is praise«. Dass er das Zeitgedicht »Der Preusse« vernichtet hat, hat er selbst damit begründet, dass der Dichter nur Verneinendes nicht dichte. Dennoch könnte die »Teuflische Stanze« von ihm sein. Dann würde sie die Wurzel dessen bloss legen, was in seiner Dichtung zu spüren ist und in seinem Antlitz steht: einer so ausweglosen Einsicht, dass die dichterische Bezauberung der Welt, die aus seinen Gedichten strahlt, noch bewunderungswürdiger wäre. Solche Bezauberung bei solcher Einsicht findet sich sonst nur beim Dichter des Sturm. — Man ist versucht, an die Griechen zu denken, bei denen Trauer durch das Schönste hindurch schimmert; aber bei ihnen scheint sie eher aus

116

dem immer gegenwärtigen Bewusstsein des Todes zu kommen als aus dem Anblick des Unerbittlichen, das die Stanze ausspricht.

Das zwölfte Gedicht im Vorspiel enthält dieselbe Erkenntnis, aber als Klage:

> All unsre götter schatten nur und schaum!

Was dort in der letzten Strophe als Trost gereicht ist:

> Da jedes bild vor dem ihr fleht und fliehet
> Durch euch so gross ist und durch euch so gilt ...
> Beweinet nicht zu sehr was ihr ihm liehet

kann, wenn überhaupt, nur den Dichter stillen; denn nur er kann sagen:

> So wie mein schleier spielt wird euer sehnen!

Bald darauf hat Edith Landmann in ihren Aufzeichnungen gefunden, dass der Dichter, auf ihre Frage nach den beiden letzten von ihm zitierten Zeilen der Stanze, ihr im September 1928 diese Antwort gab: »Das ist ein Zynismus aus meiner Knabenzeit, den hatte ich grad gefunden und in den Papierkorb geworfen«. Auf ihren Einwand, er zieme wohl auch dem Mannesalter, sagte er: »ja, im Gespräch. Ins Gedicht gehören solche Zynismen nicht, da ist nur Aufbauendes ...«

Und nun findet sich in Gundolfs Briefen von 1900, also aus der Zeit, die befriedet schien, aber wenige Jahre vor der Begegnung mit Maximin, eine Mitteilung an Wolfskehl, diese Stanze sei für die Blätter eingegangen, ohne Angabe des Verfassers.

Damals also hat George daran gedacht, die »Teuflische Stanze« doch vielleicht in die Blätter aufzunehmen. Um Wolfskehls Meinung darüber zu erfahren, liess er sie ihm durch Gundolf schicken, und damit Wolfskehl sein Urteil unabhängig abgebe, mussten die Verse anonym eingegangen sein.

Diese Geschichte scheint mir beides zu enthalten, sein Schicksal-Auge, und die Überwindung der trostlosen Einsicht durch die Kraft der Liebe. Mit ihr sieht und verwandelt er das Geschaute — Gott und Mensch und Landschaft:

> Alles seid ihr selbst und drinne:
> Des gebets entzückter laut
> Schmilzt in eins mit jeder minne ·
> Nennt sie Gott und freund und braut!
>
> Keine zeiten können borgen ...
> Fegt der sturm die erde sauber:
> Tretet ihr in euren morgen ·
> Werfet euren blick voll zauber

Auf die euch verliehnen gaue
Auf das volk das euch umfahet
Und das land das dämmergraue
Das ihr früh im brunnen sahet.

Er bezaubert die entgötterte Welt, und so glühend ist seine Liebe, so stark sein Zauber, dass er mit jener Einsicht leben, und das Leben preisen kann. Ebenso macht den Statius die Glut seiner Liebe vergessen, dass Vergil, dass er selbst nur Schatten ist:

Già si chinava ad abbracciar li piedi
al mio dottor; ma egli disse: »Frate,
non far, chè tu se' ombra, ed ombra vedi«.

Ed ei surgendo: »Or puoi la quantitate
comprender dell'amor ch'a te mi scalda,
quando dismento nostra vanitate,

trattando l'ombre come cosa salda«.

Jene Einsicht, von der die »Teuflische Stanze« zeugt, ist der Anblick der Gorgo, und schwächere Menschen werden durch diesen Anblick versteinert. Dies gesehen haben, das Wissen darum in sich tragen, und dennoch die Erde lieben und was sie trägt: das ist das ganz Grosse, das fast unbegreiflich Wunderbare an Dante, an Michelangelo, an dem Dichter des Sturm und an George. Die Hölle hat Dante besucht und danach die Himmel gesungen. Und es ist erschütternd, zu erkennen, dass solche Künstler und Dichter, die mit der terribilità geboren sind, nach der Cumaea die Libica malen, zum Härtesten das Zarteste singen und das Leben preisen:

Ich sah die nun jahrtausendalten augen
Der könige aus stein von unsren träumen
Von unsren tränen schwer ... sie wie wir wussten:
Mit wüsten wechseln gärten · frost mit glut ·
Nacht kommt für helle — busse für das glück.
Und schlingt das dunkel uns und unsre trauer:
Eins das von je war (keiner kennt es) währet
Und blum und jugend lacht und sang erklingt.

Aber auch des Dichters Heimlichkeit ist in jener Geschichte, seine Vorsicht und List — selbst den Nächsten gegenüber.
So hat er, ein Knabe, als er einmal allein war im elterlichen Haus, alle Zimmer abgeschlossen und die Schlüssel im Garten vergraben.

ANTIKES FEST UND DICHTERZUG

Aus jenen Münchner Jahren stammen die Aufnahmen der Maskenzüge, in denen am Fasching der Traum Leben wurde. Das Caesar-Bild mit der Nike (T 86) erinnert an ein Fest, das am Sonntag, den 22. Februar 1903, in Wolfskehls Wohnung in München, Leopoldstrasse 51, stattfand. Rechts von der Nike sitzt George als Caesar mit dem Stirnreif, in seiner linken Hand hält er die Erdkugel hoch. Er trägt ein dunkles Untergewand, wohl purpurn und aus Seide oder Samt, darüber ein weisses Obergewand mit Borte. Am linken Arm, vom Beschauer aus rechts vom Caesar, etwas tiefer, sitzt Schuler als Magna Mater, dunkel gekleidet und mit dunklem Haar (Perrücke) und Barett. Man denkt an den Vers:

... doch der vordre
Verhüllt — ist mann und mutter mit der lampe.

Aber auf der Aufnahme ist er ohne Lampe und nicht verhüllt; doch trug er beim Fest einen schwarzen Schleier. Die anderen — im ganzen zehn Personen — bildeten den Zug der Götter, angeführt von dem Herold mit Stab in der Rechten und Ornament auf der Brust. Unter ihnen, als Nike-Träger der Zeichner Hermann Schlittgen, und in der Mitte der oberen Reihe, Ria Claassen (T 62), die als eine der Ersten auf den Dichter hingewiesen hat. Unten links ist Franziska zu Reventlow, die Verfasserin von Herrn Dames Aufzeichnungen, zu sehen und neben ihr Oskar A. H. Schmitz, von dem Gedichte in den Blättern stehen, der aber beim Streit der Kosmiker »keine rühmliche Rolle gespielt hat«.
Den Ausschnitt (T 85), der nur den Caesar mit Nike und Magna Mater zeigt, hat George selbst machen lassen. Er ist Mitte und Sinn des Ganzen.
An dem gleichen Fest ist Wolfskehl als Bacchus erschienen. Die Tafel 87 zeigt wieder George sitzend als Caesar mit dem Stirnreif, aber ohne die Weltkugel. Inmitten der oberen Reihe steht Wolfskehl als Bacchus, gross, im Efeukranz mit Bändern; mit seinem rechten Arm stützt er sich auf die Schulter eines Satyrs, und die rechte Hand legt er auf einen Thyrsos-Stab, den der Satyr hält. Mit der linken Hand stützt er sich

119

auf des Caesars rechte Schulter. Der Caesar blickt verhalten und in sich ruhend aus dem Bild heraus. Wolfskehls Augen starren ekstatisch aufgerissen, und sein Mund ist leicht geöffnet. Auch auf diesem Bild erscheint, oben links, der bekränzte Herold mit Stab und Ornament. Eine Tradition will, er sei der Herold der Blätter für die Kunst. Wohl mag er der Herold dieses Zuges und dessen, was George mit dem Zug und mit den Blättern wollte, gewesen sein.

Auf diesem Bild sind insgesamt zwölf Personen. Schuler fehlt, aber Henry Heiseler steht in der oberen Reihe rechts in weiss und schwarz als Hermes mit Flügeln am Kopf. Zwischen Wolfskehl und Heiseler hält Schlittgen im Lorbeerkranz, nun ganz nach links gewendet, mit beiden Händen die Nike hoch. Aussen rechts steht Ria Claassen in weissem Gewand mit – von Schuler ausgesuchter – grün-goldner Borte. Den Gong hält eine Freundin von Klages. Zuvorderst ist wieder Franziska zu Reventlow zu sehen mit einem jungen Mann aus Berlin, der sich gärenshalber damals in Schwabing aufhielt.

Ein Jahr später, am Sonntag, den 14. Februar 1904, fand bei Henry v. Heiseler in München, Ecke Ungerer- und Bandstrasse, ein Fest statt, an dem George als Dante, Wolfskehl als Homer erschien. Am nächsten Tage wurden bei Wolfskehl, oben im Atelier des Hauses Leopoldstrasse 51, die beiden Aufnahmen (T 88, 89) gemacht. Auf beiden erscheint George als Dante in weissem Gewand und weisser Kappe, mit Lorbeerkranz, begleitet von einem Florentiner Edelknaben – Maximin – der ganz in rot war. Er trug rote Strümpfe, einen rotseidenen Überwurf, in der Hand eine rote Kerze und auf dem Kopf einen Kranz von roten Nelken. Wolfskehl, als blinder Homer mit Tänie und Stab, in grauem Unterkleid und dunklem Überwurf, wird von einem Knaben geführt, der die Leier trägt. Zwischen Homer und Dante steht Virgil, eine Pergamentrolle, wohl die Äneïde in der Hand. An diesem Feste hat George aus seiner Dante-Übertragung »Die Bekränzung mit dem Schilf« vorgelesen, Wolfskehl eigene Verse vorgetragen. Alle diese Aufnahmen hat der Maler Richard F. Schmitz gemacht. Unmittelbar vor diesem Fest bei Heiseler war der Bruch mit Klages und Schuler, und so erschien auf diesem Fest die Dichtung ohne die kosmischen Kräfte der vor-apollinischen Zeit.

Bald darauf, am 24. März 1904, wurde in Wolfskehls Hause das Erscheinen der VII. Folge gefeiert: die Gestalten und ihre Worte sind bekannt aus Wolfskehls »Maskenzug 1904«. Bei einer zweiten Darstellung dieses Maskenzuges hat Maximin »in eine einfache blaue Tunika gekleidet mit dem Veilchenkranz im Haar« gemeinsam mit Gundolf die Verse der Jünger gesprochen.

Hanna Wolfskehl hat erzählt, für eines dieser beiden Feste habe George die Kränze selbst flechten wollen, und er sei zu ihr gekommen mit einem Arm voll dunkel-lila Blüten. »Sind sie nicht schön?« habe er gesagt. — »Ja, sie sind schön; aber darf ich fragen, wofür Sie sie brauchen?« — und als George mit der Antwort gezögert habe, sei sie fortgefahren: »ich will gar nicht wissen für wen. Wenn Sie sie für die Wand brauchen, ist es gut. Aber nicht für einen Lebenden; denn es sind Totenblumen«. George sei erschrocken und habe die Blumen gleich wieder fortgebracht.

Die Kerze, die Maximin tragen sollte, habe George selbst geformt. Als sie fertig gewesen sei, habe sie keinen Docht gehabt.

Von der selben Charlotte Wendel gibt es eine Aufzeichnung, die zwar nicht das Fest bei Heiseler festhält, wohl aber den Fasching in München von 1904:

»Haus Wolfskehl! Alles pulsierte! die Kinder von vier und fünf Jahren sprachen nur in Versen. Die Jugend, die im Maskenzug von Karl Wolfskehl mitgespielt hatte, trug griechische Gewänder an jenem Faschingdienstag 1904.

Alles strömte auf die Strasse, blau der Himmel mit südlicher Sonne, blau weiss die Fahnen, ein Rausch über allen Menschen wie er wohl nie wieder gewesen ist, wie an jenem unvergesslichen Tag.

Der Abend fand den ganzen Kreis um einen langen Tisch im Café Luitpold. Mehr und mehr Jugend strömte herbei, sie lag und sass und stand architektonisch fast sich aufbauend, um das Centrum: Stefan George, der dies Mal sich unter das jauchzende tobende Münchner Faschingstreiben gemischt hatte — das heisst, er sass still sich freuend und präsidierte ernst, aber doch geniessend wie dieser Freudenrausch alle erfasst hatte. Ihm zur Seite Henry v. Heiseler, gekleidet wie die Vorfahren zur Zeit Schillers — ein unvergessliches Bild.

Plötzlich löste sich aus dem Gewirr der Tanzenden ein junges Mädchen, rot leuchtete das Haar und gekleidet wie unsere Urmütter, Jupon über Jupon — grande dame; sie weiss nicht wer diese Menschen sind, vielleicht sucht sie eine ihrer Freundinnen an diesem Tisch —

Plötzlich geht sie auf Stefan George zu und sagt, ,Du warum bist du so ernst und still, wo alle lachen und fröhlich sind?' und sie legt ihm ihre Arme um den Hals und setzt sich ihm auf die Knie. Ganz still, ganz versunken lässt er es geschehen, ein Lächeln huscht über sein Antlitz, unvergesslich dem der es damals gesehen. Und die Menschen um ihn herum tanzten und tobten glückselig, vor allen Karl Wolfskehl, befangen in jenem heiligen Rausch, den nur er so ganz verstand zu fühlen und zu geniessen. Und das rothaarige Mädchen blieb lange sitzen auf den Knien Stefan Georges und ahnte nicht wer er war — und ganz still duldete er es — das war München im Fasching 1904.

Das Heimgehen auf jenen Strassen die erfüllt waren vom Lärm der bis zuletzt geniessen Wollenden, war für die Jugend, die um George geschart gewesen war, ein heiliges Fest, sie sprachen Verse von George, von Hölderlin, sie sprachen Verse, die sie für Karl Wolfskehl gesprochen hatten.«

Henry Heiseler (T 70 u 1), geboren zu Petersburg 1875, war im Winter 1901/2 in München mit George in Berührung gekommen. Beiträge von ihm stehen in der VI. und VII. Folge der Blätter, und im Siebenten Ring hat der Dichter seiner gedacht. Nachher hat das Leben Heiselers den »schönen zaun« durchbrochen; in den Stürmen der Kriegs- und Nach-Kriegsjahre hat der vornehme und umfassend gebildete Mann sich ritterlich bewährt. George hat er zeitlebens die Treue gehalten und dieser ihm.

Die Nachricht vom Tode Heiselers empfing George »mit grossem schmerz«. »Besonders erschütternd war für mich«, schrieb er der Witwe, »dass zugleich mit der eilnachricht die auf grossem umweg anlangte sein lezter brief in meine hand kam worin er noch von seinen arbeitsplänen sprach: einer Übersetzung Miltons. Wir haben an einem abend zu seinen ehren seine gedichte vorgelesen. Er wird uns im gedächtnis bleiben als Gefährte und als Dichter. . . .«

Wie schwer George die Spannungen und schliesslich das Auseinanderbrechen des Münchner Kreises empfunden hat, geht aus den Aufzeichnungen Verweys hervor. Aber schon hatte sich ihm das Neue eröffnet, aus dem er Kraft schöpfen konnte, diese Enttäuschung, und mehr als dies, zu überwinden.

Die Gedichte Maximins sind von derselben Vollkommenheit wie seine Erscheinung, und es ist kaum begreiflich, dass ein Vierzehnjähriger geschrieben hat:

> Jetzt naht nach tausenden von jahren
> Ein einziger freier augenblick:
> Da brechen endlich alle ketten,
> Und aus der weitgeborstnen erde
> Steigt jung und schön ein neuer halbgott auf.

Ebenso wenig, dass er, etwa ein Jahr vor seinem Tode diesen Dank und diese Bitte aussprach:

> O ewiger Gott, du gabst mir alles,
> Vollendet ist die höchste irdische Lust,
> So nimm zur himmlischen Vollendung
> Mich auf an deine ewige Brust.

Im April 1904 ist Maximin, einen Tag nach seinem 16. Geburtstag, gestorben. Wie dieser Verlust den Dichter, der eben erst den Fährlichkeiten der Kosmiker-Verschwörung entronnen war, an den Abgrund gebracht hat, steht im Siebenten Ring. Es steht aber auch in seinem Gesicht: die Aufnahme von 1904 (T 90) zeigt, welche Spuren die Erschütterung dieses Jahres in seinen Zügen gelassen hat. Im Haar erscheinen die ersten weissen Strähnen, die Stirn ist tiefer gefurcht als zuvor, das Auge blickt, als ob der Geist keinen Ausweg wüsste aus solcher Qual, die Gramesfalte erscheint, und der Mund ist schmerzlich.

> Du kennst von allen nur die ganze schwere
> Des trauerjahrs und des verlassnen pein

schrieb er damals an Hanna Wolfskehl.

Auch die Aufnahme (T 117 l), die im Winter 1906/7 in Berlin gemacht worden ist, lässt die Nachwirkungen des Trauerjahres erkennen, an Stirne, Augen und Mund. Im ersten Weltkriege, als auch George sich zu einem Ausweis bequemen musste, hat diese Aufnahme als Passbild gedient. Sie ist aber zehn Jahre vorher gemacht worden.

Sein Leben lang bleiben die Zeichen dieser Pein, wenn auch gemildert durch die Zeit. Neun Jahre nach der Krise, im Januar 1913, hat Edith Landmann, nach einem Besuche des Dichters, den Eindruck aufgeschrieben, den sie von ihm hatte, darin finden sich diese Sätze:

» ... Im ersten Augenblick, als er eintrat, sah er, noch nicht fünfundvierzigjährig, überraschend fahl und alt aus, überraschend wohl deshalb, weil Bewegung, Haltung, Züge, alles viel jünger war als Haar- und Gesichtsfarbe. Er sah aus, als wäre ein Reif über ihn hingegangen, der ihn einmal gebleicht habe, und wie Einer mit einer Kugel im Leib weiterlebt, so habe er darüber weg sein altes junges Leben weitergelebt. ...«

Die Begegnung mit Maximin ist Mitte und Erfüllung von Georges Leben. Wie Dante Beatrice, wie der Dichter der Sonnets seinen Will, so hat George Maximin unsterblich gemacht, und auch in seinen Dichtungen erkennen wir »die anbetung vor der schönheit und den glühenden verewigungsdrang«. Endlich hatte er ihn gefunden

> Den ich suche seit ich lebe.

Und wie Homer von Hermes sagt, so kam auch Maximin des Wegs wie ein Königssohn im ersten Flaum, wenn die Jugend am süssesten ist, an Gestalt und Aussehen ein Entzücken und klugen Sinnes und von seligen Eltern. Und der jung Entrückte behielt den Zauber der Frühe. Sein Bild steht über den dreissig Jahren, die George noch lebte, und es wurde zum Vorbild den Freunden dieser Jahre. Zwar konnten sie auch mit dem leidenschaftlichen Wunsche, zu werden, wie der Dichter sie wünschte, ihm nicht genügen; dennoch ist der Menschentypus, den George sich verband, hinfort anders als zuvor.

Der junge George war in gleichem Streben zusammen mit gleichaltrigen Dichtern, die ihre Dichtungen zeigten in den »jährlichen Turnieren« der Blätter. Bezeichnend ist der anfangs gebrauchte Name confrères. Mit den Jahren wurden diese Dichter und Schriftsteller abgelöst von Jüngeren, die in George den älteren Freund und Meister sahen; sie selbst waren Dozenten, Gelehrte oder Richter; ausserdem dichteten und lehrten sie in seinem Sinne. Mehr und mehr trat dann das Dichten zurück, die Blätter erschienen nicht mehr, und es wurden auch weniger »Geist-Bücher« geschrieben. Im Atelier empfing der betagte Meister die jungen Freunde, die, dem Dichterischen offen, Künstler oder Kunsthistoriker, Ärzte oder Offiziere waren.

JÜNGERE FREUNDE

Schon lang war Gundolf ihm nah. Den noch nicht Neunzehnjährigen hatte George im April 1899 bei Wolfskehl kennen gelernt. Im August dieses Jahres, erzählt Verwey, seien die Verse an Gundolf entstanden, in denen es heisst:

Auf kurzem pfad bin ich dir dies und du mir so gewesen!

Dieser kurze Pfad währte mehr als fünfundzwanzig Jahre; er hat in Gedichten, Briefen und Menschen unvergessliche Spuren hinterlassen, und schliesslich ist Gundolf an einem 12. Juli — des Jahres 1931 — gestorben, dem Datum, an dem seine beiden liebsten Grossen, Caesar und George, geboren sind. Wie Gundolf dem Dichter anhing, schreibt er schon im Januar 1901 ebenso schön wie schlicht:
»... Ich bin nun einmal in meinem gegenwärtigen leben an dich gebunden und kenne kaum eine pflicht, die du mir nicht gibst ...«
Am Verlust Maximins nimmt er mit seiner ganzen Seele teil, und in grosser Liebe sucht er Georges Leiden zu lindern. So schreibt er Mitte Januar 1905 seinem teuersten, geliebtesten Meister: »Ich wollte dir gestern nichts schicken auf deinen brief voll heiliger trauer als die paar verse — ich wollte noch gar nicht reden von dem wunderbaren sang unsres Einzigen, der nun wie eine selig-süsse stimme doppelt ergreifend und erschütternd aus dem grab in unsre grauen tage herauf tönt. Sie sind so herrlich, so ganz nur aus dieser heiligen Seele junger schwermut und sehnsucht möglich und begreiflich. Ich habe wieder weinen müssen, nicht nur um dich, mein Teurer, dass du dies finden durftest und verlieren musstest, auch um mich, der ich mir allzu rasch trost zulog und nur langsam begreifen werde, was für ein Göttliches da meinen weg gekreuzt hat, der ichs nicht verdiente und nun zu spät auch noch für meine blindheit die trauer tragen muss ...«
An seinem 21. Geburtstag, dem 20. Juni 1901, begrüsst er George in Dankbarkeit und Liebe: nur um seinetwillen dürfe man ihm Glück wünschen.
Wie Stefan George diese heilige Glut Gundolfs erwidert hat, mag,

besser als mein Wort, ein Dokument enthüllen, das im Archiv geborgen liegt:

Auf den tiefroten Papierumschlag eines mit roter Schnur gehefteten Quart-Heftes hat der Dichter in goldenen Versalien die Worte ΙΜΕΡΟΣ ΠΑΘΟΣ ΧΑΡΙΣ gemalt und unten links, auch golden, einen Kreis und in den Kreis eine links drehende Swastika. Das Heft enthält 6 Blätter. Auf die erste Seite hat er geschrieben

DIESE GEDICHTE
DEM GETREUESTEN
FRIEDRICH GUNDOLF
ZUM ANDENKEN
IM JUNI 1902
STEFAN GEORGE

die oberste und die unterste Zeile blau, die vier andern rot, dazu, unten links, auch wieder rot und wieder im Kreis, dieselbe Swastika.

Das Heft enthält in blauer Schrift mit roten Initialen acht Gedichte mit folgenden Anfangszeilen:

Wenn dich meine wünsche umschwärmen...
Für heute lass uns nur von sternendingen reden!...
In zittern ist mir heut als ob ich in dir läse...
Betrübt als führten sie zum totenanger...
Du sagst dass fels und mauer freudig sich umwalden...
Zu eines wassers blumenlosem tiegel...
Trübe seele — so fragtest du — was trägst du trauer?...
So holst du schon geraum aus armen reffen...

Die beiden letzten Seiten enthalten nur die Initialen für zwei andere Gedichte, ohne deren Text.

Auf vielen Stationen seines Wanderlebens ist George von Gundolf begleitet worden. Die Heiterkeit und der Ernst ihrer Gespräche bei der Arbeit, auf dem Spaziergang, an den Mahlzeiten, sind mir im Gedächtnis. Bei Gundolfs Eltern in Darmstadt war George damals mehr zu Haus als in Bingen. Salin erzählt, wie das Haus am Grünen Weg um die Zeit des ersten Weltkrieges eingeteilt war. Georges Bücher, die damals dort im Erdgeschoss standen, waren vordem im Binger Haus und kamen nach den Heidelberger und Königsteiner Jahren schliesslich wieder nach Bingen zurück.

Gundolf schrieb für ihn Briefe, machte die notwendigen Besorgungen, sah für ihn Menschen, die noch nicht zum Freundeskreis gehörten, und fand die Worte, zu einem weiteren Umkreis über ihn zu sprechen. Er lebte nach Schillers grossem Wort: »... dass es dem Vortrefflichen gegenüber keine Freiheit gibt als die Liebe.« Und George unterwies ihn im täglichen Zusammensein und bei der gemeinsamen Arbeit.

In einem Briefe, den Gundolf mir 1909, nach Erscheinen des dritten Auslese-Bandes der Blätter schrieb, spricht er so über den Dichter: »... Allein die Goethe-Nacht enthält über die gross gesehene Sternen- und Volks-Landschaft hinaus einen wahren sittlichen Codex der kommenden Generation in nuce.

Ich bin immer aufs Neu erschüttert über die nackte, tiefe, reife Menschlichkeit des neuen Tons, in dem George jetzt mit Mensch und Volk und Jugend redet. Welche gütige Fülle und welche schmerzlich-freudige Strenge. Man muss bis zum alten Goethe zurückgehen bis man wieder diese selbstsichere und large Gehaltenheit und Meisterlichkeit findet.«

Dass die schönsten Stellen in den Römer-Dramen, in Romeo und Julia, die Prospero-Stellen im Sturm die Hand des Meisters verraten, ist bekannt. Im Vorwort der 1920 erschienenen Neuen Ausgabe des Deutschen Shakespeare schreibt Gundolf: »Nicht immer hat der Übersetzer, ein Empfänger des neuen Dichtgeistes, genügt, um Shakespeares Wort zu erreichen: notwendig musste bei Stellen der äussersten Spannung, Wucht und Eindringlichkeit die Hilfe des heutigen Meisters selbst mitwirken.«

Gundolf hat Herbert Steiner gesagt, der Vers

> Ich und mein Schwert wir kommen in die Sage

sei von George, könne nur von ihm sein. Noch hör ich die Beiden in Wolfenschiessen mit einander abwägen, wie der Doppelsinn des englischen Wortes bark = schälen und kläffen deutsch wiederzugeben sei, und Ernst Morwitz erinnert sich, wie der Coriolan übersetzt wurde. Da hatte in der 2. Szene des 2. Aufzugs Gundolf geschrieben:

> » ... als sein Mündel-alter
> Sich so vermännlicht, wuchs er dann seegleich«.

»Aber Gundel«, sagte George, das ist ja ganz undichterisch; es muss heissen:

> » ... wuchs er wie die See«.

Monatelang, oder durch Jahre, haben sie in lebendiger Wechselrede Verse gewogen und umgedacht. Einen ganzen Vormittag lang ging George spazieren, bis ihm das entscheidende Wort einfiel in den Versen:

> ... Wir sind aus solchem Zeug
> Wie das zu Träumen, und dies kleine Leben
> Umzirkt ein Schlaf ...

Es ist nicht möglich, den Anteil Georges herauszulösen; doch glaube ich nicht zu irren, wenn ich sage, dass das erste Gespräch zwischen

Romeo und Julia, das sehr anmutige, wie auf einen frühen cassone gemalte — es beginnt:

Wenn die unheilige hand zu nahe war —

und im zweiten Aufzug Romeos Besuch bei Bruder Lorenzo im Klostergarten beinah ganz von ihm sind. Ebenso die Balkonszene; denn wer anders hätte diese Worte gefunden:

Wie knaben weg vom buch eilt buhl zu buhle
Doch buhl von buhle bang als gings zur schule.

Zeitlebens hat George Verse vor sich hingesagt, in verschiedenen Sprachen, und auch er hat, wie Platon, ihnen in schöpferischem Übermut Wortbildungen entlockt, die für den Zuhörer wie das Flöten-Vorspiel eines Festliedes auf Athene klangen. Rolicz-Lieder sagt: George habe sich der Sprache vermählt; gewiss hat er sein Leben mit ihr verbracht, im Kampf und auch spielend.

So seh ich ihn, auf dem Kästrich im Hinterhaus, dessen Erdgeschoss über den Dächern von Mainz lag, oben in den Nordzimmern ein paar Schritte machen, ein Etwas zum Spielen in der Hand, das gewaltige Haupt bekrönt von der ergrauenden Bärenmütze seiner crinière abondante, und mit einem unbeschreiblichen Ausdruck von verschmitzter Heiterkeit, von Glück und Laune im Dichter-Bauerngesicht, das freche Liedchen des Autolykus aus dem Wintermärchen sagen:

Kauft ihr nicht etwas Band
Und Spitzen fürs Gewand ·
Mein Täubchen · meine Dam — ala.
Etwas Seid und Zwirn ·
Zierat für die Stirn
Vom neusten feinsten Kram — ala.
Kommt zu dem Tändler!
Geld der Zwischen-händler
Schiebt aller Leute Kram — ala.

Gewiss war es seine Übertragung, sonst hätte er das Dam-ala, Kram-ala nicht mit so spitzbübischer Lust aussprechen können. Gundolfs Leistung wird dadurch nicht vermindert; ihre Freundschaft war so, dass sie das Einzelne nicht mehr zählten.

Genialität und Noblesse sind auf Gundolfs Gesicht geschrieben (T 92, 94 1); aber keine Photographie gibt »den blühenden mund« wieder oder das »auge zauberblauer enziane«. Indem er dem Genius diente, ohne Absichten, diente er »Dem Lebendigen Geist«. Der erste der jüngeren Freunde und der begabteste — »so ein begabtes kind wie der war keiner« — hat er die reichsten Jahre an der Seite dessen verbracht, zu dem er in der Widmung an Stefan George sagte: durch alles was ich tue

Tönt Deines grossen herzens stäter schlag.

Als Universitätslehrer (T 94 r) und durch seine Bücher hat Gundolf eine grosse Wirkung ausgeübt. Sein »Shakespeare und der deutsche Geist« (1911) war das erste Buch der Wissenschaft aus dem Kreise der Blätter für die Kunst. Sein Goethe-Buch erschien 1916, das George-Buch 1920. Aus diesem Buch, sagte George, habe er selbst noch manches gelernt. In den ersten Jahren von Gundolfs Lehrtätigkeit sass George häufig in dessen Kolleg; bei der Antrittsvorlesung waren George, Eberhard Gothein und Max Weber anwesend.

In einem Vortrag »Stefan George in unserer Zeit«, gehalten in Göttingen 1913, beschreibt Gundolf Georges Erscheinung: »Wer ihn auch nur einmal unbefangen gesehn hat der weiss: dieser Mann ist stark mit Anmut, schlicht mit Würde und sachlich ohne Trockenheit ... von heiterer Strenge gegen sich und andere, eher eine bäuerlich harte als städtisch mürbe Natur, aber durchgeistet von stetigem Feuer und beseelt durch Leid, das ihn hellsichtig und gütig gemacht hat (wie etwa bei den besten Römerköpfen Rusticität und Urbanität sich nicht ausschliessen, sondern durchdringen). ...

Zweierlei vereint die Form seines Kopfes: unerbittlichen Willen und regsame Zartheit. Form ist alles geworden, in die Flächen und Linien des Schädels eingearbeitet, nichts ist blosse Zuckung und Stimmung – ein plastisches, kein malerisches Haupt. Auch hier, wie in seinem Werk, ist der innere Gehalt zu sichtbarer Gestalt, zu Charakter (das ist: umrissene Form) verdichtet und durchgeglüht – nirgends unbewältigter Seelenrohstoff ... ein Mensch der bei mächtigen Trieben und empfindlichen Nerven sich völlig in der Gewalt hat, dem Phantastik, Schwelgerei, Spielerei fern liegt, den ein zentraler Wille beherrscht und sichert – unter den geschichtlichen Köpfen dem Dantes am ähnlichsten, aber bei gleicher Energie mehr sensitiv als spirituell.«

Es gehört zum Schmerzlichsten, dass nach beinah dreissig Jahren auch diese Freundschaft ein Ende nahm – infolge jener Naturkraft, auf die George immer wieder stossen musste. Es hatte sich so entwickelt, dass Gundolf durch seine Heirat wählte zwischen der Frau und dem Meister. »Dann hab ich den Gundolf verloren«, sagte George schweren Herzens, und so wars. Ich hatte mich damals selbst eben zurückgefunden nach mehrjähriger Entfernung aus demselben Grunde; aber bei Gundolf war die Trennung endgiltig.

George hat das Coelibat nicht förmlich gefordert – so etwas tat er nie – aber die Freunde wussten, dass er die Frau nicht in seinem Staate haben wollte und die Bindung der Familie als Hindernis empfand:

129

»Wenn ihr glaubt, dass ihr gar nichts mehr zu tun habt im Staat, dann könnt ihr ja auch heiraten«. Er war der Meinung, dass die Ehe den Gedankenkreis eines Freundes verändere und dadurch die Freundschaft schmälern müsse. Er habe sich dafür, erinnert Ernst Morwitz, auf ein Nietzsche-Wort berufen, das ich aber nicht finden kann: »Er verheiratet sich, er gehört nicht mehr zu uns«. Jedenfalls gibt dieses Wort die Auffassung des Dichters wieder: dass die Ehe für die Frau notwendig, für den Mann aber nur gerechtfertigt sei, um den rechten Nachwuchs zu schaffen.

Mancher Zwist war durch Frauen entstanden; aber freilich, nachher entstanden Zwiste ohne sie. So ungern er, gerade bei den Jungen, hatte, wenn sie sich zur Ehe entschlossen, sah er doch jeden Fall für sich an. »Prinzipien-Reiter sind wir nie gewesen«. Aber nach der Heirat Gundolfs sprach er oft bitter über Frauen; später freilich, als Clotilde Schlayer mit Delikatesse und mit nicht ermüdender Sorgfalt seine zur Neige gehenden Tage behütete, wurde jene Bitternis nicht mehr laut. Die älteren Freunde: Wolfskehl, Wolters, Vallentin, Landmann waren verheiratet, und George war regelmässig bei ihnen. Dabei war er völlig natürlich in Familie und Haus.

Bei Lechter hatte er Edith und Julius Landmann (T 104) kennen gelernt, und als der Ausbruch des ersten Weltkrieges ihn in der Schweiz betraf, blieb er einige Wochen mit ihnen in den Bergen. Daraus wurde durch Jahre hindurch eine Reihe von Aufenthalten bei diesen Freunden in Basel und anderswo, von denen uns die Erinnerungen Edith Landmanns berichten werden. Vieles, was im »Ewigen Augenblick« steht, beruht auf ihren Aufzeichnungen.

Zu Lebzeiten Georges habe ich über das, was er gesagt hat, nie etwas aufgeschrieben, und ich weiss, dass Berthold von Stauffenberg sich ebenso verhalten hat. Auch haben wir, nach seinem Geheiss, manches von seiner Hand Geschriebene vernichtet. Ein solches Verhalten, verstanden wir, sei Voraussetzung der Nähe, die wir genossen. Den Aufzeichnungen von Edith Landmann und Berthold Vallentin und anderer ist zu entnehmen, dass andere sich anders verhalten haben, und seit dem Tode des Dichters habe ich mich oft gefragt, ob ich nicht besser getan hätte, jeden Abend aufzuschreiben, was ich am Tag vernommen hatte. Er hätte es vielleicht erlaubt, wenn ich ihn darum gebeten hätte; denn dogmatisch war er nie; aber damals waren wir zu unbedingt und zu reich: dieser Ewige Augenblick war unser, ganz allein, und sollte mit uns vorüber sein.

Die hohe Geistigkeit von Edith Landmann, ihre zelotische Kraft zu lieben und zu hassen, ihre Kenntnis der Antike, ihr Ernst und ihre Vertrautheit mit der deutschen Dichtung und dem Werk Stefan Georges gaben die Grundlagen für Gespräche mit dem Dichter, auf täglichen Gängen und im stillen Balkonzimmer am Rhein. Mit der sokratischen Gabe der Mäeutik ausgestattet, gelang der aussergewöhnlichen Frau, jedem Gespräch Intensität und Höhe zu geben. Wie viel mehr, im Gespräch mit dem Dichter das Richtige zu suchen. So ist es begreiflich, dass er ihr Manches sagte, womit er sonst zurückhielt, und was sie behütet hat.

In ihrer frommen Schrift »Georgika« findet sich ein Absatz, den auch Wolters zitiert und in dem das Antlitz Georges nicht nach Art eines Malers beschrieben, aber seine Essenz ausgesprochen ist:

»Bei Anaximander gibt es den Gedanken vom $\overset{\text{'}}{\alpha}\pi\varepsilon\iota\varrho o\nu$, den Gedanken, dass die vollkommene Mischung aller bestimmten Qualitäten ein Unbestimmtes ergebe. Daran mahnt sein Antlitz, in dem kein einzelner Zug, weder Wille noch Klugheit, weder Traum noch Leidenschaft, weder Leid noch Lust einzeln oder dominierend hervortritt, sondern alles gebunden in einer unbeschreiblichen Hoheit, ... ein unbegreifliches Zugleich von Mächtigkeit und Zärtlichkeit. Man gedenkt auch der Beschreibung, die Dante von den vier grossen Schemen gibt, den Dichtern, denen er im ersten Kreise der Hölle begegnet:

Nicht froh noch traurig waren die gesichter«.

Julius Landmann, ein Gross-gesinnter, wie Aristoteles ihn zeichnet, Welt- und Literatur-kundig, mit Freude am Festmahl und an lebendigem Gespräch, Wirtschafts-Historiker und -Politiker, war der wahre Gastfreund, und vielleicht war sein innerstes Wesen nie besser wahrnehmbar, als wenn er, Terzinen über Papst Martin IV. illustrierend, seinen Gästen Aale, freilich nicht aus dem Bolsena-See, in Weisswein gesotten, vorsetzte, und dazu sie und sich durch einen Vortrag — denn jede seiner Erzählungen war ein Vortrag — über des Abbé Galiani Dialog vom Getreide-Handel ergötzte. Der gleiche Mann hat der Regierung seines Landes grosse Dienste geleistet, war kühn, ja waghalsig, bis ihn manchmal ein Zittern überkam, treu, gütig und weit als Freund, und legte an sich als Gelehrten und als Lehrer einen so strengen Maasstab an, dass er lieber das Leben liess, als seiner Forderung nicht zu genügen.

George war gern in dem Haus, und dazu trug die Anwesenheit der Söhne bei, von denen der ältere (T 105 1) durch seine gescheite Zuverlässigkeit und noble Verschwiegenheit zum Gehilfen des Dichters wurde.

Es war etwas Merkwürdiges um Georges Gegenwart: die einfachsten Vorgänge bekamen Bedeutung. Man pflegte doch auch sonst Tee zu trinken, spazieren zu gehen oder die Mahlzeiten gemeinsam einzunehmen; aber wenn er da war, war das Gespräch weiter, das Essen ein Fest, der Gang in besonderer Erinnerung.

Wolters' vielumstrittenes Buch, Salins nicht minder umhadertes und die erwähnten Aufzeichnungen bezeugen die Wirkung des verwandelnden Dämons. Ich kenne aus der Geschichte nur Einen, der so etwa auf seine Zeitgenossen, zumal auf die Jungen gewirkt haben mag: Sokrates. Und es hat mich immer wieder mit Staunen erfüllt, dass es mir gegönnt war, zu leben, während er lebte, und dass ich mit ihm zusammensein durfte. So wie mir ging es den anderen, und was sie zusammen hielt, war weder Satzung noch Schwur, sondern Liebe und Bewunderung für den einen Mann.

Es ist begreiflich, dass an dem Tage, an dem er abreiste, wir uns verlassen fühlten. Zwar versuchten wir anfangs, auch dann noch zusammen zu kommen in derselben Art; aber es wollte nicht gehen. Der Eine, von dem es ausging und zu dem es hindrängte, war nicht mehr da. Die Tage hatten ihren Glanz verloren, und man trat zurück in die Einzelexistenz.

Vielleicht hätte Friedrich Wolters (T 93, 95, 96) versucht, die Dinge zu zwingen; aber eben, sie wären gezwungen gewesen. Wachen Geistes, unermüdlich, kühn, geschmeidig, voll Angriffslust, zum Kirchenfürsten ebenso geeignet wie zum Kultusminister, hatte er immer etwas vor. Zwar konnte George von ihm sagen: »man muss den Wolters machen lassen, sonst stellt er etwas anderes an«; aber der Vierzeiler in Neuen Reich bezeugt, was Wolters ihm galt:

F. W.

Lass völker brechen unterm schicksalsdrucke
Gefeite beben nicht beim jähsten rucke ...
Vorm Herrn gilt gleich der in- und aussen-krieg
Wo solche sind wie du — da ist der sieg.

Als Wolters eben zu George gekommen war, sagte Gundolf einmal in Bingen: »jetzt haben wir Einen, der schlägt den Kaiser inmitten seiner Garden tot und wird nicht gefangen.« Von Wolters stammt die Schrift Herrschaft und Dienst, und aus seiner Denkweise ist die platonische Bezeichnung des Freundeskreises als »Der Staat« in Gebrauch gekommen. Er war eine machtvolle Person und lebte das Leben mit Mut und Kraft. Zwar kam er, wie Vallentin, etwas zu spät zu George, um noch ganz von Grund auf umgeboren zu werden — »sie haben zu viel Vorleben, die älteren Freunde«, sagte ein Jüngerer von ihnen — aber umso reifer war ihre Liebe. Sie wussten, was sie vergeblich gesucht hatten und nun bei George fanden.

Beide begrüssten die jüngeren Freunde mit offenen Armen — es war immer so und es wird wohl immer so sein, dass ältere Menschen den jüngeren mehr Liebe bieten, als sie von denen empfangen — und das folgende Gedicht an E mag als Beispiel seines Zurufs und seiner Sangesart gelten:

E

Verschlossner der in eigner stille steht
Dem lang die angel zum geheimnis rostet
Eh stöhnend sie dem höhern dränger dreht,
Alloffner der vom schauer hat gekostet

Mit dem der gott die stammgebundnen nährt
Aus urschlaf seine ewigen kräfte rüttelt
Wegsicherer der auf ebner strasse fährt
Wenn uns gewalt und sturz der ordnung schüttelt:

Als sei dein fuss von heiligem kreis umzirkt
Gehst du durch unrat, trümmerfall und sterben
Aus brachem stock der schon den tod verwirkt
Zieht deine zauberhand die schönen erben,

Traumdunkler und doch fürst von heller fahrt
Dein gruss ist lind doch wuchs und stolz von thronen
Dein tun von so undeutbar strenger art;
Blutalte weisheit junger pharaonen.

Zum Unterschied von Gundolf hatte Wolters den Wunsch, auf Jüngere einzuwirken, am liebsten im Zusammensein auf einem Gang und beim Mahl, und eine grosse Wirkung ging von ihm aus. Dabei konnte er erscheinen wie ein rheinischer Abt, froh im Genuss der Erdengüter, ein Hort und Hüter der Seinen.
In einem Brief Georges an Wolters, etwa vom März 1925 findet sich folgende Stelle:
» ... Ihr doppelbild hatte etwas sehr bewegendes. Unsrem freund E ist gewiss die wärme nicht abzusprechen · jedoch sein ganzes dasein hindurch lauert ihm die gefahr dass er in den kreis des willensmässigen auch das ziehen will was nie und nimmer darin sich fangen lässt. ...«
Fast möchte man denken, dass George, was er von dem Freunde E schrieb, auch dem Empfänger des Briefes zu bedenken geben wollte. Denn Wolters — darin lag seine Stärke und seine Grenze — meinte, mit dem Willen alles machen zu können. In den Aufzeichnungen seines Freundes Vallentin über Gespräche mit George aus den Jahren 1917 bis 1924 und 1927—31 steht:

»Berlin, den 14. Oktober 1927

Der Meister sprach von der scharf ausgeprägten Wolters-Schule und erwähnte späterhin, als ich ihn nach Hause begleitete, wie schon oft, dass Wolters den Menschen nicht ansehe, was sie wirklich sind, sondern in sie hineinsehe, was sie nach seinem Willen sein sollen. Das liege eben daran, dass bei Wolters die dominierende Eigenschaft der starke Wille sei. Es gäbe überhaupt keine Möglichkeit, aus wissenschaftlichen Leistungen oder sonstigen sachlichen Momenten die Anlage und Bedeutung eines jungen Menschen zu erkennen, sondern das sei Gabe und Instinkt. Man erlebe immer wieder die seltsamsten Überraschungen, wenn einem solche Jungen empfohlen würden.«

Es war wohl auch sein starker Wille, der Wolters dazu verführte, schon früh an politischen Vorgängen mehr Anteil zu nehmen, als dies bis nach dem ersten Weltkriege unter den Freunden üblich war. Dieselben Gespräche verzeichnen in Berlin am 16. Mai 1917:

»Der Meister spricht von der verkehrten Anschauung des Krieges bei seinem Beginn: Wie damals Wolters und Erika ihn als ‚das grösste deutsche Ereignis‘ angesprochen hätten. Er habe damals geschwiegen, — wie er das ja so oft tun müsse, — er habe alles vorausgesehen, wie es gekommen sei. Heute sähen es alle. Auch Gundolf. Wolters sei der letzte der jetzt durch seine Krankheit von seinem Wahn geheilt sei. Könne man sich wundern, dass heute noch die politischen Führer und Regierungshäupter solch ‚Zeug‘ redeten, das nur die Aussenseite, nicht den Sinn der Dinge träfe, wenn eine Frau, die doch viel mehr ‚Grütze‘ im Kopfe habe, als selbst der Reichskanzler, — das müsse man der Erika doch zugestehen — damals solche Dinge geredet habe. — Aber es sei eben so: es sei eine tiefe Weisheit der Schrift, die Geschichte vom heiligen Petrus, auf den der Herr doch als auf seinen Felsen die Kirche habe bauen wollen. Und er habe doch den Herrn verraten, ehe der Hahn dreimal gekräht habe. So sei es nun auch mit Erika und nicht viel besser mit Wolters gewesen«.

Es war nur natürlich, dass ein streitbarer Mann die Not seines Landes empfand und freiwillig mitging in den Krieg; aber er musste sich davor hüten, den geistigen Kampf des Dichters und den politischen des Deutschen Reiches als Eines zu sehen — dies galt für den ersten Weltkrieg und noch viel mehr für den zweiten. Immer wieder warnte George vor einer Verschmelzung der beiden wesensverschiedenen Streite. So liess er, Neujahr 1917, an Wolters schreiben:

» ... Die Freunde von denen Sie annehmen, dass ‚der Krieg sie nichts angeht‘ (haben sie unmittelbare bestätigungen ausser der Vallentins, der krank ist?) können leicht die tatsachen vernachlässigen. Doch

glaubt er [St. G.] dass eine solche gefahr bei seiner lenkung nicht so viel zu bedeuten hat. die worte von Saanenmöser bleiben bestehen, die zweite gefahr hält er für schlimmer: durch die macht des heutigen tatsächlichen sich zu sehr verblüffen zu lassen. Soll nun auf einmal nach 50 jahren von unsinn schein und frevel sich die welt in grösse und heldentum verwandeln? Ihr [des Wolters] kühner titanismus nimmt freilich an, dass die dinge von der neuen kraft beseelt werden können, es gibt aber dinge die sich nicht beseelen lassen, sie müssen zuerst untergehen. Sonst kämen wir zum furchtbarsten, was sich überhaupt ausdenken lässt: zum göttlichmachen wollen der maschine. ...«
Da Wolters diese Klarstellung nicht ohne Einwendungen annahm, erwiderte George im März desselben Jahres:
»... In der zuletzt aufgeworfenen frage scheinen Sie sich noch nicht ganz beruhigt zu haben. Es ist gewiss dass wir im wesentlichen übereinstimmen: es gibt offne widerkräfte die heute noch am werk sind ja alles lenken sowie die im dunkeln noch lagernden guten Kräfte. Es ist nichts einzuwenden gegen die zufügung ,des volkes' wenn man es nur richtig versteht. Auf diese bauend haben wir seit jahren geschaffen. Das haben w i r mit und ohne krieg gewusst und gehofft. so ist der ausspruch einiger freunde ,der krieg gehe sie nichts an' zu erklären und die worte des vorigen briefs waren Ihnen nur geschrieben um dies festzustellen: wo sie richtig sind und wo sie nicht ganz richtig sind.
Aufrecht zu erhalten bleibt dass Ihr fast alle die unmittelbare bedeutung des kriegs im anfang überschätzt habt. In d e m rast ein altes jahrhundert sich zu end. Ein neues wird vielleicht durch ihn vorgestossen: aber das ist n i c h t durch das innere wesen des krieges wie heut alle ,geister von draussen' noch meinen. Man vergesse nie: der krieg so beendet wie man vorigen dezember wollte wäre eine grausige komödie gewesen und die anständigen Deutschen (mit ganz wenig ausnahmen) hätten sich hängen müssen. Würden aber diese wenigen ausnahmen das heute frei verkünden was s i e über den Krieg denken so würden sie gehenkt«.
Dass schon damals, zur Zeit des kaiserlichen Deutschland, die Gefahr bestand, Mitglieder des Freundeskreises könnten wegen Fragen, die bei aller Wichtigkeit doch ausserhalb des geistigen »Staates« lagen, in Streit geraten — eine Gefahr, die nach dem Tode von Wolters und erst recht nach dem Tode von George wirklich zu Trennungen führte — zeigt der folgende, von Gundolf geschriebene, aber von George unterzeichnete Brief an Wolters vom Februar 1918:
»... Zu den einzelheiten Ihres briefes kann ich mich heute nicht auslassen ... nur soviel: dass ausserstaatliche dinge unter uns keinen streit

135

hervorrufen dürften. Ich wiederhole nur das so oft gesagte weil es mir für Ihr inneres gefährlich scheint dinge anders zu sehen oder zu erwarten die nach den ewigen gesetzen den vorbestimmten lauf nehmen müssen. Was Sie vom zusammenbruch sagen: — als ursache — ist schon wirkung. Dass d e r Mann nicht da ist ist schon wirkung. Auch ist der schluss nicht richtig dass nach solchem sieg und solcher niederlage das Geistige Reich die ganze welt zum feind habe. Das Geistige Reich hatte und hat mit und ohne sieg die ganze welt zum feind. . . .«

Deutlich war damit das Nötige gesagt, und Wolters war treu und gross genug, es zu verstehen. So konnte George im Juli 1918 ihm schreiben: ». . . Freilich im innersten wesentlichen eint uns der gleiche glaube . . . in der schau der unmittelbar bevorstehenden (ich könnte auch sagen der eigentlich schon eingetretenen) dinge war manches verschieden . . . Da erstaunen mich fast Ihre lezten äusserungen . . . sie rücken den meinen merklich näher . . .

Lieber freund, ich begleite Sie immer, sehe auch das grauenvolle dasein als ob ich dabei wäre . . . Im herbst hoff ich Sie gewiss zu sprechen, halten Sie bis dahin noch aus in bewährter kraft und geduld. . . .«

Als aber dann die Niederlage da war und aus der Schweiz ein Vorschlag an Wolters gelangte, schrieb ihm George aus München im Januar 1919: ». . . überlegen Sie sehr eine solche auswanderung! M i c h brächte auch ein goldener wagen jezt nicht fort. . . .«

Anders als Andere sah George die Ereignisse und ihre Bedeutung. Nicht die jedem sichtbaren Gegner und Kämpfe waren ihm die wichtigsten, sondern was dadurch sich veränderte für das Gesamte und für das Geistige Reich. Schon im Frühjahr 1916 hatte er durch Gundolf an Wolters schreiben lassen: ». . . Den Krieg betreffend hat er [St. G.] jetzt öfter Gelegenheit auf seine erste Meinung hinzuweisen dass er als G a n z e s nichts eigentlich ‚Glänzendes‘ haben kann und deshalb auch ein ‚Glanz‘-sieg und -friede ausgeschlossen ist . . . und er sei vielmehr das Vorspiel späterer noch wichtigerer Geschehnisse. Was das Grossartige daran sei dass die Ereignisse den zügeln aller lenker bereits entglitten sind und nun dumpf und verhängnisvoll ihren weg rollen. . . .«

In all diesen Briefen an Wolters wird der Ton immer herzlicher, und man darf sagen, dass die Freundschaft der beiden Männer zugenommen hat von Jahr zu Jahr bis zu Wolters' Tode. Viel trug dazu die »Blättergeschichte« bei, die George grossenteils im Manuskript gelesen hat, bei seinen Aufenthalten in Kiel und anderswo. Und wenn er auch im Februar 1918 zu Vallentin sagte, »auf diese Weise könne auch Wolters seine Aktivität ausströmen lassen, die sonst in Gefahr sei, sich in die Aktualität zu entladen«, so besteht doch kein Zweifel darüber, dass

Wolters sein Buch, dem auch diese Arbeit viel verdankt, in Georges Auftrag geschrieben hat, und dass George es billigte.

Kurz nach Wolters Tode – im April 1930 – sagte George: einmal noch bei ihm in die allererste Reihe zu kommen, sei in den letzten Jahren der grösste Wunsch von Wolters gewesen – und dieser Wunsch sei erfüllt worden.

Und zu Vallentin bemerkte er – im April 1931 – »dass er seine Bewunderung über Wolters' Entwicklung gar nicht genug zum Ausdruck bringen könne. Er habe sich zu einer von seinen früheren Bedingungen unabhängigen und freien Persönlichkeit entwickelt«.

In einem Kapitel seines Buches, Das Bildnis, spricht Wolters ausführlich von des Dichters Haupt. Seine Darstellung gibt weniger ein vorstellbares Bild als Deutung und Beziehung; aber die Sätze über Vorderansicht und Profil sind anschaulich und bestätigen Verweys Beobachtung:

».. . Seltsam ist der überraschende Wechsel zwischen Seiten- und Vorderansicht des Georgeschen Kopfes: Er erscheint in der Seitenansicht bei aller Herbheit, Strenge und Wucht der grossen Linien und Ebenen schmal, langgezogen und von urbaner Reizbarkeit, dagegen in der Vorderansicht bei aller lebendigen Bewegtheit und Vielfältigkeit der Schatten und Lichter breit, trotzig-bewehrt und von fast erdnaher Dauerhaftigkeit. . . .«

Berthold Vallentin (T 93, 95), der am liebsten mit leichtem Gepäck durch Deutschland wanderte, einen Band Dehio in der Hand, auf der Suche nach einem alten Schloss oder einer barocken Kirche, ein Rutengänger, gastfreundlich, übersprudelnd, heftig, mit gleicher Bewunderung für Napoleon und für George — HODIERNO HEROI lautet die Widmung seines Napoleon-Buches — entdeckte sich Schloss Burgk an der Saale, besuchte sein geliebtes Dresden oder Wallensteins Schloss in Friedland und umfing mit zärtlichem Blicke Stendal und Jerichow, Neubrandenburg und Rheinsberg, Ybbs und Pöchlarn. Den Freunden sandte er von diesen Fahrten Bild und Wort.

Ein Zyklus von fünfzehn Gedichten, die Vallentin für seine Frau schrieb, beginnt mit Versen auf Wörlitz, in dessen Park sie Tage voll Glanz verlebt hatten, und endet mit einem in die elfte und zwölfte Folge aufgenommenen Lied.

Anfangs waren Vallentins Dichtungen dunkel und chaotisch; erst allmählich sind sie etwas klarer geworden. Gundolf sagte von ihm: »wenn Vallentin eine Blume zeigen will, so bringt er mit den Wurzeln einen Kubikmeter Erde an«. Ein Brief an ihn aus Bingen, vom Mai 1904, von Gundolfs Hand, aber unterschrieben von Stefan George, lautet:

Werter dichter: Zu Ihrer sendung einst und mehr noch zur zweiten meine ich kurz dies: In beginnlichen zeiten ist allerdings der wirre wogende neugebärende urgrund, je wirrer und dunkler desto schwangerer! ... Aber dann muss das andre kommen: die klarheit und nach und nach feste gestalt. Wie weit von uns abgerückt ist heute der Rimbaud der Illuminationen. Ich danke Ihren widmungen und folge Ihnen teilnehmend und vertrauend.

Stefan George

Fünfzehn Jahre später schickte Vallentin an George Gespräche, die auch in den letzten Folgen erschienen sind: Kaiser und Ketzer, und Narziss. Darauf erhielt er diesen Brief:

München febr: 19

Lieber Freund: die schöne abschrift des KuK hab ich erhalten und eben jezt den Narziss. Ich fürchte fast bei solcher fülle von einfall und bild mit trockenen anmerkungen zu kommen: Bei öfterem üben aber derselben art gerät man leicht ins eigne alexandrinertum und das köstlichste das unberechenbare verflaut sich wenn z. b. lieblingsworte und -wendungen sich wiederholen, mancher erspäht die zum abgrund hinabgelassenen leitern oder den bindfaden an dem die glieder aufgeschnellt werden. Dies gälte nur für den N... liesse sich vielleicht noch durch geschickte merzungen beheben ... Ich warte mit spannung aufs angesagte Neue... besonders das W[alter] W[enghöfer] -gedächtnis. Über den zustand des B[ernhard] v. Sch[weinitz] bitte mir immer zu berichten ... er hat kürzlich wieder verse gesandt. Auch möcht ich von C[arl] P[etersens] rückkehr wissen ... Ich selbst bin anf. märz gewiss noch hier und werde Sie mit freude sehen ... Herzliches an Diana.

Ihr St. G.

Bei Vallentin fanden in der Regel die Zusammenkünfte statt, wenn George in den drei Jahren vor dem ersten Weltkriege von Oktober bis Weihnachten nach Berlin kam. Der Dichter wohnte dann in Westend oder im Grunewald und kam oft, von Ernst Morwitz begleitet, nach Charlottenburg in Vallentins Wohnung in der Sybelstrasse, wo er gelegentlich auch abstieg. Für Vallentin hat er, im Oktober 1911, seine Übertragung des Statius-Gesanges abgeschrieben, für ihn schrieb er unter eine Unterschrift Napoleons:

> Das ereignis um dessentwillen
> er (Goethe) seinen Faust · ja
> das ganze problem mensch
> u m g e d a c h t hat war das
> erscheinen Napoleons (Nietzsche Jens. 244)

Bei ihm wurde gelesen und daran nahmen Wolters, Paul Thiersch und Kurt Hildebrandt, Herman Schmalenbach und Carl Petersen teil; manchmal kam Walter Wenghöfer oder Ernst Gundolf zu kurzem Besuch, einmal auch Cyril Scott.

Heinrich Friedemanns hohe Gestalt tauchte auf (T 99 l). Dass er George sah, im Umgang mit den Freunden, das liess ihn auch Platon anders sehen. Mit Zustimmung lasen wir sein Buch: Platon, seine Gestalt, »Friedrich Gundolf dem Führer und Freunde« gewidmet; doch empfanden Einige, was Wenghöfer aussprach: »Schade, dass der Stil so über-Woltert ist, ich halte schon die Woltersche Original-Prosa für ein bezweifelbares Gut«. Im ersten Winter des ersten Weltkriegs ist Friedemann in Masuren gefallen; sein Umriss ist im Neuen Reich festgehalten.
Die Liebe zu Platon ist im Freundeskreise lebendig geblieben. Kurt Singers, Wilhelm Andreaes, Kurt Hildbrandts, Edgar Salins, Josef Liegles Bücher und Übertragungen zeugen ebenso davon wie das wiedergefundene Bildnis des Weisen. »Wir — schreibt Hildebrandt im Nachwort zur zweiten Ausgabe von Friedemanns Buch über Platon — lieben an ihm die Leibhaftigkeit der Seele, die blühende Kraft aller menschlichen Regungen ... gegeben ist die Tatsache, dass nur wer den Heros gegenwärtig im Schaffen sah, durch die Jahrhunderte zurückschreitend, den Heros deuten kann und darf ...«

Kurt Hildebrandt (T 99 r), Arzt und Platonforscher, gehörte schon in Lichterfelde dem Freundeskreis um Wolters und Vallentin an. In Aufzeichnungen von Ludwig Thormaehlen ist seine Gestalt so umrissen: »Schlank, still, schlicht zurückhaltend, hochgewachsen und ernst blieb er im Kreise der Männer an den Lichterfelder Tagen im Hintergrund. Sein kluges, offenes, sinnendes Auge, das nicht ohne Feuer schien, erweckte Vertrauen. Er war dunkelbraun, etwas hager und von bläßlich-olivener Hautfarbe, aber eine elastische Frische bestimmte seine ruhigen Bewegungen. An den schnellen Diskussionen nahm er wenig teil. Aber wenn in kleinerem Kreis das Gespräch an ein Thema geriet, das seinen Beschäftigungen nahekam, so äusserte er sich wohl etwas dozierend, aber mit Nachdruck, Gründlichkeit und Schlüssigkeit. Seine Urteile waren stets billig. Er erschien unbestechlich. Gegen Gegnerisches ohne unnötigen Groll und Zorn, war er doch unnachgiebig in seinem einmal gesetzten Urteil«. Ebenso erschien er später bei den Zusammenkünften der Jahre vor dem ersten Weltkrieg, als sein Aufsatz »Hellas und Wilamowitz« die allgemeine Aufmerksamkeit auf sich zog, und den äusseren Anlass zum »Jahrbuch« gab.

Ein Brief von Wolters, vom 1. Dezember 1910, an Lechter, der sich damals mit Wolfskehl auf der Reise nach Indien, in Madras, befand, gibt die Essenz jener Jahre in einer Fassung, die Georges Mitwirkung vermuten lässt:

»Wir freunde sind hier des landes und unseres lebens recht froh: George ist noch immer hier, er lässt Ihre grüsse herzlich erwidern und würde sich freuen auch einmal näheres von den beiden fernen fahrern zu hören. Dass Sie die menschen dort, besonders die männer, schön finden, freute ihn sehr, und wir hoffen drum, dass Sie dort dem schönen menschen nicht abhold werden, sondern ihn inniger lieben lernen, als zu hause und ihm einen platz in Ihrem lebendigen werke gönnen, wo er gewiss alle schaumigen und qualligen körper unserer secessions maler und genossen tief beschämen würde. Auch Meir Scott aus England ist hier, man führte ein werk von ihm auf — sehr exaltierte und erregende musik, wie ich hörte — er macht einen seltsam jugendlichen, aber doch festen eindruck. Boehringer und Wenghöfer sind auch hier, wir kommen oft und regelmässig zum lesen zusammen und es beginnt alle ein festeres gefühl der einheit zu durchdringen als es je bisher war, das ersehnte des reiches beginnt nicht wie bisher nur im werke, sondern auch im gefühl einigen neuen lebens ins Erfüllte zu rücken und mit neuen forderungen, die die gemeinschaft erweckt, bildet sich auch ein neues glück aus, das aus dem selbst-opfer der einzelnen an das Ganze seine nahrung nimmt«.

Die Diana, Vallentins Frau, beteiligte sich an Gesprächen und am Lesen ebenso intensiv wie Erika Schwartzkopf, die später Frau Wolters war. Diese Frauen erfüllten die schwierige Aufgabe, gastlich zu sein und selbst zurückzutreten; Dichtung und Freundschaft war auch ihr Leben, und dennoch standen sie etwas ferner. Auch Frau Thiersch und Frau Petersen nahmen an den Abenden teil.

Später, als Wolters in Marburg wohnte, und nachher in Kiel, und George wiederholt dorthin kam, auch mit jüngeren Freunden, hatte Erika Wolters ihre besondere Bedeutung. Manche Briefe sind ausdrücklich an FW und an EW gerichtet, und nach dem plötzlichen Tode von Erika Wolters schrieb George, aus Heidelberg am 11. Juni 1925:

Lieber Wolters · mit grosser bewegung empfang ich die nachricht von Ihrem und unsrem verlust: dem hinscheiden unsrer freundin. dieser jähe abschied ist umso bewegender da sie immer von gesundheit strahlte · mehr als wir alle... Sogleich zu Ihnen zu eilen ist mir unmöglich · im sommer aber hoff ich es nachzuholen. Eine tröstende vorstellung will ich versuchen hervorzurufen: Das ganze vergangene Marburg wo Erika gewirkt und gewaltet hat · wo sie trotz aller schwierig-

keiten an einem reichen leben teil genommen und es voll genossen hat.
Dort seh ich [sie] wandeln fast wie in der legende.

Herzlich Ihr St George

Bei den Zusammenkünften in Berlin war das Lesen von Gedichten
recht eigentlich die Kulthandlung des Freundeskreises, in der jeder
Einzelne sein Bestes gab, die Verse der Dichter richtig erklingen zu
lassen. Sinn und Rhythmus, Sprachmelodie und Reim sollten dabei
als Einheit im Gedicht laut werden. Und wie die Stimme, wunderbares
Phänomen aus Seele und Leib, die besondere Art eines Jeden erkennen
lässt, so war auch das Lesen der Gedichte, bei aller Stilisierung, für
einen Jeden bezeichnend.
Ein intensives Leben war in diesen drei Berliner Wintern 1910–13.
Die »Aufnahme in den Orden« wurde eingeübt. Aus den Gedicht-
bänden bis zum Siebenten Ring lasen wir und in der Goethe-Aus-
wahl, dem Jahrhundert Goethes und den Übertragungen, besonders
Dante und Shakespeare. Das Jahrbuch entstand; zuerst wollten Wolters und Vallentin die Herausgeber sein; aber als Bedenken auftauch-
ten wegen Vallentins erwartetem Richteramt, sprang Gundolf für ihn
ein. Der war freilich nicht ebenso für die Streitschrift geschaffen. Denn
die Jahrbücher wollten, was George durch Leben und Dichtung bildhaft sehen liess, hinaustragen durch Überzeugen und Reden.
Es waren die Jahre der Entdeckung Hölderlins, und uns ergriff eine
grosse freudige Bewegung. Zwar waren mir, lang eh wir 1910 Menons
Klage in Charlottenburg gemeinsam lasen, Hölderlins Gedichte vertraut, und es erstaunte mich, dass in der Bibliothek eines Berliner
Freundes damals seine Werke fehlten. Nun aber nahmen alle teil an
Hellingraths (T 97) Funden, und nun erst trat uns Hölderlin heraus
aus dem Garten Goethes als der Seher eines wahrhaftigeren Griechen-
tums, als der Künder einer aus Liebe entstehenden neuen Zeit, die
wir anbrechen fühlten. Georges Hyperion-Gedicht im Neuen Reich,
Gedichte in den Blättern, die Ausgaben von Hellingrath und Gundolfs
Antrittsvorlesung über den »Archipelagus« zeugen von der Erschütterung, die von der neuen Schau Hölderlins ausging. Freunde, aus verschiedenen Gegenden kommend, trafen sich an seinem Grab, und noch
nach Georges Tod fand sich zwischen Briefen aus dem Jahre 1914 ein
Blatt, auf das er den Anfang des Gesanges der Brüder Otmar Hom
Tello – Der Mutter Erde – abgeschrieben hatte (T 151); so sehr liebte
er diese sanft und mächtig anschwellenden Verse.
Die Bedeutung von Hellingraths Funden für Georges Werk beleuchtet
der folgende Auszug eines Briefes, dessen Kenntnis ich Ludwig Thormaehlen verdanke:

»Giessen, 26. 10. 1910

... Das Signal zur Expedition an den Rhein traf am Tage nach Ihrer Abreise von Giessen ein. Ich nahm meinen Weg über Limburg. Am Rochusfest war ich in Bingen, für den folgenden Mittwoch hatte ich die Einladung zu Stefan George. ...

Es kam auch die Rede auf den neuen Blätter-Band (Neunte Folge 1910).

Als der letzte (die achte Folge 1909) erschienen sei, hätte ihn Carl August gefragt, ob und wann ein neuer erscheinen solle. Seine — Georges — Antwort war: Nicht eher, als die Götter vom Himmel selbst uns zu einem Beitrag verhelfen.

Das sei nun geschehen. Einer der Freunde hätte nämlich die bisher verschollenen Pindarhymnen von Hölderlin entdeckt. Und die kamen nun in den Blättern zum Abdruck.

Er las mir eine vor und bemerkte dazu, das sei ja alles so wundervoll, nur hier und da schwer und unverständlich, wenn die Saite zerriss (Die Gedichte stammen aus der Wahnsinnszeit) ...«

Die neue Hymne

Wie wenn am feiertage das feld zu sehn

hat George uns vor dem Erscheinen in Dalldorf gelesen, wo Kurt Hildebrandt damals Arzt war. Dessen Schwager, der Architekt Paul Thiersch, nachher Gründer und Leiter der Werkstätten Burg Giebichenstein in Halle erklärte, den Erkenntnissen seines Vaters August Thiersch folgend, in Charlottenburg den Freunden die Proportionen des dorischen Tempels und illustrierte mit Kohle, was er sagte.

Die Aufnahme der Tafel 98 r, wohl von 1924 aus Halle, bezeugt den gesammelten Ernst dieses Lehrers und Freundes der Kunst. Aus dem dichten Kopf, unter der grossen Stirn, blicken ein paar kluge Augen in die Umwelt; der Mund zeigt die Entschlossenheit einer kraftvollen Natur. Man glaubt diesem Manne anzusehen, dass er Sinn für Entfernungen hatte, für Verhältnisse, für das Echte in Form und Stoff, dass er Freude hatte an Holz und Stein, an Schmuck und Kultgerät, und Achtung vor rechten Menschen und rechten Sachen. In Halle sammelte er junge Freunde um sich und liess sie am neuen Leben teilhaben.

Die andere Aufnahme (T 98 l) stammt aus dem Jahr 1928, in dem er, zu früh, gestorben ist. Nach seinem Tode, im November 1928, hat George dies an Wolters geschrieben:

Berlin Montag

Lieber Wolters: als ich in die Stadt kam übergab mir E. Ihren brief mit der betrübenden kunde vom tod Paul Thiersch's. Drücken Sie — ich bitte — allen seinen angehörigen mein mitfühlen aus! Am schmerzlichsten ist dass hier ein leben zu end ging als grad eine neue erfüllung winkte ... Unser Freund wird bei uns in ehrender erinnrung bleiben als vertreter einer immer mehr hinschwindenden menschenart: die es sich schwer macht.

Immer Ihr

St. George

Aus der Totenfeier, die seine nahen Freunde — gleichaltrige und jüngere — Thiersch bereiteten, sei hier wiederholt, was Erich Wolff von ihm sagte: »Ich liebte Thiersch wegen der männlichen Würde, die von ihm ausging, wegen seiner vornehmen innerlichen Unbedingtheit, wegen seines immer gegenwärtigen Rittertums«, und dieser Satz diene auch dem Gedächtnis des Gedenkenden, der lang schon dem Freunde gefolgt ist.

Ernst Morwitz (T 100 r, 102 o, 103), aus Danzig, war ein Verhüllender, eine katilinarische Existenz, wie ein Freund ihn scherzhaft nannte, scheinbar untätig, mönchisch, verschwiegen. Fruchtbar durch seine Problematik, und damit Wurzel mancher Gedichte Georges, in denen delphische Weisheit glüht, wuchs er dem Dichter so ans Herz, dass er ihm durch ein Vierteljahrhundert hindurch »der nächste liebste« war. Zeugnis seiner grossen Liebe zu George ist sein ganzes Leben. Im vierten Weihgedicht sagt er:

Ich bin durch blut und wahl an dich gekettet.

Derselbe Trieb zur Paideia erfüllte Meister und Schüler und so verbrachten sie ihre Jahre im sokratischen Bestreben, verwegene Jugend zur Ehrfurcht und Einsicht zu führen. Gegen das Paulinische von Wolters stemmte er sich in einem dunklen und zähen Kampf. Im innersten Denken über die Erziehung der Jugend wusste er sich einig mit George, und von allen, die noch leben, wüsste er gewiss das Wichtigste über den Dichter zu sagen, wenn er sich ohne Nachweh erinnern könnte. Seine Intensität beim Suchen nach einer frühen Plastik, einem vollendeten Gedicht, einem heranwachsenden Zögling war ebenso einzig wie bewunderungswürdig.

George ging mit ihm zu Rodin: Der Abend von Meudon, in der 11./12. Folge der Blätter, hat den Besuch festgehalten, und vorher schon hat Morwitz sein Ringen um Rodin in l'âge d'airain ausgesprochen.

Seine Gabe, Plastik zu erleben, kommt vielleicht am reinsten in dem folgenden Gedicht auf ein griechisches Relief zum Ausdruck:

So bannt ihn ein verstrickter in den stein:
Wie er uns naht schleichend voll zäher gier —
Um seinen mund gräbt ewigen suchens pein
Ein lächeln · trüber siege mal und zier.

143

Das haupt zur erde und das auge starr
Den hagern leib verhüllt im faltenkleid
Mit harter sohle · nie geschmücktem haar —
War jugend je von solcher traurigkeit?

Nur bogen und nur fackel seiner hände
Zeigt dass er blitze in das dunkel spende
Dass er uns bluten lässt und uns berauscht
Und freien stolz mit seiner fron vertauscht.

Wie er als jäger land und meer befällt
Taub dem gestöhn das ihn umgellt:
So bannt ihn ein verstrickter in den stein
Sich zur erlösung uns zur pein.

Von jenem Aufenthalt in Paris gibt es Zeugnisse von Mockel und Gide, die den Dichter umso besser sahen, als sie ihn selten sahen.
Im März 1908 schrieb Mockel an George, er freue sich auf seinen Besuch und fügte als post scriptum hinzu: vos caractères graphiques sont si beaux qu'ils portent le signe de l'éternité.
Und über den Eindruck, den er dann von dem vierzigjährigen Dichter hatte, hat er in jenem Heft der Revue d'Allemagne berichtet:
Quelle transformation dans toute sa personne! Quelle rénovation de tout son être! Oui, c'était Goethe toujours; mais le »Goethe d'avant Werther", le débutant gauche avec grâce et essayant encore les forces de sa volonté, avait acquis maintenant une sereine assurance, un orgueil tranquille et joyeux. Dans toute sa manière d'être il montrait cette aristocratie que nous nous plaisons à voir chez le poète encore jeune mais déjà triomphant, chez le Goethe accompli d'Iphigénie en Tauride. Ce n'était plus la foi timide qui espère. C'était la certitude qui s'affirme fièrement, — fièrement mais sans brutalité, parce qu'elle connaît sa victoire.
André Gide, que j'avais convié un jour avec nous, le sentit je crois comme moi-même: le front de Stefan George était comme baigné de soleil. Son regard n'était plus chargé de songe, mais on y voyait scintiller durement l'intelligence. Son geste était celui d'un chef; et si la voix s'abstenait de commander, c'était évidemment par une sorte d'amicale déférence pour ma femme et pour Gide, et parce que l'homme était d'une courtoisie exquise. Jamais je n'ai aussi fortement éprouvé que par cet exemple, ce que donne de puissance spirituelle la conscience de vivre en beauté et d'accomplir son oeuvre.
George fut charmant. Tout en délicieuses prévenances à l'égard de ma femme, tout en aimable et vive attention pour le convive de qualité

qu'il rencontrait à notre table, — tout en fines trouvailles pour nous conter ses craintes au sujet des»Géorgiens«trop ardents qui dépassaient le but. Gide a rappelé ce déjeuner intime dans une lettre adressée à M. Hirschfeld (publiée dans la Literarische Welt du 13 juillet). »Je n'avais d'yeux que pour Stefan George«, dit-il. Mais lui-même valait qu'on l'écoutât. On connaît la forte culture d'André Gide, l'extrême souplesse de sa pensée. Sa conversation où rien ne pesait, fut riche de substance plus encore que de grâce, et George n'en perdit pas un mot.

Aus dem Briefe von Gide, den Mockel hier erwähnt, ist in demselben Heft ein Absatz abgedruckt:

... Je n'avais d'yeux que pour Stefan George. Je le vois encore, tel qu'il était alors, vêtu de noir, cravaté de noir, plein d'une dignité quasi sacerdotale mais affable, aussi conscient de sa valeur que nous l'étions nousmême, imposant attention et respect. ...

Intensiver und mit erstaunlicher Beobachtung spricht Gide sich in seiner Journal-Eintragung vom 7. April 1908 aus:

Déjeuné hier chez Albert Mockel avec Stefan George, Albert Saint-Paul et un assez agréable jeune homme qu'on appelait Olivier (je n'ai pas pu comprendre si c'était seulement son prénom). Admirable tête de Stefan George que depuis longtemps je souhaitais connaître et dont j'admire l'oeuvre, chaque fois que je parviens à la comprendre. Teint blanc bleuâtre, peau mate et plus tirée que ridée, belle accusation de l'ossature; impeccablement rasé; abondante et solide crinière, plus noire encore que grise et rejetée d'un coup en arrière. Mains de convalescent, très fines, exsangues, très expressives. Il parle peu, mais d'une voix profonde et qui force l'attention. Grande veste-redingote de clergy-man avec deux agrafes dans le haut, qui s'ouvre sur une cravate-écharpe de velours noir, passé par-dessus le col et débordante. La simple glissière d'or d'un cordon qui retient montre ou monocle met un éclat discret dans tout ce noir. Chaussures (à élastiques, je pense!) d'une seule pièce de cuir, bridant un peu le pied, et qui m'ont déplu, peut-être parce que j'en avais vu de semblables à Charmoy.

Il s'exprime dans notre langue sans faute aucune, encore qu'un peu craintivement, semble-t-il, et fait preuve d'une connaissance et compréhension surprenantes de nos auteurs, poètes en particulier; tout ceci sans fatuité mais avec une conscience évidente de son évidente supériorité.

Durch Ernst Morwitz, den Olivier jenes Pariser Frühstücks, kam dessen Freund Hans Brasch (T 108 I) zu dem Dichter, im Herbst 1911, und er blieb zehn Jahre lang mit ihm in Verbindung. Erinnerungen an jene Jahre hat Hans Brasch 1935 in Alexandria aufgezeichnet; sie enthalten so Wichtiges über Stefan George, dass ich, von der Ermächtigung des

Verfassers Gebrauch machend, hier einige Seiten abdrucke:

»... Er erinnerte am ehesten an einen wuchtigen und doch ganz durchgeformten Landmann mit breiten Schultern und starker Brust, über der der grosse von den langen grauen und schlichten Haaren noch vergrösserte Kopf sass, ähnlich wie bei den vierschrötigen Franzosentypen, die wir von vielen grossen Staatsmännern und Künstlern kennen. Seine Art, das Haupt immer etwas in den Nacken gelegt zu tragen, verstärkte das Wuchtige dieser Erscheinung. Er sprach mit mir frei und lebhaft in der leise rheinhessisch gefärbten Mundart, die weit von jedem Lokalkolorit entfernt etwas unendlich Reiches und Urbanes hatte. Die Unterhaltung dauerte kaum eine Stunde, während der er mich unablässig prüfend ansah, als ob er das Innerste meiner Seele erforschen wollte. ...

Schon bei diesem ersten Zusammensein ergriff mich die ganz einfache warme und schlichte Luft, die ihn umgab und die er verbreitete. Nichts von all den lächerlichen Gerüchten hatte Bestand, die um sein angeblich mystisch-kulthaftes Gehaben kreisten, von dieser weihrauchschweren Meister-Jünger-Stimmung, über die so viel Dummes und Gekünsteltes gefaselt wurde. Und auch später habe ich ihn nie anders als in ganz klar-nüchterner, fast harter Umgebung und Stimmung gesehen, die bei aller menschlichen Reiche und Schöne etwas von der heiligen Nüchternheit Hölderlins und Pindars hatte. Alles Schwüle und Weichliche war aus seinem Umkreis verbannt. Das Weiche äusserte sich in der regsamen Zartheit beschwingter Frühlingsstimmung, aber war immer verschwistert der wachen und herben geistigen Helle, wie wir sie oft an Frühlingstagen erleben.

Sein Antlitz war bei aller männlichen Kraft von uralt-zeitloser Weisheit. Um die tiefliegenden Augen unter der gewaltigen Wölbung der Brauenknochen lagen fast stets schwere schwarze Schatten, wie bei einem Dante, der gerade der Hölle entstiegen war. Die Ähnlichkeit mit der bekannten Dante-Büste war überhaupt frappant, nur war das bei Dante schlank-Romanische in ein breit und derb-Deutsches umgeformt, die schmale Strenge des Christlichen in ein, wiewohl durch das Christliche durchgegangenes, aber schon wieder athletisch-heidnisches, ein zeushaftes Antlitz. Nie wieder sah ich je solche Wangen- und Brauenknochen, solch herrschendes Kinn und eine so starke breit ansetzende und doch nicht grobe Nase, aus der der Atem eines Weltschöpfers hervorgehen zu können schien. Die Farbe des Gesichts war ein edler gelblich-brauner Steinton, ähnlich dem giallo antico der Marmorarbeiten von Pisa, aber nicht von der durchscheinenden Morbidität gewisser Gemmen, sondern von der bäuerlichen Erdkraft des Sandsteins. Olympische Festigkeit lag über dem Ganzen. Und da sie nie etwas Po-

146

senhaftes annahm und eine Welt sie von jeder Art von Gemütlichkeit trennte, ging mit ihr eine Einfachheit gepaart, die in froher Schlicht-heit oft scherzend sprach, wie Sokrates auf den Strassen Athens oder am Ilissos mit seinen Freunden geredet haben mag. . . .

Niemand aus meinem täglichen Leben wusste von unserm Nahesein. Ohne dass je ein Wort darüber gefallen war, verstand es sich von selbst, dass die Scheu, von ihm zu sprechen, einen Ring von Behütung und Weihe um ihn legte. . . . Er war viel auf Reisen, lebte in Heidelberg, München, Schweiz und Italien abwechselnd, und nur die wichtigsten inneren Nöte hätte man ihm zu schreiben gewagt. Briefe gingen dann durch Dritte, etwa Gundolf oder Wolfskehl, die stets seinen Aufenthalt wussten. . . .

Was wir im Einzelnen mit einander sprachen, ist mir gänzlich entrückt. Denn es waren Stunden der Ehrfurcht und Liebe, denen thematische Unterhaltungen über Lehrbares völlig fernlagen. Die Kraft, die von diesen Stunden ausging, war es, die in einem das Gefühl erweckte, gross und wert zu sein. Die Erkenntnisse, die sich daran knüpften, ent-sprangen dieser Kraft und nicht ausgesprochenen Erfahrungen und Er-gebnissen, — wie jemand in der Kirche nach dem Gebet neugewandelt ist, ohne dass sich Sichtbares oder Sagbares mit ihm begeben hätte.

Oft sass ich auf einem harten Stuhl oder einem Divan, und George ging lebhaft sprechend durchs Zimmer, oder wir sassen neben einander, und durch die sanfte körperliche Lenkung, die von einer ergriffenen Hand oder umfassten Schulter ausging, erhöhte er die völlige Aufgeschlossen-heit und den Willen der Seele, ihm zu folgen. Der »gottgegebene Glanz« Pindars lag über allem, was er mit seiner liebenden Nähe erfüllte, und »leuchtend Licht war bei den Männern und liebliches Leben«. Wie Lie-benden alles, was ihnen begegnet, von einer gewissen strahlenden Be-deutung getragen scheint, die auch das Geringfügige erhöht und adelt, so geschah es hier. Die »unendlich reiche Schöne«, der sich nur die ech-ten Göttersöhne erfreuen dürfen, schien uns aufgeschlossen, wenn wir bei ihm sassen. Erst später ging mir die Ähnlichkeit dieser Stunden mit der schwingenden Luft der Gespräche Platons auf, in denen oft kleine Abschweifungen den gewaltigen Kern von Inbrunst und Liebe verraten. Wie Sokrates auf einmal das Haar eines Freundes streichelt oder von Wein und Mahl spricht oder die schattige Kühle eines Platzes am Bach preist, das war genau wie wenn George den griechischen Tabak lobte, bevor er mit grosser Kunstfertigkeit eine Zigarette drehte, oder von einer Landschaft sprach oder vom Schwimmen in südlicher Bucht. Wir müssen oft von solchen einfachen Dingen gesprochen haben, denn die olympische Leuchtkraft dieser leichteren Gespräche klingt mir noch heute deutlich nach.

Es waren kaum je Themen oder längere Dialoge, die zwischen ihm und den Jüngeren liefen. Wie es Viénot in seinen »Incertitudes Allemandes« in einer kleinen Fussnote unübertrefflich ausgedrückt hat, war es nichts weiter als eine »gewisse Einstellung zum Leben«, die George einem gab. Der Mittelpunkt, die unverbrüchliche Liebe zu einem adligen geistigen Menschen, nämlich zu seiner Erscheinung, war da, und von da aus wurden alle Dinge angestrahlt, die in Weihe und Alltag vor uns erschienen. Welchem Gebiet sich die Gespräche aber auch zuwandten, um zu erkennen und an ihnen zu reifen, — immer schwebte über ihnen der Leitspruch Hölderlins-Pindars, den er oft wiederholte: Weise ist, wer von Natur aus weiss. . . .

Viele der Sprüche des Sterns des Bundes, der von mir ungewusst in jenen Jahren entstand, erlebte ich an seiner Seite, und mit Schauer hörte ich im folgenden Jahr zu, wie er einige dieser Sprüche mir vorlas und ich fast die Begebenheit der Stunde und des Abends wieder erkannte. Ein Hauptproblem, das mich damals quälte, war der Gegensatz und die zu gewinnende Harmonie von Körper und Geist, ein Rätsel, dessen Lösung durch Rede nicht gefunden werden, sondern nur durch eigenes Leben erfahren werden konnte. Versunkene Abende an seiner Seite lösten allmählich den quälenden Bann, den dies Rätsel mir auferlegt hatte, und die Lösung war fast wörtlich die, wie sie in jenem Gedicht des dritten Buches vom Stern des Bundes steht. . . .

Das griechische Vorbild zu leben, beherrschte alle Gespräche über die Bindungen und Beziehungen von Mensch zu Mensch. Immer wieder tauchte es als Beispiel in seinen Worten auf. Aber nie in einem humanistischen lehrhaften Sinne, sondern in der einfachen gelassenen Würde der frühen Bronzebilder und in dem Fehlen jeglichen äusseren Zwanges. Demzufolge neigte er bei solchen Beispielen auch mehr zum Attischen als zum Spartanischen, wiewohl er die reine Form des Dorischen als die höhere verehrte und bezeichnete. Aber das unmittelbar Dorische Spartas war seinem urbanen Geist zu amusisch, zu karg-soldatisch. Es bedurfte für ihn der attischen, also halbjonischen Veredlung und Durchdringung, um das Dorische für uns nahrhaft zu machen.

So gab es, dem griechischen Freien entsprechend, auch keine irgendwelche Satzung, mit der er das Leben eingeengt hätte. Er, der Strenge und Formende, war frei von jeder dogmatischen Starre. Ich habe später oft gestaunt, welche lächerlichen Fabeln über verschnörkelte und ordenshafte Formeln über ihn und seinen »Kreis« im Umlauf waren. Dieser »Kreis« existierte nur in der Phantasie der Literaten, in Wirklichkeit waren es einige einzelne Menschen, die zwanglos und nach seinem freien Ermessen mit ihm lebten. Es mag sein, dass er einige überstiegene Formeln, mit denen ekstatische Poeten ihm sich

näherten, in früheren Jahren noch eher hinnahm, um desto unge-
störter hinter dieser Kruste leben zu können, — ernst genommen oder
gar gefördert hat er, seit ich ihn kannte, dies Gehaben nie. Wie denn
überhaupt in diesen Jahren um 1910 deutlich zu erkennen ist, wie
seine engste freundschaftliche Anteilnahme von dem Zünftig-Gesicher-
ten aus Literatur und Geisteswelt hinüberwechselte zu jüngeren Menschen, die nichts mit Literatur zu tun hatten, sondern schon einer
Generation angehörten, welche ohne das Schmuck- und Hilfswerk gei-
steswissenschaftlicher Disziplinen in das von ihm geahnte Gesicht hin-
einwuchs. In der Wahl seiner neuen Freunde zeigt sich zugleich der
Wandel des Dichters des Algabal zu dem Sänger seiner letzten schlichten Lieder. . . .

Wie jemand »aussah«, war eine wichtige Feststellung, womit nicht einfach Schönheit, Reinheit oder nicht einmal Harmonie gemeint war,
sondern jener unausdrückbare Glanz, den Geist und Schicksal auf
dem Antlitz eines Menschen ausprägen, und der oft auch dann von
Wert und Würde zeugt, wenn eine geheime Verfemung den Weg zur
vollen Erlösung versperrt hat. Von den werten Menschen hiess es dann
auch ganz einfach und unrational: er sieht gut aus, oder er hat das
»Eigentliche«, und in diesem Wort »das Eigentliche« lag alles, was
zugehörig und liebenswert machte, ob es von einem Gesicht oder einem
Gedicht gesagt wurde. Der Schauer der Ergriffenheit war so das einzige Kennzeichen der Wahl. Und wie von den Völkern anerkannte er
auch von den Menschen keine Einreihung in feste Wertmaasstäbe. Die
einzige Abgrenzung, die er bei den Kulturkreisen zog, war die Mittel-
meerscheide. Was von der Antike her angestrahlt war, also ganz
Europa bis zur Weichsel, umschloss er mit dem Wort »die weisse Art«
als einen gemeinsamen Mutterboden. Die islamischen, indischen und
fernöstlichen Kreise ehrte er als gleichwertige fremde Welten, deren
unmittelbare Wichtigkeit für uns nicht gross ist, da »das Eigentliche«
in so fremder Art nicht mehr für uns erkennbar und deutbar ist. Auch
das Osteuropäische, Slawisch-Mongolische bannte er ausserhalb seines
Kreises, ebenso wie das rein Nordische, dem er in Düsterkeit und Verworrenheit eine grosse innere Verwandtschaft mit dem Slawischen
zusprach. . . .«

Hans Brasch hat seine Eindrücke in den Jahren 1911—13 gesammelt;
1914 war er mit dem Dichter noch in München zusammen und in Italien; dann aber kam der erste Weltkrieg, und Brasch sah ihn nur noch
ein oder zwei Mal auf Urlaub, wenn George zufällig in Berlin war:
». . . Er sah, je länger der Krieg währte, umso trüber in die Zukunft
des geistigen Seins: ‚was ich jezt am meisten fürchte ist dass man von
keiner seite sehen wird wann aufgehört werden m u s s . . .‘, schrieb er

mir schon im zweiten Kriegsjahr ins Feld. Keine Phrase patriotischer Einseitigkeit kam je über seine Lippen. Er wünschte die Erhaltung seines geistigen Bundes, in dem sich für uns alle das echte Deutsche zu kristallisieren begann. Aber er sah deutlicher als wir jungen, dass das nicht notwendig identisch war mit dem Sieg der deutschen Waffen. Schonungslos war sein Urteil über Preussen immer gewesen, es wurde durch die Tatsache des tobenden Krieges nicht milder. Im Gegenteil, mit Besorgnis sprach er bei einem unserer Treffen von der Gefahr für den Geist, wenn unsere deutsche Seite gar zu leicht oder gar zu vollkommen siegen würde. Das Heldentum erblickte er nicht in der uns allen selbstverständlichen Pflichterfüllung und Todesbereitschaft, sondern in dem Willen, ungebrochen auszuharren, ohne zu veröden. Dass erst mit dem Kriegsende die eigentlichen Aufgaben anheben würden, war seine ständige Mahnung angesichts des immer sinnloseren Menschenschlachtens, in dem die Besten fielen und die Frechen übrig zu bleiben drohten.

Die fürchterliche Ernüchterung des verstummten Schlachtengebrülls lag über uns, als wir uns in Berlin nach dem Krieg wieder sahen. Abermals war es in einem kargen fast unwirtlichen Raum, einem Zimmer seines Verlegers Bondi im Grunewald, in dem sich nun unsere Zusammenkünfte abspielten. Die vier Jahre hatten etwas zwischen uns gelegt, was nicht mehr besiegt werden konnte, die geweihte Nähe Münchens und Italiens kehrte nie mehr wieder. Er war nah, menschlich und einfach wie je, aber seine Hoheit hatte eine Härte bekommen, die früher nicht da war. Sein Antlitz war gelber geworden, sein ungelichtetes Haar fast weiss. Wie ein richtender Greis erschien er mir nun. Und doch hat er in diesen herben Zeiten die schönsten innigsten seiner späten deutschen Lieder und Gesänge geschaffen.

Mehr als früher trat nun das deutsche Geschick, Niederbruch und Aufstand unseres Volkes in den Mittelpunkt seines Trachtens und unserer Gespräche. Die Niederlage wurde nicht als Schande sondern als verdiente Busse betrachtet, in die das hohle Gehaben des zweiten Kaiserreiches münden musste. Ja, mit düsterem Stolz nahm er unsere neue gedemütigte Stellung innerhalb Europas auf, mit der Verachtung derer, die wissen, dass aus den Parias von heute die Lichtsöhne der Zukunft erwachsen werden, nun da der äussere fieberhafte Glanz verloren war. Erst jetzt schien ihm wirklich die Bahn frei für den neuen armen und nackten deutschen Menschen. So wenig Zuneigung ihn auch mit den neuen Machthabern verband, so standen sie ihm als Zerbrecher der ihm verhassten alten Schichtenordnung doch näher als die Generäle und Feudalen, die gegen die Republik putschten; auch versagte er vielen der neuen Volksführer nicht die menschliche Achtung, da sie

einfach und prunklos waren und mutvoll in die Bresche gesprungen
waren, als alles wankte.

In jenen ersten Jahren der Republik sah er zum ersten Male seit Jahrhunderten die Möglichkeit einer deutschen schlichten und stummen
Freiheit, in der wieder Mensch zu Mensch stehen und sprechen konnte
ohne die Fessel preussischen Knechtstums. Freilich war ihm das keine
politische Möglichkeit, immer warnte er vor Hoffnungen staatlicher
Art. Aber die Befreiung menschlicher Grösse, die sich eben jetzt durch
Leidenskraft, Ausharren und Schicksalstrotz erweisen konnte, wo sie
nicht mehr befohlen wurde, sondern von jedem selbst aufgebracht werden musste, war ihm wichtig. Es war, als hätte er gerade durch den
verlorenen Krieg Deutschland, blutend aber lebensbereit, als sein inneres Reich gewonnen. Für das äussere Geschehen mag er düster gesehen
haben, aber in welche Schreckensfernen sein Blick dabei drang, hat
er nie verraten. Nur aus seinen Dichtungen liess es sich ahnen, wie
aus der von uns schaudernd verstandenen Überschrift: ‚An einen
Führer im ersten Weltkrieg‘.

1921 verliess ich Berlin und habe George später nie mehr wieder
gesehen.«

Es wäre wohl bei jedem allmählich zur Ablösung gekommen. Der Dichter wandte sich den Jüngsten zu, und die vorher waren, mussten übertreten in die zweite Riege. Für sie war das nicht immer leicht, zumal
wenn er die früheren Briefe zurückholte. Bei wievielen er das getan
hat, weiss ich nicht; aber von etlichen ist es mir bekannt. Es hatte
jeder seine Zeit, und jeder kannte nur den Ausschnitt aus des Dichters
Leben, an dem er Teil hatte. Verwey sagt: Hij heeft zich terug getrok-
ken, nu van deze, dan van gene vriend. Man kann es so sagen; aber
war er wirklich en Geest van de Eenzaamheid? Je älter er wurde, desto
weniger hatte er den Wunsch, sich mitzuteilen, ganz schon gar nicht.
Gern hatte er seine Nächsten um sich, einzeln oder ein paar, und zu
ihnen sprach er über bestimmte Dinge von Leben und Dichtung. Dass
es so kam, war ein natürlicher Verlauf.

Diese Nächsten nahmen an seinem Taglauf teil, in den mittleren Jahren und nachher mehr als in den frühen. Damals mag seine Einteilung
anders gewesen sein. Aber seit ich zu Zeiten mit ihm sein durfte, war
sein Taglauf höchst regelmässig. Er stand nicht besonders früh auf,
drehte sich nach dem Frühstück eine Zigarette oder zwei — das tat er,
in späten Jahren, auch in der Nacht, so um zwei Uhr, wenn er wach
lag — ging auf und ab, oft vor sich hinredend, Vers und Prosa, oder las.
Das Essen sollte gut aber nicht üppig sein, und nach Tisch pflegte er
ein bis zwei Stunden im Bett zu schlafen. Zum Tee sah er dann gern

einzelne Besucher, mit denen er oft im Gespräch bis kurz vor dem Abendessen blieb. Eigentliche Zusammenkünfte fanden nach dem Nachtessen statt. In späteren Jahren ging er früh schlafen: »nach zehn Uhr wird doch nur mehr gebabbelt«. Als Wolters einmal, in grösserem Kreise, ihn verleiten wollte, noch zu bleiben und mit zu trinken, ging George doch zur Tür und rief auf Wolters' Frage, was ihn so treibe, zurück: »Etwas, das Sie immer im Munde führen: Zucht».

Erstaunlich genügsam, verlangte er doch das Wenige in vorzüglicher Beschaffenheit: Essen und Wein, Tee und Tabak. Selbst pünktlich und zuverlässig, erwartete er dasselbe von Anderen, war Einer ungenau und nachlässig, so bekam ers gesagt. Aber wie in jedem Leben, so war auch er nachsichtiger, je älter er wurde. In den letzten Jahren sagte er einmal: »Du wunderst Dich vielleicht, dass ich nichts tue, aber ich habe ja früher Manches getan«.

Dass er Bücher einbinden und Wein behandeln und abfüllen konnte, ist bekannt, aber er verstand auch etwas vom Kochen und war überhaupt praktisch: nach Landkarten und dem Kursbuch — von Gundolf in Abwandlung des »Jahrbuchs für die geistige Bewegung« »Fahrbuch für die körperliche Bewegung« genannt — griff er alle Zeit. Briefmarken kannte er so gut, dass er meinte, notfalls als Sachverständiger sich damit durchbringen zu können, und Ernst Morwitz hat er erzählt, die zweite englische Reise habe er durch den Verkauf einiger Briefmarken aus seiner Sammlung möglich gemacht. Ein einziges Mal in seinem Leben, in jungen Jahren, wohl auf Wunsch des Vaters, nahm er eine Anstellung an, arbeitete an Hochschul-Nachrichten mit, aber nicht lange.

Zu den Freunden hatte sich schon lange Ludwig Thormaehlen gesellt, der, in Magdeburg verwurzelt und mit den Magdeburger Freunden verbunden, selbst Kunsthistoriker und Künstler, mit Wilhelm Stein und Ernst Morwitz, aber auch mit den Jüngeren, in den Werken der Alten und der neuen Kunst nach Bildern schönen Lebens suchte. Tafel 133 r zeigt Wilhelm Stein, dessen Ruhm ist, sein Leben als Freund der Künstler und als Mentor zu verbringen; die Tafeln 110 und 111 zeigen Thormaehlen, »die Lippe unverwahrt«, der seine Bedeutung vor allem durch eigene Bildhauer-Arbeit bekam. Die Abbildung einer Büste, die er von George gemacht hat, ist in der Gesamt-Ausgabe dem Stern des Bundes vorangestellt.

Aber auch als Autor und durch lebendige Einwirkung auf Freunde war Thormaehlen bewegt und bewegend. Wenn er dabei gelegentlich die gegebenen Grenzen überschritt, so konnte der Dichter freundlich sagen: »Das ist des Ludwig Bedürfnis nach Dramatik.« Das Profilbild der Tafel 110 enthüllt die Elemente seines wahrhaft unbürgerlichen Wesens.

Von Ludwig Thormaehlen gibt es eine Niederschrift »Begegnung mit Stefan George«. Er traf den Dichter im Februar 1909 in Lichterfelde, wo damals die Brüder Andreae mit Wolters in einer kleinen Villa wohnten, Vallentin, der vor seiner Heirat auch dort gewohnt hatte, und Hildebrandt regelmässig hinkamen. Der junge Thormaehlen hat mit seinem Künstler-Auge den Dichter dort zum ersten Mal gesehen und seinen Eindruck so wiedergegeben:

»Stefan George stand an die Wand gelehnt im Gespräch mit Dr. Vallentin. Eine mittelgrosse Figur, eckig, derb und darüber ein mächtiges Haupt.

Er war schwarz gekleidet, so dass er sich kaum von dem dunklen Grunde abhob, mit einem schwarzen Rock, der bis zum Halse schliesst; doch trägt er ihn offen, mit einer dunklen, gewirkten Weste mit hellerem, grossformigem Muster, dunkelblauem, seidenem Kragentuch, durch eine Goldnadel zusammengehalten.

Dann aber der Kopf, den man nie vergisst: diese scharfen, wie aus verwittertem Marmor gemeisselten Züge. Der ganze Mensch scheint nur der Kopf zu sein: er nur alles Leben und die Hände. Seine Bewegungen sind kurz, scharf, stark und eckig. Aber der Kopf! Zwischen ihm und den übrigen Gliedern scheint gar kein Zusammenhang. Er geht etwas vornüber gebeugt mit gebogenem Rücken, doch den Kopf hintübergeworfen, die Stirn in die Höhe gerichtet. Das Haupt scheint unmittelbar auf dem Körper aufzusitzen. Das Kinn scharf, kantig, vorspringend, von einer unglaublichen Willensstärke, starkgewölbte Jochbögen, markierte Wangenknochen, die den Kopf trotz der eingefallenen Wangen, des zusammengepressten Mundes und der starren, tiefliegenden Augen doch breit und voll erscheinen lassen. Das auffallendste an dem Haupt ist die Stirne, nicht weil sie hoch oder stark gewölbt wäre, sondern wegen des starken, scharf vorspringenden Wulstes über den Augen, der diese ganz beschattet. Von da ab steigt die Stirn in breiter, schräger Fläche nach rückwärts empor. Diese Linie wird fortgesetzt durch das starke zurück über den Hinterkopf gekämmte Haar, das ehemals dunkel, jetzt schon graumeliert ist. Er mag hoch in den Dreissigern sein. Harte, herbe Züge sind es, die das Gesicht vorzeitig durchfurcht haben: wie von schwerem Kampf und unendlichem, überstandenem Kummer, unsäglichen Mühen. Nicht weichlich, müde oder zerlebt, nicht gebrochen erscheinen die Züge, sondern hart fest und starr geworden durch Kampf und Arbeit in zäher Ausdauer und festem Willen zu immer neuen Mühen, voll Vertrauen auf seine Härte. Doch die Augen sind das Ausdrucksvollste in diesem Kopf. Man kann ihrer fast nie habhaft werden. Scharf blitzend und beobachtend sind sie, und so als ob sie sich manchmal ganz in sich zurückzögen, als verschwänden sie im Haupte, in dem Dunkel unter den starken Bögen der Stirn. Der Kopf hat dann etwas Totes, oder ein andermal etwas Erstarrtes, Grausiges, von einem unsäglichen Schmerz, der erstarren macht wie ein Medusenhaupt. Und doch sind die Augen das Einzige, was eine unendliche Weichheit und Milde annehmen kann. Spöttisch sind sie oft, immer hell und sehend, doch haben sie wohl selten gelacht. Man täuscht sich fortwährend über sein Alter. Er kann jung, elastisch und frisch sein wie ein Jüngling und auch uralt aussehen, manchmal auch wie eine Frau. Die Haut ist wie altes, weisses, verstaubtes Pergament, oft wie uralte, graugrüne Patina, der Kopf wie aus Holz von grauer Eiche geschnitzt oder aus Granit gehauen. In seiner Haltung erinnerte er mich an die Balzac-Statue Rodins, ohne deren Pathos. Denn George ist ganz einfach, ganz schlicht in seinem Wesen, fast wie ein Kind, ein seltsamer Gegensatz zu der Umgebung, in der ich ihn sah. Und dies meine grösste Überraschung. Der Kopf erinnerte mich auch an den Orgelspieler im ‚Konzert‘ Giorgiones. Nur zeigt er nicht dessen weiche Proportionierung. Etwas Wildes und Urtümliches liegt in ihm.

Dr. Vallentin nannte meinen Namen. Ich sah den Kopf aus dem Dunkel auf mich gerichtet mit unbeweglicher Miene. Dann tat er einige kurze Schritte auf mich zu, reichte mir die Hand hin und hiess mich willkommen.«

Einer, der immer in der zweiten Riege stand und das hinnahm, war Ernst Gundolf. »Eine ausserordentlich leidvolle Existenz« sagte von ihm der Dichter. Und Willem de Haan soll geäussert haben, Ernst Gundolf komme ihm vor wie Einer von den Gerechten, um derentwillen Lot Sodom geschont wissen wollte. Sein Betragen war schlicht und ohne den freien Stolz, mit dem manche Anderen sich gaben. Lieber mochte er als Gast in sein eben-erdiges Zimmer durchs Fenster einklettern als durch Läuten die Gastgeber stören. Er war von unbestechlicher Lauterkeit und zeichnete still seine melancholischen Landschaften. Wenn er so da sass, sah er manchmal aus wie die Pythia. In den Hintergrund gedrängt durch den blühenden Bruder, war er doch immer da, wenn er gebraucht wurde, und häufig legten Freunde, was sie dachten oder schrieben, ihm zur Beurteilung vor. Im Mai 1945 ist er in London im Exil gestorben.

Ernst Gundolf lebte im elterlichen Haus am Grünen Weg in Darmstadt und war damit so verwachsen, dass die Vernichtung dieses Hauses im zweiten Weltkrieg den Verbannten tiefer traf, als man denken sollte. Zu Zeiten hielt er dort im Hof eine Schildkröte, und es schien, er habe eine besondere Verbindung zu dem Tier. Er war auch oft unterwegs; wenn George ihn rief, kam er nach Bingen, Heidelberg oder München, auch nach Berlin oder er reiste mit ihm in die Schweiz.

Liebevoll hat er jedes Blatt, auf dem von Georges Hand ein Wort geschrieben stand, aufbewahrt, auch leere Briefumschläge. Den XXIX. Gesang des Fegefeuers hat George in seiner Übertragung für ihn abgeschrieben und das Manuscript mit roter Schnur geheftet. Auch hinterliess Ernst Gundolf eine Abschrift der ersten drei Strophen des Zwiegespräches zwischen Saki und Hatem aus dem West-östlichen Diwan, nach der Aufbewahrung zu schliessen von Georges Hand aus früher Jugend; es ist bezeichnend, dass die vierte Strophe fehlt und das Abgeschriebene also endet:

> Sag mir nur warum die jugend,
> Noch von keinem fehler frei,
> So ermangelnd jeder tugend
> Klüger als das alter sei.

Von den vorhandenen Aufnahmen scheint mir die Darmstädter (T 101 l) von 1907 recht gut. Der Fünfundzwanzig-jährige steht an einem Tisch und betrachtet Zeichnungen. Sein rechtes Profil und die geäderten Hände sind belichtet. Auf die Stirne fällt ein Haarschopf; das nach unten blickende Auge ist fast ganz vom Lide bedeckt. Auch die Rückenlinie der etwas vorgebeugten Haltung ist für Ernst Gundolf bezeichnend. Im Hintergrund seines Zimmers Bildnisse von Stefan George und Melchior Lechter.

Das Bild aus Isenfluh (T 91) zeigt an der Ecke eines Chalets von rechts nach links Friedrich Gundolf, Ernst Morwitz, dahinter stehend Berthold Vallentin in der Baskenmütze und Ernst Gundolf, vornüber gebeugt, auch in der Mütze, schliesslich den Verfasser dieses Buches.

Am besten aber hält die Aufnahme (T 107 r), die Walter Kempner 1933 in Dahlem von seinem Freunde gemacht hat, den Eigenbrödler fest. Alle Photographien zeigen das Versonnene, ja Versponnene des schweigsamen Menschen, der in der Diskussion doch leidenschaftlich und zäh sein konnte. Er blieb George verbunden, auch als dieser den Bruder nicht mehr sah, bis zum Tode.

Durch die Brüder Gundolf (T 123 l o) ist auch ihr Vetter Hans Oettinger (T 107 l), aus Basel, zu George gekommen, ein guter und strenger Mensch, kritisch gegen sich und andere, und dennoch von einem Sehnen

> ... grenzenlos wie die Weite der Nacht ...

»Dennoch« heisst das kleine blaue Buch, das befreundete Menschen auswählten aus seinen Versen und drucken liessen. Darin stehen nachdenkliche und schwermütige Gedichte, alle kurz und gescheit, und eines hat wohl dem Buch den Namen gegeben:

Dennoch

Und bin ich nichts,
So will ich doch an Grosses denken.
Gewinn ich nichts,
So werd ich eben Krumen schenken.
Und hasse ich,
So schlägt das Herz, um doch zu lieben.
Erblasse ich,
So ist ein Mensch im Kampf geblieben.

In Heidelberg und in Basel war Hans Oettinger mit George und mit Gundolf zusammen, dort am Schlossberg, in der Pension Neuer, von der Salin anschaulich berichtet hat. In Basel wohnte George einmal oben im Haus von Oettingers Eltern, dessen vergessener Ausgang bei der Martinskirche ihn unbemerkt liess. —

Auch in der zweiten Riege stand Walter Wenghöfer (T 101 r), ein Dichter und ein schwer lebender Mensch. Dante hätte ihn jenen zugeteilt, die sagen

Tristi fummo
Nell'aer dolce che dal sol s'allegra
Wir waren trübe
In süsser Luft die sich durchsonnt erheitert.

Nein, er hätte ihn zu Petrus de Vinea gesellen müssen; denn Wenghöfer suchte den Tod bei Magdeburg im Strom. Eine Zeit lang scheint George gehofft zu haben, er könne ihn aus seiner Betrübnis lösen: In seine Auswahl der Goethe-Gedichte hat George ihm hineingeschrieben:

Für Walter Wenghöfer
sein freund
Stefan George

Und ein Spruch an WW datiert Jena 1906 — im Siebenten Ring unter der Überschrift EINEM DICHTER — schliesst mit den Worten:

... doch des vollen segens
Erfreun sich erst vom starken strahl entfaltete.

Aber mehr als vom starken Strahl fühlte Wenghöfer sich angezogen von dem Weg, der hinausführt:

> Wir wollen leichten fusses dieser zeit
> Entgehn mit ihren städten die zerfallen
> Lasst uns den pfad gestrenger einsamkeit
> Der mahnend sich zur höhe wendet wallen.

Nach Wenghöfers Tod hat George dem Freunde im Neuen Reich ein Denkmal gesetzt, in dem dessen Trauer und seine Liebe zum »Scherzenden Jahrhundert« festgehalten sind, aber auch das Draussenstehen, das wir fühlten, wenn er mit uns war, und das Ende.

Es gibt ausser den Gedichten, die in den Blättern erschienen sind, von Walter Wenghöfer ein besonderes Dokument: seine Briefe an Hanna Wolfskehl.

In diesen Briefen hat der verschlossene Mensch, der in Sprache und Geberde, Haltung und Kleidung darauf bedacht war, nicht aufzufallen, von seiner schwermütigen Anlage mehr enthüllt, als in seinen Gedichten, und dabei leuchtet seine eingeborene dichterische Kraft oft plötzlich auf.

Zu Beginn des Jahres 1908 ist er in München gewesen, und dort hat ihn im Hause Wolfskehl ein Freundliches berührt. Hanna Wolfskehl hat über ihre Abschrift dieser Briefe als Motto gesetzt, was Heinrich Wölfflin einmal zu ihr sagte: »Interessant ist nur, was wahr ist«. Sie hat diese Abschrift an Kitti Verwey gesandt und an Edgar Salin weiterleiten lassen, damit er die Briefe veröffentliche. Aber da ich nicht weiss, ob es dazu kommen wird, will ich zum Gedächtnis von Walter Wenghöfer einige im Anhang dieses Buches abdrucken, wobei es nur schwierig ist, aus dem vielen Ergreifenden weniges auszuwählen.

Wolters hat darauf hingewiesen, dass Wenghöfer ganz poeta war und ganz unbürgerlich in seiner Lebensweise, und dass ein sonst sehr anderer Mensch ihm darin glich: Lothar Treuge. Geboren 1879 in Danzig, kam Treuge als Student nach Berlin, und dort ist er geblieben bis zu seinem Tode. Ich erinnere mich an einen Abend in Westend, wo ich Treuge bei George kennen lernte; er sagte ein Gedicht her, das er kurz zuvor gemacht hatte. Dabei hatte er etwas Dichterisches und Losgelöstes, was wohl auch im Bilde (T 61 r) wahrnehmbar ist. Nach dem ersten Weltkrieg hat dieser Bohémien sich in fremde Bezirke verirrt.

In der Tafel an Lothar hat George ihm für seine Gedichte auf Maximin mit diesen glorreichen Versen gedankt:

> Dich werd ich ob der tränen nie vergessen
> Die denen du geweint die ich geliebt.

Noch einen Anderen vergleicht Wolters dem dichterischen Wenghöfer, einen, den er »David-Dichter« nennt und dem er vor Wenghöfer den Preis zuerkennen muss. Von diesem steht im »Geheimen Deutschland«:

...der · mein eigenstes blut .
Den besten gesang n a c h dem besten sang...

In dieser Danteschen Art des Sagens spricht George von seinem Vetter Saladin Schmitt (T 100 l), der als Intendant des Theaters in Bochum und als Präsident der Deutschen Shakespeare-Gesellschaft bekannt geworden ist. Unbekannt ist er als Dichter; seine Gedichte — aus der Primaner-Zeit, nach seinem eigenen Zeugnis — sind ohne Namensnennung in den Blättern für die Kunst erschienen. Verse von seltener Reinheit, grosser Sorgfalt und Bildkraft, gehören sie zum Besten nicht nur der Blätter, sondern deutscher Dichtung unserer Zeit.

Ein Beispiel aus der zehnten Folge mag dies überzeugend dartun und zugleich den Wunsch rechtfertigen, es möchten die Gedichte dieses unbekannten Dichters zu einem schmalen Band vereinigt werden:

DEN ENTSCHWUNDENEN

Die so gegangen sind was ward aus ihnen?
Die einmal schwiegen und dann seltner schrieben
Und obenhin versöhnt dann einmal schienen
Und doch am ende wieder schweigend blieben.

Seis ihren rennern ihren rüden nach
Die so gegangen sind was ward aus ihnen?
Aus deren aug auf einmal fremdes sprach
Die eines tages trugen andere mienen

Die unerwartet taumelten wie bienen
Wahllos von einem zu dem anderen mund
Die so gegangen sind was ward aus ihnen?
In deren frühem blick solch los nicht stund.

Die so verlegen von dem weg sich stahlen
Als störten wir sie ihrem brauch zu dienen
Und uns doch kannten von so vielen malen —
Die so gegangen sind was ward aus ihnen?

Die absonderliche Schrift der Jugendgedichte, ganz lang gezogen nach oben und unten, steil und regelmässig, mit violetter Tinte, lässt auf einen merkwürdigen Menschen schliessen. Trotz der Verwandtschaft wahrte der Vetter eine grosse Distanz. So redet er George: »Verehrter und gütiger Meister« an, und mit den Worten: »In grosser Liebe zu Ihnen Ihr Saladin Schmitt« endet er den Brief.

Welchen Anteil George an ihm nahm, wird an einem Vorgange sicht-

158

bar, der auch die zarte Rücksicht im Umgang von Freunden beleuchtet: In einem schönen Brief aus München vom 6. April 1910 schreibt Ernst Bertram an George, Saladin Schmitt durchlaufe trübe Wochen und bedürfe einer Aufmunterung, vielleicht durch Anfordern eines Beitrages für die Blätter; doch dürfe er nicht wissen, dass Bertram darum gebeten habe. Ein Brief Saladin Schmitts vom 14. April beweist, dass George sofort dem Wunsch entsprochen hat. – Die Geschichte erinnert an den Brief, in dem Caroline Goethe bittet, Schelling einzuladen, und an Goethes Gewährung dieser Bitte.

Da George des Vetters Neigung, zur Bühne zu gehen missbilligte, wurde die Verbindung nach 1910 nicht fortgesetzt.

Saladin Schmitt haben wir nicht gekannt, und bei den Lese-Abenden war Treuge nie, Wenghöfer ganz selten zugegen. In München, wohin die Norddeutschen besonders gern kamen, bin ich Wenghöfer nicht begegnet. Und doch war München recht eigentlich die Stadt der Zusammenkünfte.

Dort bewohnte George bei seinen Aufenthalten vor dem ersten Weltkriege im Dachstock des Hauses an der Römerstrasse, in dem unten Wolfskehl wohnte, zwei Zimmer. Im Gang vor dem grösseren Zimmer stand ein niederes Holzgestell mit Hausschuhen, die der Besucher gegen seine Strassenschuhe eintauschte; die Strohmatte des Kugelzimmers sollte sauber bleiben. In diesem Zimmer lief an den Wänden entlang eine einfache Holzbank, auf der ein paar flache Kissen lagen, nur an der einen kürzeren Wand war die Bank breiter und das Polster für ein Nachtlager geeignet. Ein hölzernes Bord, das über den Bänken hinlief, diente zum Ablegen von Büchern. In der Mitte des Zimmers stand ein schlichter quadratischer Tisch, dessen Füsse man verkürzen konnte. Waren Freunde zu gemeinsamem Essen da, so rückten sie den Tisch vor die Bänke der einen Zimmer-Ecke und stellten eine dritte Bank an den Tisch heran. Eine kugelförmige Lampe an der Decke gab dem Zimmer, das Herbert Steiner in der »Begegnung mit Stefan George« beschrieben hat, den Namen. Dort empfing George die nahen Freunde, die aus Darmstadt, Berlin und anderen Städten zu ihm kamen: Wolfskehl, die Brüder Gundolf, Wolters und Vallentin, Morwitz, Thormaehlen, Ernst Glöckner und andere. Dort wurde gelesen und gesprochen, geschrieben, übersetzt, korrigiert und ausnahmsweise gemeinsam gegessen und getrunken. Diejenigen, die dabei gewesen sind, haben das Kugelzimmer als etwas Nicht-Gewöhnliches in Erinnerung behalten, und nach 40 Jahren noch denke ich daran als an einen Raum seltener und dichterischer Tage.

Hans Brasch, der im März 1914 zehn Tage bei George in München war, hat seinen Eindruck vom Zimmer und von den Gängen in der Stadt festgehalten:

».. . Er wohnte im Dachgeschoss des Wolfskehl'schen Hauses in Schwabing, und auf ein bestimmtes Klingelzeichen tat er mir selbst auf. Auch hier war seine Umgebung karg und eher streng-einfach als etwa üppig und mystisch. Im Arbeitszimmer zogen sich glatte schmale Sitzbänke ohne Lehne die Wände entlang, mit graublauem Stoff bespannt. Der Raum wurde das Kugelzimmer genannt, weil er von einer in der Mitte hängenden Milchglaskugel beleuchtet wurde. Diese einfache sonnenartig im Raum hängende Lampe war damals etwas ganz Fremdes; seitdem ist sie eine allgemeine Beleuchtungsform geworden. Damals erinnerte die Kugellampe an etwas wie Sonne, Kosmos, Mitte und Runde, und war wie ein Abbild seines Wesens.

Diese Märztage in München, unter erster Sonne und Vorjahrstürmen, vergingen in engem Zusammensein. Oft arbeitete er, und ich half ihm Korrekturen lesen. Oder wir sassen zusammen und besprachen, was mir im einzelnen nicht im Gedächtnis geblieben ist, Dichtung und Plastik, Deutsches und Römisches, Erziehung und Freundschaft. Oder wir gingen in raschem Schritt durch die schönen Strassen seiner geliebten Stadt, wo noch so viel von seinen tiefsten Erlebnissen und Taten nachklang: Siegestor, Englischer Garten, Marienplatz. Dort zeigte er mir das Haus, wo Ludwig Derleth, und in der Luisenstrasse das, in dem Alfred Schuler, der Römer der kosmischen Runde, wohnte, ein echtes altes vielstöckiges Münchner Mietshaus, das auf die nüchterne Strasse niedersah. Mit Schuler selbst war er damals nicht mehr befreundet: der ins Spukhafte gehende Glaube jener Kosmiker muss seiner klaren weisen Art auf die Dauer zuwider gewesen sein; die Kinder des Meeres und die frommen Sprüche des Sterns des Bundes vertrugen sich nicht mit jener urmütterlichen Düsterkeit, auch wenn ihre Tiefenkräfte ihnen Nahrung gewährt hatten. Der Schauer jener »kosmischen Zeit« war noch vielfach in seinen Worten spürbar, wenn er von Derleth oder Schuler, vom »kosmischen Haus« und der »kosmischen Wiese« sprach,— aber der Abgrund war geschlossen und wurde nicht wieder aufgetan.

George war damals etwa vierzig Jahre alt. Alles war Mann an ihm, starkes Herrschertum bei aller liebenden Milde. Wenn er mit breitem schwarzem Hut und schwarzem Umhang in seiner kräftig-gedrungenen Gestalt durch die Strassen der Grosstadt schritt, war er ein seltsamzeitloses Phänomen, am ehesten einem hohen katholischen Priester vergleichbar. Die vollkommene Natürlichkeit und Einfachheit bei den Mahlzeiten in den Bräus, wo wir meist einmal des Tages assen, war ein Wunder, und man ward nicht müde zuzusehen, wie er mit den Kellnerinnen und andern Menschen des Volkes sprach. . . .«

Ein Bild, etwa von 1910 (T 114), zeigt George im Kugelzimmer allein in der Ecke sitzend auf der breiten Bank. Mir scheint, diese Aufnahme enthülle ein so wichtiges Element seines Wesens, dass ich dabei verweilen muss. Herbert Steiner hat seiner Begegnung das Balzac-Wort vorgesetzt: »Il y a postérité de Caïn«, und kürzlich hat er mich auf die Stelle in den »Illusions perdues« aufmerksam gemacht, wo der spanische Abbé das Gerettete Venedig von Otway erwähnt: »Enfant, dit l'Espagnol en prenant Lucien par le bras, as-tu médité la Venise sauvée d'Otway? As-tu compris cette amitié profonde, d'homme à homme, qui lie Pierre à Jaffier, qui fait pour eux d'une femme une bagatelle, et qui change entre eux tous les termes sociaux? ...«

Mag sein, dass Hofmannsthal durch diese Stelle auf Otways Drama aufmerksam wurde; darauf kommt es hier nicht an. Aber auf den Hinweis Steiners; der Empörer sass so tief und fest in George, dass er noch im Neuen Reich deutlich sichtbar ist. Derselbe, der die »Teuflische Stanze« schrieb, schrieb den »Täter« und »den Gehenkten«. Goethe sagt, von allen Verbrechen könne er sich denken, dass er sie begangen habe. Etwas davon ist in den beiden Gedichten; doch geht George weiter, wenn es ihn erstaunt, dass bei Goethe, zum Unterschied von Dante, weder Begriff noch Gestalt eines Verbrechers vorkommt. Beim Betrachten dieses Bildes erinnert man sich an Verweys Bericht, George habe einen Augenblick mit grosser Heftigkeit gesprochen, um zu sagen, dass er völlig allein der ganzen Welt gegenüberstehe.

Zum Sokratischen kommt hier ein Revolutionäres von dämonischer Wildheit. Beim Betrachten der Photographie aus dem Kugelzimmer begreift man, dass George einmal sagte: »Hätte ich, zwanzigjährig, 20 000 Soldaten gehabt, so hätte ich alle Potentaten Europas verjagt«, und dass er meinte, in jedem anderen Jahrhundert als dem neunzehnten wäre er ins Gefängnis gekommen. Schwerer verständlich, beim Anblick dieses Bildes, ist seine Äusserung, er habe ganz die Versuchung überwunden, sich zur Auswirkung in einer Tat verlocken zu lassen.

Nur Eine Aufnahme noch scheint mir dieses Element zu enthalten, die der Tafel 115. Sie soll etwa von 1911 stammen. Vielleicht trägt die Undeutlichkeit der Wiedergabe dazu bei, die Dämonie dieses Profils zu verstärken. Der Kopf ist zurückgeworfen und verschwindet hinten im Dunkel. Man meint, die Photographie einer Plastik vor sich zu haben, beinah eines Marmors ex cavo. Denn dass ein solcher Kopf aus unserer Zeit stammt, ist kaum zu glauben. Ebenso grossartig wie gewalttätig sieht er aus, wie einer der das Notwendige tut, und beim Anblick dieses Gesichtes versteht man, dass der Dichter »den Brand des Tempels« schreiben konnte und die Verse:

Ich bin gesandt mit fackel und mit stahl
Dass ich euch härte · nicht dass ihr mich weichet.

In der erwähnten »Begegnung« erinnert sich Herbert Steiner auch an das Gesicht Georges; der gute Beobachter sagt:
»Wie wechselnd war sein Gesicht! Ich habe es zart und sorglich gesehen, verschlossen, undurchdringlich, völlig fremd, und — wie nie ein anderes — verwandelt, verzehrt von aufflammender Leidenschaft. . . . George begann früh zu altern. Schon in jener Zeit war das volle Haar grau gesträhnt. Die Farbe war fahl. Die Augenbogen und die Wangen traten knochig hervor, der Mund über dem scharfgezeichneten Kinn war seltsam schmallippig. Später mag er wie ein alter Bauer ausgesehen haben, damals hatte er viel von einem Priester. Sein Bild begleitete mich lange, nahm in bösen Träumen die Züge einer düsteren und mächtigen Figur Balzacs an, wurde schliesslich ferner, klarer.«

Unter den Freunden, die in München um ihn waren, zeigte Ernst Glöckner (T 109)

> . . . der mattgoldnen gelocks
> Austeilte in lächeln wohin er trat
> Die heiterste ruh — . . .

sein stilles Wesen. Sein Besonderes waren schöne Abschriften erlesener Texte, und Wölfflin, dessen Schüler er war, hat in einem Briefe über ihn geschrieben: »Dr. Glöckner ist eine ganz eigentümliche Mönchsgestalt, ernährt sich durch kunstvolle Schreibarbeit, gehört im übrigen zum George-Kreis, d. h. ist äusserlich und innerlich von tadelloser Sauberkeit.« Er stammte aus Weilburg an der Lahn und kam manchmal nach Mainz während des ersten Weltkrieges.
Wie der glaubenwillige Freund den Dichter sah, wie seine heimatliche Landschaft, mag diese Briefstelle zeigen.

»Weilburg, 17. X. 18.
. . . Die ausgezeichnete nachricht über des Meisters zustand löste einen unerträglichen druck von mir ab: denn diesmal war ich voller sorgen um ihn wie noch nie zuvor. Sein untergang in dieser zeit wäre mehr als eine katastrophe gewesen, schon symbol und verhängnis für den gesamtzustand unsres volkes, begraben und tod einer letzten hoffnung, weshalb es auch jetzt noch nicht sein durfte. In ihm ist die ganze kraft unsres volkes konzentriert, in ihm lebt unser volk und beider leben steht in einem solch wunderbaren und geheimnisvollen zusammenhang dass ich oft vor schrecken die augen schliessen muss um nicht von den letzten affinitäten vernichtet zu werden . . . Wie gern wäre ich bei Ihnen um teil zu haben an Ihren gesprächen und wie freudig über-

raschte mich die nachricht dass er möglicher weise doch noch am Dante
weiterarbeitet! ...

Ihre karte empfing ich als ich von einer zusammenkunft mit meinem
freunde Bertram am Rhein zurückkam; wir waren in Braubach auf
der Marksburg, in Bornhofen, besuchten Lahneck und die Länder
waren voll von herbst und leztem leuchten. Wieder traf uns stark wie
südlich diese bebaute kultivierte alte landschaft ist, wie schön geformt
die berge sich lagern, wie heroisch fast schon griechisch ihre kaps in
den strom hinabstürzen in schönen reinen linien die wie wohllaut sind
und wie gesang. So ein gang durch die weinberge hin auf den alten
weissen von tausend füssen abgescheuerten steigen, mit dem blick auf
die kleinen städte mit den strassen, plätzen und geraden häuserreihen
die leer und tot sind, mit dem blick in die qualmenden täler hinein die
eng und riesig sich schliessen und auf die strassen und pfade, die weiss
durch das flache laufen und mühsam das steile erklettern – so ein gang
findet sich nur dort: man geht wahrhaftig wie im süden und wundert
sich nicht mehr dass man im anfang des vergangenen jahrhunderts mit
denselben augen diese landschaft wie eine italienische oder griechische
aufnahm und genoss. Allein war ich noch und sah zum ersten mal
Kloster Arnstein den bedeutendsten punkt im Lahntal; es gibt dort
eine aussichtsstelle wo der blick in ein tälergewirr hinabstürzt das un-
wahrscheinlich ist; so etwas liegt nun eine kleine bahnstunde von mir
und wurde zum ersten mal gesehen! ...«

Das Bild auf Tafel 123 l u zeigt Glöckner auf dem Gut Altenrode, wo er
nachher zwei Knaben unterrichtete. Seiner Freundschaft zu Ernst Bertram opferte er die Nähe zu George. Er ist früh gestorben.

Wie Ernst Glöckner liebte und beherrschte Josef Liegle (T 108 r) die
Kunst des Schreibens. Der schwarze Schwabe aus Schwäbisch Gmünd,
Sohn eines Zeichners und selbst zeichnerisch begabt, gab das Studium
der Architektur auf, um sich ganz der Antike zuzuwenden.

Die gründliche Vorbildung der schwäbischen Schulen, die er dafür mit-
brachte, erlaubte ihm dann auch, in englischer Gefangenschaft Platon
zu lesen und die anderen Griechen und Römer, sodass er mit eindringender Textkenntnis nachher zum abschliessenden Universitätsstudi-
um in Heidelberg und zum privaten in Hinterzarten kam. Unter seinen
verbrannten Manuskripten war eine Übersetzung und Interpretati-
on des Mythos aus Platons Politikos, mit der er 1931 in Basel den ersten Preis der Landmann-Stiftung gewonnen hatte. Darin sah er das
gewählte Stück im Zusammenhang des platonischen Werkes, begriff
von Zeile zu Zeile fortschreitend jeden Schritt in seiner Notwendigkeit, spürte jede Nuance des Gesprächstones und bewies das Gefühlte

durch Vergleiche mit Parallel-Stellen. Er war ein versonnener Gelehrter, der Zeit hatte für das, was er liebte. Sein Zeusbuch, dessen Manuskript erhalten ist, die Übersetzung der Bakchen des Euripides und die Vergil-Übertragungen werden ihn vor dem Vergessenwerden bewahren. Die Tafel 120 zeigt eine Seite dieser deutschen Aeneïs in seiner Handschrift.

Er hätte einer der grossen ottonischen Malschulen des X. oder XI. Jahrhunderts angehören können, oder der karolingischen von Tours, jedenfalls einer, die vornehmlich nach antiken Vorbildern arbeitete. Seine Arbeit im Berliner Münzkabinett ist den Archäologen bekannt. Die Pietas Romana galt ihm als die Ursache der römischen Grösse, und in Augustus bewunderte er die besten Kräfte und Tugenden des Römertums. Auf ein kostbares Blatt trug er dessen Lebensdaten ein, die wichtigeren mit Farbe, andere mit Silber und die grössten mit Gold.

Sein Bild aus der Zeit vor dem ersten Weltkriege hat die feine Feder von Hans Brasch umrissen:

»...In seiner vollkommenen Scheu und Keuschheit erinnerte er an einen jungen Priester. Ein deutsches weiches und ernstes Haupt mit vollem braunem Haar, ein verträumter Mund und ganz ruhige braune Augen. Die schwäbische Schwere und Schüchternheit beschworen ein magisches Bild: den jungen Hölderlin. Fast linkisch war er in seinen spärlichen Bewegungen, und seine Wortkargheit führte oft zu so langen Gesprächspausen, dass man das Schweigen wie eine körperlich lastende Qual empfand. Josef Liegle liebte Hölderlin und die sanften Gedichte Leopold Andrians, obwohl er dessen ‚schwanker Grabesmüde‘ in seiner beginnlichen Vor-Lenz-Zartheit ganz fernstand. Und dann liebte er Bach und spielte seine Konzerte und Sonaten auf seiner Violine mit einem herben Feuer, in dem sich alle gestaute Verhaltenheit seines sonstigen Lebens rein und stark entlud....«

Die langen Gesprächspausen waren George zur Last, und wenn er sich auch, nach dem ersten Kriege, in Heidelberg Liegles noch annahm, so kam dann doch die Zeit, wo der Dichter auch von ihm sagte, er habe nun das Seinige empfangen.

Vor dem ersten Weltkriege ging Stefan George noch nach Italien. Mit Hans Brasch reiste er Ende März 1914 nach jenem roten Fischerort an der Riviera di Levante, den er auch mir gezeigt hatte (T 112, 113). Wie muss Brasch jene Tage erlebt haben, dass er, zwanzig Jahre nachher, seinen Eindruck so ergreifend aufzeichnen konnte:

»...Noch am gleichen Abend fuhren wir in einem schlecht beleuchteten Abteil in den kleinen Küstenort an der Riviera, wo er lebte. Er brachte mich in einem fantastisch räuberhaften Gasthauszimmer unter, dessen unverschliessbare Tür mit einem Stuhl verrammelt wurde, er selbst wohnte in der einzigen Pension des Ortes.

Camogli war damals noch ein unentdecktes Seeräubernest an der Riviera. Der malerische Schifferhafen war von siebenstöckigen Häusern eingeschlossen, hinter denen sich die Felsen des Vorgebirges von Portofino erhoben. Düsterkeit und Idylle gaben ein abgeschlossenes Bild von einzigartiger Schönheit. Die kleine Kirche an der Spitze der Landzunge umschäumten die brandenden Wellen des Tyrrhenischen Meeres, die in langen Reihen in die Bucht liefen. Ausser uns gab es keine Fremden. Hier mögen die Kinder des Meeres als Gedicht entstanden sein. Ein auf dem Vorgebirg-Felsen sich hinziehender Ölbaumhain war das Ziel unseres täglichen Morgengangs, und später erkannte ich wohl den Platz in den Versen

> Am weiss-umsäumten stufigen vorgebirg
> Schaut durch des ölbaums silbriges gezack
> Bewegte grüne flut und blankes segel ...

So blinkte der weisse Brandungstreif durch den knorrigen Olivenhain, in dem George mir von Adel und Maass des Südens sprach, das uns so lange durch Krausheit und ‚klemmenden Druck‘ versagt war, bis Hölderlin es zuerst für uns rettete. Der Dritte der grossen deutschen Seher war hier nicht fern: oberhalb Camoglis auf heissen hellen Hügeln thronte Ruta, wo Nietzsche zuerst seinen Zarathustra niederschrieb. Mit Bedeutung sprach mir George davon, wenn wir des Nachmittags auf den weissen Strassen der Höhenzüge spazieren gingen.

Auf diesen südlichen Tagen lag wie auf denen in München der unsagbare Glanz der vollkommenen Erfüllung. Die heilige Festlichkeit der Worte und blossen Bewegungen, das kosmische Mittegefühl, das allem eine reine und nicht sagbare sondern nur fühlbare Bedeutung verlieh, die unverständliche Ferne aller Dinge der Zweckwelt mögen in ihrer fast kindlichen Weihe nur dem fassbar sein, der einmal neben einem solchen Menschen im ‚gottgegebenen Glanz‘ gehen durfte. Sein höheres adlig beseeltes Dasein war es, das der geringsten Sache eine durchschauernde Weite gab, die wir mit armem Wort ‚geistig‘ nennen, obwohl sie mit dem Geist des Verstandes wenig zu tun hat, sondern nur durch die klar wägende Leidenschaft eines intensiven Lebensgefühls besteht. Es war das, was zu allen Zeiten die Erfüllten wie die Unerfüllten ‚das Fest des Lebens‘ genannt haben, und das der nie vergessen kann, der einmal daran teilhatte.

In den kahlen Zimmern der Pensione Casini arbeitete George an den Korrekturen der Gundolf'schen Shakespeare-Übersetzung und ich bekam mitunter einige Bögen zur Durcharbeit. Ich war auch hier stets allein mit ihm, obgleich er nicht allein gewesen sein mag. Denn eines Mittags, als wir am Kirchenplatz standen, zeigte er auf einen Mann, der nicht weit von uns wartete, und sagte, es wäre Karl Wolfskehl. Dieser aber wandte sich bald und ging weg, ich sah ihn nicht wieder.«

Dass er in jenen Jahren vor dem ersten Weltkriege sich von den Erschütterungen der Lebensmitte wieder ganz erholt hatte, zeigen Aufnahmen, die Jakob Hilsdorf († 1916) 1910 in Berlin gemacht hat. Die beiden Brustbilder nach links (T 118,119) sind von kraftvoller Verhaltenheit und zeigen einen gesunden Mann.

Von Ernst Morwitz jahrelang geleitet, fanden die Brüder Uxkull den Weg zu George. Der jüngere, Bernhard (T 123 r, 125 r, 126 r), ein Dichter – der Zyklus »Sternwandel« bezauberte die Jüngsten – war seinem Freunde Adalbert Cohrs (T 125 l, 126 l) bis in den Tod verbunden. Wie der jüngere den ältern sah, enthüllen diese hymnischen Verse aus den Blättern:

A. C.

So seh ich dich: du fährst gelassen
In einem fruchtbeladenen boot .
Willst ausgestreckten arms umfassen
Morgen- und abendrot .

Du bis so still . Denn wenn dir heute
Der tolle wunsch im herzen loht .
Füllt morgen dir die leichte beute
Morgen- und abendrot .

Und wenn das volk verendet . rings
Steigt schutt und trümmer . schmach und not .
Steht dir zur seite rechts und links
Morgen- und abendrot .

Von menschen nimmst geliebte seelen
Und von den göttern du dein brot
Und nie wird deinen tagen fehlen
Morgen- und abendrot .

Du lässt die ganze welt verrauschen
Nur weil ein gott dir scherzend droht .
Von allen darfst nur du vertauschen
Morgen- und abendrot.

Im folgenden Brief an Adalbert, geschrieben nach dessen Besuch in Mainz, spricht George aus, was die gemeinsamen Tage gaben und von den künftigen erwartet wird; auch bedeutet er dem Novizen, was er Einem, der schon länger Gefährte des Dichters ist, schuldet:

»...In der zeit einer grossen freude aber auch einer schweren bedrük-
kung hätte mir ein innerliches wort sehr gedient. ‚Noch viel ist aber zu
sagen —‘ Auch R. B. ist wieder abwesend. Ich verlasse morgen M über
Darmstadt. ... Als zusammenfassung dieser tage gilt als höchstes lob:
nichts war zu- und nichts ab zu tun: nur die kürze war zu bedauern:
Und das nächste mal wird zu den grundvesten schon aufbau erfordert.
Dies zur äusseren form: Tritt ein jüngerer bei den wichtigen begegnungen und abschieden vor Einen der schon länger das hohe leben geführt
hat, so soll er mit einer leichten neigung seines hauptes grüssen...
Mainz im januar 1917   S. G.

Der nächste Brief sagt dem jungen Offizier, dass es aus der zunehmen-
den Verstrickung keinen Ausweg gibt; zugleich lässt er den Geistes-
zustand erkennen, der den Adalbert und seinen Freund Bernhard in
den Tod führte:
                                                    München Freitag
Diesmal, lieber, möchte ich Dir gleich auf Deinen durch L. übermittel-
ten brief antworten weil Du mir hilfebedürftig scheinst. Deine zeilen
enthalten etwas fast ordnungsloses und einen getrübten blick. Ein ent-
rinnen giebt es jezt nicht — für keinen. am wenigsten eins auf das Du
anspielst. Es gibt keine »stillen inseln« mehr und selbst wenn man hin-
flüchten könnte so ist keine bürgschaft ob das lang so bleibt. Allmählich wird alles in das gewirr hineingerissen und es muss so sein. Ich
weiss das genau. Voriges jahr war ich drei monate in der Schweiz und
hätte natürlich dort bleiben können. Ich tat es nicht — ich sprach glaub
ich davon. obwohl ichs dort viel besser hatte. Manches wäre sonst nicht
gewesen — so auch Du nicht: das bedenke wol! ... Über die bilder war
ich sehr erfreut. nur ist es nicht geworden was ich dachte: ich sehe
anders... Auch ist das licht der werkstatt grausam scharf.

                                            in herzlichem gedenken
                                            S. G.

Und dann hat er dem jungen Freunde Hölderlins Hymne »Noch eins ist
aber zu sagen ...« abgeschrieben.
In den Sprüchen an die Lebenden hat der Dichter dem Adalbert Gefahr
vorausgesagt und zum Bernhard als zu einem gesprochen, dessen
Mund die Traumeswelt ertönen macht. Beider Verhängnis ist im Gespräch zwischen Viktor und Adalbert zu lesen. Dem älteren Freunde
zu liebe ging der jüngere mit. — Wolters hat Fahrner (T 144 1) erzählt,
über die Beiden habe George später etwa gesagt: »Dass so etwas möglich war, macht den Freundeskreis für immer existent. Die waren die
Ersten, die ohne mein am-Leben-sein aus sich selbst das Eigentliche
waren. Enkel sind das Meiste.« Jetzt könne er sterben.

Dieser neue Schlag hat George gegen Ende des ersten Weltkrieges getroffen, in einer Zeit, in der seine Gesundheit nachgelassen hatte.

Etwa aus dieser Zeit mag die Aufnahme (T 121) stammen, die den Kopf im Dreiviertelprofil nach links zeigt, Licht auf Stirnhaar, Stirne, Nasenrücken und Unterlippe, und das Profil nach links (T 122) mit gesenktem Blick. Da bei dieser Profilaufnahme jeder Licht-Schein vermieden ist, ist eine abendliche Einheit gewonnen, wie an einem Nordfenster, und man kann den Kopf ansehen, als ob die Zeit dafür einen Augenblick still gestanden hätte.

Dem älteren Uxkull, Woldemar (T 135 u 1) hat George im Mai 1915 einen Brief geschrieben, der den Erzieher zeigt und, wie mir scheint, manchem jungen Menschen wird helfen können; ich glaube deshalb, dass dieses Dokument, obwohl ausdrücklich nur für den Empfänger bestimmt, heute, da Beide lang schon tot sind, eröffnet werden darf:

»Ihre lezten verse erscheinen mir erfreulich genug dass ich darauf ein wort an Sie richte. Aber lesen Sie genau! Jugendlicher leistung fehlt auch beim echtesten empfinden jenes ganz-packen des gewollten — das kann nur errungen werden durch äusserst strenge zucht. Zwei dinge sind bei der bewertung solcher erzeugnisse zu scheiden. Einmal der drang zu formen und zu überschauen den jedes wesen geistiger art hat. er ist noch keine anwartschaft auf Dichtertum. so kündet sich alles bedeutungsvolle an: auch beim mann der Tat und dem des Wissens. Ein zweites ist das besondere dichterliche bewegtsein: eine nicht zu verkennende tonfärbung · · da lohnt es sich aufzuhorchen · auch wenn nur spuren sich offenbaren . . .

Das dritte ist die hauptsache · womit jedes meiner gespräche schloss · wenn Sie sich entsinnen: die festigung des unterbaus . . . Dieser brief ist für Sie: rechtfertigen Sie mein grosses vertrauen.

St. George

In den »Kindern des Meeres« mit Hoffnungen begrüsst, im ersten Spruch an die Lebenden liebevoll gerufen, hat George ihm in späteren Sprüchen kaum noch einen Trost gelassen. Durch einen Unfall ist er jung gestorben.

VOM ERSTEN WELTKRIEG
BIS MINUSIO

Während des ersten Weltkrieges kam George wiederholt zu längerem Aufenthalt nach Mainz auf den Kästrich, wo Freunde Station machten, die zu Besuch oder aus dem Felde kamen. Dazu gehörte auch Erich Boehringer, den der Dichter sich dort verband und der das Gedicht »Der Krieg« auswendig über die Grenze trug. Als Knabe (T 124 l) hatte er den Dichter gesehen und seitdem sein Bild in sich getragen. Kaum siebzehnjährig hinausgegangen, musste er schon bald ‚Hunderter schicksal' auf sich nehmen (T 124 r). Die Aufnahmen der Tafeln 129, 137 zeigen George mit dem jungen Offizier im ersten Atelier Thormaehlens. Auf einem Bild steht der Holzkopf im Hintergrund, der den Dichter darstellt, auf dem anderen ein Kopf des Ernst Morwitz, beides frühe Arbeiten Thormaehlens. Die beiden Lebenden erinnern an eine santa conversazione. Der durchgearbeitete Kopf des väterlichen Mannes gegenüber dem jungen blühenden – Führung und Vertrauen zweier Lebensalter – gibt Einblick in Georges Leben und Tun. Wie Sokrates hat er sein Leben damit verbracht, nach wohlgearteten Jünglingen zu suchen und sie zum rechten Leben zu führen. Dafür hat er »mit drei oder vier Knaben in einem Winkel tuschelnd« gestanden, und wie von Sokrates so sprachen auch von ihm die Knaben. Sie fühlten, dass er um sie besorgt war und sich zu ihnen zählte, und sie waren bereit, ihm zu folgen und nicht von ihm zu lassen. Es war wie im Phaidros: »wo ist mir nun der Knabe, zu dem ich sprach? – Hier, bei Dir, ganze nahe ist er, immer, so oft du nur willst.«

Thormaehlen hatte, etwa ein Jahr vor Beginn des ersten Weltkrieges eines Tages ein Messer in die Hand genommen und, obwohl ungeschult als Bildhauer, versucht, zuerst den Kopf von Ernst Morwitz und dann den von George aus Holz auszuschneiden. Diese Arbeiten führten dazu, dass die Freunde, wenn sie in Berlin waren, in der Werkstatt des Bildhauers zusammenkamen und in der Betrachtung der Abbilder und der Dargestellten ernste und heitere Rede tauschten. Gern gab George jungen Leuten den Rat Jean Pauls aus Levana: »Vor allem erzieht das deutsche Auge, das so weit dem deutschen Ohre nachbleibt.«

169

Persönliche Aufzeichnungen von Ludwig Thormaehlen aus dem Jahre 1950, in die der Verfasser mir Einblick gestattet hat, lassen erkennen, wie das Atelier entstanden ist:

Nach abgeschlossenem Universitäts-Studium war Thormaehlen Mitte Oktober 1913 nach Berlin gekommen, wo der Dichter damals an den Druckbogen zum Stern des Bundes arbeitete. Er wohnte in einer beinah leer stehenden Wohnung, über die Ernst Morwitz verfügte: »... in einem Hinterzimmer stand eine Art Feldbett, wo der Meister schlief, in einem Vorderzimmer ein Schreibtisch, an dem er arbeitete, eine Liege, ein kleiner Tisch und ein paar Stühle. ...

Abends wurde immer daheim gegessen, in der Nachbarschaft etwas Aufschnitt, Käse und ein paar Brötchen geholt und aus einer benachbarten Probierstube eine Flasche Wein. Wie üblich wurde jeden Abend gelesen — manchmal aus den Druckbogen des neuen Buches. Öfter war Vallentin da und gelegentlich auch Wolters. Auch Hildebrandt kam gelegentlich, um irgendwelche Manuskripte durchzusprechen. Auch waren wir häufig, jedenfalls Sonntags, am Nachmittag oder Abend zu Gast bei Vallentin in Charlottenburg oder bei Hildebrandt draussen in Dalldorf. Dass wir Wolters in dieser Zeit besucht hätten, erinnere ich mich nicht. Es kamen auch damals schon — an Nachmittagen — Woldemar und Bernhard Uxkull, die noch zur Schule gingen. Auch Thiersch kam gelegentlich; wir waren auch bei ihm — er wohnte damals noch in der Schillerstrasse — zu Gast. Ich entsann mich auch, dass einmal Lepsius da war und den Meister besuchte. Ich sah ihn aber nicht. Ernst Morwitz hatte einen jüngeren Freund, Brasch. Er kam auch gelegentlich; ich sah ihn aber gleichfalls nicht. Ich glaube aber auch, dass Hans Bernhard von Schweinitz, der eben zu studieren begonnen hatte und im Hause von Vallentin verkehrte, den Meister das eine oder andere Mal besuchte. Ich war zugegen. Er erschien mir empfindsam, enthusiastisch und labil. Er studierte gleich mir Kunstgeschichte. Ich schätzte und liebte ihn erst später, als ich ihn, der verstümmelt aus dem Kriege zurückgekehrt war, nach Jahren wiedersah ...

Nach dem Erscheinen der ersten zehn Exemplare des »Stern des Bundes«, kurz vor Weihnachten 1913, verflatterte diese Gemeinschaft in alle Winde.«

Im Frühjahr 1914 mietete Thormaehlen in einem Hinterhaus der Neuen Ansbacherstrasse unter dem Dach ein Atelier, etwa zwölf auf sieben Schritt gross. Er stellte durch das Behängen der etwas verwahrlosten Wände des rechteckigen Raumes mit hellblauen Tüchern eine Art Zelt her — Decke und Fenster liefen giebelförmig zu — der Boden wurde mit einer dicken Kokosmatte bedeckt. Ausser dem Arbeitsgerät liess er zwei schmale ungebeizte Bänke hineinstellen, einen kleinen

Tisch, zwei Holzschemel und zwei vierkantige Holzpfeiler für die beiden Holzbildnisse – später wurden es vier. Wenn Modellierböcke, Hobelbank und Drehscheiben hinter die Vorhänge gestellt wurden, so war rasch ein blauer Saal gewonnen, der ähnlich wie das Kugelzimmer, zu Lesungen dienen konnte.

George, damals in Italien, kam im Herbst 1914 wieder nach Berlin, gefolgt von Ernst Gundolf. Dort im Atelier hat Thormaehlen ihn im September 1914 photographiert (T 117 r). Der Dichter hatte Freude an dem Raum, der die Besucher von der Umwelt entfernte und bald Pompeianum genannt wurde. Thormaehlen erinnert sich, dass Friedemann dort Abschied nahm, als er ins Feld ging. Ihm folgten andere, darunter Wolters, Morwitz und Thormaehlen selbst, der, erkrankt, an Pfingsten 1916 wieder nach Berlin zurückkam und darüber berichtet:

»... Der Meister pflegte zu jener Zeit bei Bondi im Grunewald zu wohnen, und morgens kam er ins Atelier, bevor ich es gegen zehn Uhr verliess. Da empfing er die Freunde; Ernst Morwitz, wenn er in Urlaub da war, brachte hier die Zeit zu. Woldemar und Bernhard Uxkull erschienen dort und ihr Freund Cohrs. Jeder, der auf Urlaub in die Heimat kam, begegnete dem Meister, wenn er in Berlin war, jetzt im Pompeianum.

Ich entsinne mich eines Märzmorgens des Jahres 1917 – es kann aber auch 1918 gewesen sein – an dem der Meister heiter und frisch nach einem Spazierweg aus dem Grunewald ankam und sogleich nach Papier, seiner Rohrfeder und Tinte fragte. Ich legte sie ihm zurecht, eh ich wegging. Als ich um die Teestunde zurückkam, las der Meister uns von dem Blatt vor, und dann gab er es mir zur Verwahrung. Darauf standen die »Sprüche an die Lebenden«, jedenfalls die acht ersten, vom Akrostichon »Wartend am kreuzweg...« bis »... welch fest und welch land!« Erst viele Jahre später wurden sie mir abverlangt, als »Das Neue Reich« unter Mithilfe von Max Kommerell zusammengestellt wurde. Nachher erhielt ich sie wieder; in den ersten Tagen des Jahres 1945 verbrannten sie hier in Kreuznach... Diese Sprüche müssen auf dem Spaziergang vollkommen fertig dem Meister im Sinn gestanden haben. Sie waren auf das Blatt mit der ruhigen, schönen Schrift ohne jede Korrektur geschrieben...

Auch erinnere ich mich, dass – ich glaube durch Woldemar Uxkulls Fragen veranlasst – von Übersetzungen aus dem Griechischen die Rede war. Der Meister vertrat die Ansicht, dass eine Eindeutschung griechischer Verse noch nicht möglich sei. Wie sie aber, wenn überhaupt, zu geschehen hätte, dafür gab er eines Abends ein Beispiel. Er las eine Übersetzung der ersten Strophe des Preisliedes auf Eros vor, das der

Chor in der Antigone des Sophokles spricht. Darauf trat er zum Ofen, öffnete ihn und warf das Blatt hinein. Früher — es mag im Herbst 1914 gewesen sein — hat er einmal auch eine der Oden des Horaz im Urtext vorgelesen.«

An die Innenseite der Ateliertüre hat George mit Reissnägeln ein Stück starkes, kartonartiges Papier geheftet, auf das er diese Stelle aus Goethes Maximen und Reflexionen geschrieben hatte:

»Die Bedeutsamkeit der unschuldigsten Reden und Handlungen wächst mit den Jahren, und wen ich länger um mich sehe, den suche ich immerfort aufmerksam zu machen, welch ein Unterschied stattfinde zwischen Aufrichtigkeit, Vertrauen und Indiskretion, ja dass eigentlich kein Unterschied sei, vielmehr nur ein leiser Übergang vom Unverfänglichsten zum Schädlichsten, welcher bemerkt oder vielmehr empfunden werden müsse.«

Beides ist bezeichnend für George: Dass er gerade diese Stelle für die jungen Freunde abschrieb, und auf welch sinnenfassbare Art er die Besucher des Ateliers darauf hinwies.

Jahrelang hing das Blatt an der Türe; Ludwig Thormaehlen und Erich Boehringer wissen davon, und Wilhelm Stein hat es da gesehen, als der Dichter im Pompeianum die »Drei Gesänge« im Monat ihres Erscheinens — im Dezember 1921 — einigen Freunden vorlas.

Thormaehlen berichtet noch, dass George 1918/19 weniger ins Pompeianum kommen konnte, infolge seiner Erkrankung und dass es ihm nach seiner Operation schwer fiel, die vielen Treppen zu steigen. So kam es, dass er, etwa von 1925 an, das Atelier Zschokkes, das zu ebener Erde lag, vorzog.

Alexander Zschokke (T 134) hat auf meine Bitte niedergeschrieben, wie sich jene Berliner Jahre, von 1919 bis 1931, ihm darstellen. Wie ganz eigen sieht das zupackende Auge des Künstlers den Dämon:

»Im November 1919 zog ich 25jährig nach Berlin. W. Stein hatte auf meine Anfrage, ob es irgendwo in der Welt noch Menschen gäbe, mit denen zu leben sich lohne, mir mitgeteilt, ich könne bei einem kurzen Besuch in Berlin selbst nachsehen. Aus diesem Besuch sollten zwölf Jahre werden. Der erste Mensch, den ich nun traf oder besser, mit dem ich zusammengeführt wurde, war Ludwig Thormaehlen, damals wissenschaftlicher Hilfsarbeiter an der Nationalgalerie. An einem Dezember-Abend in einem düsteren Zimmer in der Kulmbacherstrasse unterhielten sich W. Stein, L. Thormaehlen und ich über Malerei und im Besonderen über Cézanne. Ich hatte den Eindruck ‚die Deutschen verstehen nicht viel von Kunst‘. Thormaehlen erschien mir zerrissen; er hatte die schweren Kriegsjahre mitgemacht. Das freundliche Angebot,

sein Atelier in der neuen Ansbacherstrasse im 5. Stock benützen zu
können, stimmte mich milder und ermöglichte mir, meine Staffelei und
meine Leinwände sofort in Funktion zu setzen. Dieses Atelier war nun
etwas Besonderes. Nicht, dass der Raum eigentümlich gewesen wäre
oder gar die Ausstattung. Es standen zwar auf ca. 160 cm hohen viereckigen Stelen vor verblichenen, kobaltfarbenen Barchentvorhängen
an den Wänden drei aus Lindenholz von Thormaehlen geschnitzte
Büsten, später kam eine vierte in italienischem Marmor dazu. Die drei
Lindenholzköpfe stellten, vom Eingang des Ateliers kommend, links
Friedrich Wolters, dann rechts gegenüber Stefan George und in der
hinteren rechten Ecke des fast quadratischen Raumes Ernst Morwitz
dar. Diese geschnitzten Gebilde waren keine eigentlichen Plastiken;
dazu fehlte ihnen die räumliche Tiefenwirkung, und es waren für mich
auch keine Kunstwerke. Dafür waren sie zu unbestimmt im Formwillen.
Und doch war etwas daran, das mich beschäftigte und mir unerklärbar
war. Später erst konnte ich feststellen: Ein sensibler, sehr begabter
Mensch prallte mit einer ihm bisher an Stärke völlig unbekannten
künstlerischen Kraft zusammen. Dieser Vorgang löste bei Thormaehlen fast elementare Eigenschaften aus und befähigte ihn, ein Unfass-
bares ohne Können und Kunst in den unwahrscheinlichsten Dimen-
sionen abzutasten oder zu erahnen. Dies war der Georgekopf. (Vom
Dichter Fizzlibuzzli genannt). Wolters und Morwitz waren daneben
schon gekonnte Schnitzarbeiten, wobei am Wolterskopf das geistige
Gepräge etwa dem des Bildhauers entsprach. Dieses Geweckt-werden-
können ist keine nur Thormaehlensche Eigenschaft. Es ist eine seltsame deutsche Angelegenheit. Das Geschehnis selber aber löst beim Be-
troffenen oft Hingabe bis zur Sinnlosigkeit, Freude und Lebenstaumel,
Grenzenlosigkeit und Stolz und künstlerische Kräfte aus, die sonst ein
Mittelmass nicht überstiegen hätten. Der Dichter Stefan George,
wissend um diese Wirkung, war wie alle dämonischen Menschen mit
aussergewöhnlichen Kräften misstrauisch gegen seine eigene Wirkung.
Daher auch das Missbilligen von Zusammenschlüssen verschiedener
Freundesgruppen, daher auch das Geheimnisvolle dieses Ateliers, das
mir nur in gewissen Stunden zugänglich war und das ich an bestimmten
Tagen und zu bestimmter Zeit verlassen musste. Ja, ich musste auch
schon ausserhalb des gesamten Häuserblocks sein. Daher auch das Verbot Thormaehlens hinter die Vorhänge zu schauen, hinter denen in
Pappschachteln Briefe und Manuskripte aufgestapelt lagen und einige
hundert Bücher standen. Wer dieses Verbot ursprünglich erlassen
hatte, war mir unbekannt. Wahrscheinlich waren es anfänglich Ge-
wohnheiten, die von andern als Befehle weiter gegeben wurden.
Dieses Atelier wurde unter gewissen Leuten, die mir vorerst unbekannt

blieben, Pompeianum genannt. Ich selbst hatte eine Scheu und auch eine Abneigung, Bezeichnungen zu benützen, deren Sinn mir nicht bekannt war. Ich glaube, heute wäre es schwer, eine Erklärung für den Namen zu finden.

Ein halbes Jahr malte ich in diesem Raum an einem oder zwei Bildern erfolglos. Erst die Reise nach Florenz und Rom im Frühjahr 1920 brachte eine Wendung, die auch im Zusammenhang mit dem Zusammentreffen mit Ernst Morwitz stand. Dieser alt-testamentliche priesterliche Mann, dessen Beruf Richter war, hatte eine Ausstrahlung und ein Wissen um verborgene Dinge der andern, das mir unheimlich und bisher unbekannt war. In seiner Gegenwart bekamen fremde Menschen Gesichter von Tieren, und ihr Leben schien sinnlos und gemein. Aber er hatte auch die Fähigkeit, dieses Spukbild zu verjagen und ein Ideal Wirklichkeit werden zu lassen, das nur im Tiefsten fromme Seelen fertig bringen. Er war nicht der Geweckte wie sein Freund Thormaehlen. Er war ein Glaubender, der seine Gedichte wie der junge David aus der Wirklichkeit seines Gottes schuf. Darum wollte er nicht wie Ludwig Thormaehlen seine Umgebung nach seinem Willen ummodeln, sondern ihn interessierte sozusagen der Gott in des andern Brust. Diesen zu erkennen und seinen Träger zu stärken, war das Geheimnis seiner erzieherischen Neigung.

Die Plastiken, die nach der Italienreise entstanden, regten auch Thormaehlen wieder zum arbeiten an, sodass sich das einst recht saubere Atelier in eine Gipser-Werkstatt verwandelte, die ich je nach Notwendigkeit wieder säubern musste. Dieser regen Bildhauerarbeit glaube ich es zu verdanken, dass mich eines Tages auf Bitten von Ernst Morwitz der Dichter aufsuchte. Ludwig Thormaehlen gab mir genaue Vorschriften über Zimmertemperatur, Anrede und Unterhaltungston. Es war vermutlich im Winter 1921 oder Februar 1922. Draussen war es nasskalt. Ich heizte, es wurde viel zu warm, ich lüftete, und es wurde sofort zu kalt, der Ofen glühte. Da klopfte es und beim Öffnen der Türe entstand ein unangenehmer Durchzug. Mit einem ‚Hm‘ gab mir der Dichter seine Hand, ich half ihm aus den Gummischuhen, etwas zu untertänig für meine Art. Jedenfalls hatte ich den Eindruck, ich sei wegen der Instruktionen durchschaut worden, und dann passierte das Seltsamste. Plötzlich schwand alle Unsicherheit und ein Gefühl der wohligen Geborgenheit, der Heimat, der Unverletzbarkeit überkam mich. Es schien mir alles so bekannt und so vertraut. War das jener Mann, von dem viele nur leise sprachen? Sein Alter? Ich rate keines, aber ein Gesicht, das alles enthielt, was mich all die Jahre gequält und fast zerstört hatte: Leidenschaft, Grösse, Schmerz und Schönheit, Hass und unbegreifliche Güte. Ich hatte das Gefühl, dies ist der erste wirkliche Künstler, den ich treffe. Da konnte mir nichts mehr passieren. Das Gespräch, das geführt wurde, weiss ich nicht mehr. Kluges habe ich kaum gesagt. Nach einer Viertelstunde verliess ich den Raum. Vorher erklärte mir der Dichter noch, man müsse eben auch lernen, mit einem Ofen umzugehen, man gewöhne sich zwar an die Hitze, aber fröre dann draussen umso mehr.

Unten wartete Thormaehlen sichtlich unruhig. Und als er sah, dass ich strahlte und für meine Art äusserst vergnügt war, sagte er trocken: ‚Ja, George ist alt geworden. So Leute wie Sie hätte er früher nicht angesehen.‘

Diese Bemerkung erleichterte mir vieles. Ich hatte nichts zu teilen. Hatte sozusagen keine Schulden und konnte mit etwas mehr Zuversicht an meinen Weg glauben, auf dem mir Thormaehlen trotzdem viel praktische Hilfe zukommen liess.

Etwa zwei Jahre später bezog ich an der Fasanenstrasse 13 meine eigene Werkstatt. Sie lag Parterre in einem Atelierhaus im Hinterhof, war geräumig, und man brauchte keine Treppen zu steigen. Ernst Morwitz verstand es, den Dichter für diesen Raum zu interessieren, und mit der Zeit nun erfuhr ich, was es mit den geheimnisvollen Besuchen für eine Bewandtnis hatte. In den Monaten, in denen George in Berlin weilte, wurde meist viel gearbeitet. Der Dichter bevorzugte zu diesem Zweck immer mehr unbürgerliche Räume ohne Komfort und ohne zeitbedingte Möbel. Schon an der Neuen Ansbacherstrasse waren es einfache Fichtenholzbänke, auf denen man sass. Hier an der Fasanenstrasse war nun eine richtige Werkstatt mit einem schlichten Tisch, und an den Wänden standen lange Bänke für etwa 12–14 Personen. Ein sehr praktischer Ofen mit offenem Feuer spendete die nötige Wärme und diente als Kochstelle, auf der die wenigen Gastmahle gekocht wurden. Sonst waren nur Bildhauergegenstände zu sehen und ein kleiner Schrank mit den Werken des Dichters und den ‚Blättern für die Kunst‘.

Bei den ersten Abenden, die in dem Atelier stattfanden, war ich nicht anwesend. George liebte keine unbeteiligten Zuschauer. Aber als auf den für mich unwürdigen Zustand hingewiesen und von Ernst Morwitz der Vorschlag gemacht wurde, ich könnte als Bildhauer eine Büste des Dichters zu arbeiten versuchen, während gelesen wurde, war der Dichter sofort einverstanden, und er erklärte mir anderntags wie es gemeint sei.

Nun, was geschah in diesen Besammlungen? Es wurden Manuskripte gelesen und korrigiert. Es wurden Druckbogen durchgesehen (Kantorowicz, Wolters). Es wurden Gedichte gelesen. Und nach ein bis zwei Stunden war alles vorbei. Es wurde fast nie über Gedichte gesprochen, wie überhaupt nie schöngeistige Reden und Gespräche stattfanden in diesem Umkreis. Es ging um Tatsachen, Korrekturen, Werke und Arbeit, alles aber in heiterem Licht, manchmal von bissigem Humor und schallendem, erbarmungslosem Gelächter begleitet. Manchmal mit einem fast überzarten, versteckten Lob bedacht. Da sassen oft die zwölf bis vierzehn Männer verschiedensten Alters, alle tüchtig an ihrem Platze, alle bereit dem Manne zu helfen, dem sie so viel zu verdanken hatten, dem sie aber doch nicht viel mehr sein konnten als der Hintergrund, auf dem sich sein künstlerischer Dämon abzeichnen musste. Jeder Versuch, mehr sein zu wollen, führte zwangsläufig zu Fehlschlüssen und Irrwegen, denen die durch eigene Eitelkeit oder Machtgier Verblendeten zum Opfer fielen. In diesen Situationen zeigte sich der greise Dichter von einer nur von wenigen erkannten Seite: Es war der Künstler, der fast ratlos vor der Grausamkeit der Wirklichkeit stand und nur vertrauend auf seinen Genius schlicht und eindringlich sagte: ,Kinder, glaubt nicht, dass ihr so wichtig seid, und sucht nicht immer wieder in den Gedichten den oder jenen oder euch selbst'. Oder als die Spannung zwischen Kommerell und Morwitz gefährlich, und Kommerells Macht und Einwirkung auf den Dichter unangenehm wurde, rief George die streitenden Parteien zusammen in die Albrecht-Achillesstrasse in das neue Atelier von L. Thormaehlen. Es waren ihrer zwölf. Der Dichter las das Ernst Morwitz gewidmete ,Burg Falkenstein' und ,Das geheime Deutschland'. Seine Stimme war dunkel und tief erregt. Die Worte standen wie Steinblöcke gereiht im Raum. Der Sinn der Gedichte lag offen und wie ein heller Tag, und das Gesicht des Dichters war gespannt und verletzbar wie eine Glaskugel. Gab es da wirklich einen, der die Zeichen nicht verstand? Aber die beiden Gegner hatten auch ihre Geschichte, und das Schicksal griff unerbittlich zu. Die letzte beschwörende Zuflucht an das Verwandelnde, das dem Kunstwerk innewohnt, die Ehrfurcht vor dem Geist und nicht vor der Person, alles hat versagt. In der Erinnerung aber bleibt mir die Stimme und das Gesicht eines Menschen, der versuchte, seinen Genius anzurufen und einmal noch um seine Hilfe zu flehen. Es war im Jahre 1930. – 1931 und 1932 sah ich Stefan George zweimal in der Albrecht-Achillesstrasse in der Wohnung von Thormaehlen und mir fiel auf, wie Wesen und Gesicht sich stark verändert hatten gegenüber den Jahren, in denen ich an den Büsten arbeitete, jenen Versuchen, die im Jahre 1923 an der Neuen Ansbacherstrasse begannen und dann in Basel im Wettsteinhäuschen weiter geführt und in der Fasanenstrasse neu konzipiert und überarbeitet wurden.

Ungefähr von 1924–1927, während der Aufenthalte Stefan Georges in Basel bei Prof. Landmann, wurde mein dortiges Atelier gern als Anderen unbekannte Unterkunft benützt, um sich vom täglichen Spaziergang etwas auszuruhen und ein Glas Burgunder zu trinken. Diese Besuche dauerten meist dreiviertel Stunden und spielten sich zwischen 10ʰ30 und 11ʰ30 ab. Im Jahre 1927 brachte der Dichter den Frank mit, von dem ich einen kleinen Kopf modellieren sollte. Bei dieser Gelegenheit entstanden auch einige Photographien. George zu modellieren, kam einem Boxkampf gleich. Es machte ihm Spass, richtig Widerstand zu leisten, und die Bemerkung: ,es braucht schon ein gehöriges Quantum Frechheit dazu, einem so ins Gesicht zu gucken wie Sie', zeigte mir, dass ich an diesem Morgen eine Runde für mich hatte ... In Basel entstanden ca. sechs Köpfe.

Ein Gespräch darf hier vielleicht angeführt werden. Während des Modellierens sprachen wir meist über Weine und selten zubereitete Speisen. Über die Freunde nur, wenn ein Brief vorlag oder eine Sorge Anlass gab. Eines Tages brachte ich schöne Photographien romanischer, gotischer und griechischer Bildwerke. Die christlichen Plastiken waren rasch durchgesehen, die antiken lagen länger vor den plötzlich stählernen Augen des Dichters, und ich erlaubte mir die Bemerkung, dass es schade sei, die Augen der griechischen Plastiken nicht mehr so erhalten zu sehen, wie sie wirklich einst waren. Dadurch hätte sich eine viel zu romantisch sentimentale Auffassung breit machen können. Die Antwort war unwirsch und kurz: ,Jeder sieht die Griechen, wie er sie eben sieht. Mit oder ohne Augen, keiner kann aus seiner Haut.' Damit war für mich gegeben: das am meisten griechische Auge war jenes des Dichters Stefan George.«

So lautet der Bericht Alexander Zschokkes, der etwa fünfundzwanzig Mal versucht hat, den Kopf des Dichters nachzubilden. Von ihm sind die beiden Aufnahmen (T 148), die besser als andere die Modellierung des Gesichtes enthüllen. George sieht unwillig aus darauf.

Anders war die Luft im Atelier als im Zimmer, und bis zum letzten Verlassen Berlins sah George seine Nächsten, etwa von 1927 ab, im »Achilleion«. Diese Ateliers waren gleichsam die Fortsetzung des Münchner Kugelzimmers, oder richtiger: wie George sich nun das Zusammensein mit Freunden dachte, erfüllte sich dort. Wie Wolfskehls Wohnung im ersten Stock der Römerstrasse das Hauswesen enthielt, auf das gestützt George oben nach seiner Art leben konnte, so führte von Thormaehlens Wohnung im obersten Stock des Hauses Albrecht-Achillesstrasse 3 in Charlottenburg eine innere Treppe hinauf ins Atelier. An beiden Orten wurde nur auf ein bestimmtes Klingeln geöffnet, dessen Art ganz Wenigen mitgeteilt war. Die Entwicklung kam aber darin zum Ausdruck, dass in der Römerstrasse eben doch ein bürgerlicher Haushalt gewesen war mit Frau und Kindern und Dienstboten,

177

während das Achilleion ein Männerhaus war und blieb. Es gab da keine Andern mehr als die Beteiligten; zwei von den jungen Freunden konnten gut kochen, einer holte Wein am Fass, das der Hausherr aus dem heimatlichen Kreuznach kommen liess, Früchte standen bereit, der lange schmale Tisch mit gewachster Eichenplatte ohne Tischtuch war rasch gedeckt und abgedeckt, und nachher wurden Geschirr und Besteck mit Papier abgerieben, damit sie stehen bleiben konnten, bis dann doch die Putzfrau zum richtigen Reinigen kam.

Bei diesen gemeinsamen Mahlzeiten, und vorher und nachher, war ein Leben so heiter und ernst, wie ich es nur aus dem platonischen und dem xenophontischen Gastmahl kenne. Ich habe versucht, im »Ewigen Augenblick« etwas davon einzufangen, und ich fühlte mich berechtigt dazu, weil George — es wird anfang der Dreissigerjahre gewesen sein — im Achilleion einmal zu mir sagte: »Der Hans hat gesagt: wir sind nun hier so zusammen; aber nachher wird niemand mehr etwas davon wissen«. Meist deutete George nur an, was ihm erwünscht war. Wer das Angedeutete nicht fasste, an dem ging es vorüber. Ich meine also, mit meinem Versuch zwar nicht einen Auftrag ausgeführt, aber gewiss nicht gegen seinen Wunsch gehandelt zu haben.

Es kam dann vor, dass er einen Teilnehmer hinaufnahm ins Atelier, um allein mit ihm zu sprechen. Dort oben wurden auch Gedichte gelesen, wobei jeder zu Wort kam. Zu Vallentin hat George im Juni 1924 gesagt, wenn er nun noch lese, so tue er das nur noch im Atelier, nicht mehr in der Familie.

Nur ausnahmsweise schlief er in jenen Jahren in der Albrecht-Achilles-strasse. In der Regel wurde er abends abgeholt im Wagen, und keiner von uns wusste, wohin er ging oder wo er wohnte. Erst nach seinem Tode erfuhr ich, dass es Walter Kempner war, der ihn nach Dahlem brachte.

Thormaehlen hatte die Absicht, die Köpfe, die er vom Dichter und den Freunden gemacht hat, in Abbildungen zusammengestellt zu zeigen, ein Plan, der vielleicht noch ausgeführt wird. Von Thormaehlens Opus dürfte der Jünglingskopf im Kloster-Kreuzgang zu Magdeburg am bekanntesten geworden sein; er stellt Bernhard von Uxkull dar. Ein Abguss des Kopfes stand in Georges Zimmer in Bingen, und Teile davon fanden sich in den Trümmern des Binger Hauses.

Die Heidelberger Aufnahmen (T 130, 131) von Pfingsten 1919 zeigen den Dichter umgeben von jüngeren Freunden jener Jahre. Nicht so sehr die Aufnahme mit der Treppe als die in der Halle gibt eine Anschauung des Meisters mit den Schülern. Georges Profil lässt die Form des Kopfes, auch in der kleinen Wiedergabe, gut verfolgen. Es hebt sich von dem glatten Hintergrunde ab. Selbst der verhüllte Blick ist sichtbar und das Geäder an der Schläfe. Dunkel gekleidet, wirkt er wie ein weltlicher Abt oder wie der Vorsteher eines Konvikts, aber mit was für Lehrern und Alumnen. Gundolf sitzt in der Mitte mit nachdenklichem, fast professoralem Ausdruck, rechts von ihm, ebenfalls sitzend und mit ähnlichem Ausdruck Ernst Glöckner, und aussen, gewichtig, mit mächtigem Kopf Berthold Vallentin. Stehend von links nach rechts: Ernst Gundolf, Woldemar Uxkull, Erich Boehringer, Ernst Morwitz, Percy Gothein und Ludwig Thormaehlen. — An der Treppe dieselben ohne Morwitz, der die Aufnahmen machte. — Man sieht, Altersgenossen des Dichters waren nicht mehr dabei.

Es ist behauptet worden, George habe junge Leute auch dann um sich geduldet, wenn sie nicht viel Substanz gehabt hätten, und jemand soll gesagt haben: »George pflanzt Eichen in Stockscherben«. Er selbst äusserte einmal: »Ich muss die nehmen, die da sind. Mit Besseren, die nicht da sind, kann ich nichts anfangen.« Wenn man aber aufschreibt, wer mit ihm in Verbindung war von Hofmannsthal bis Stauffenberg, so sind manche darunter, »deren Namen blitzen«, und nur wenige ohne Rang.

Dass er nicht mehr erwartete, einem Genius zu begegnen, geht aus einem Blatt von seiner Hand hervor, das zwischen Briefen an ihn aus dem Jahre 1912 gefunden wurde und so lautet:

»Was Sie damals vermissten ist eine der sachen aber die hauptsache ist es nicht. Sie werden einmal in Ihrem eignen haus erleben dass es Anleitung allein nicht tut — obwol Ihre die denkbar beste in diesem punkt sein muss. Also es ist nicht die hauptsache und von dieser kann ich noch gar nicht reden. Denken Sie sich aber dass ein Wirkender der festesten überzeugung ist dass unter den heutigen umständen auch von den besten menschen nie ein andrer als ein subalterner mensch ein mensch zweiter ordnung (rein naturgesezlich) geboren werden kann · wie klein müssen ihm alle fragen vorkommen (auch die Ihre) gegenüber dieser hauptfrage...«

Freilich, die Jungen selbst konnten von sich so nicht denken. Immer wieder waren welche darunter, die sich zum Höchsten berufen wähnten.

Wir drei sind auserkoren

beginnt ein Vers, der vor dem zweiten Weltkriege ohne den Namen des Verfassers in den »Gedichten einer Runde« stand; nach dem Kriege im Buche »Castrum Peregrini« wurde Percy Gothein (T 135 u r) als Verfasser sichtbar. Auf den Heidelberger Bildern sind wohl auch die Drei in ihrer Blüte festgehalten. Aufzeichnungen von Percy, das »Opus Petri«, und ein hübscher Privatdruck, der kürzlich erschienen ist, zeigen, wie die Jungen den Dichter in jenen Jahren erlebten.

179

Später war Percy Gothein nicht mehr in Verbindung mit George. Er lebte in Italien und gegen Ende des Krieges mit Freunden in Holland. Er hatte den Mut, 1939 die Szene »Tyrannis« drucken zu lassen, und starb im Konzentrationslager.

Ernst Kantorowicz (T 135 o), berühmt durch sein Buch über Friedrich II., fehlt auf den Heidelberger Bildern, und er fehlt in Deutschland, von wo man ihn vertrieben hat. George sagte von ihm, er sei, was die Franzosen einen Chevalier genannt hätten, und er sei so ganz Chevalier, wie man ihn nicht mehr sehe. Geschmeidig und doch männlich fest, weltmännisch, elegant in Kleidung, Geste und Sprache, hatte und hat Kantorowicz etwas von einem Florett-Fechter. Sein durchdringender Verstand paart sich mit einer erstaunlichen Fähigkeit des Zusammensehens; darauf beruht seine grossartige und lebendige Anschauung und Darstellung der Geschichte. Das Buch über Friedrich II., das er seinem Freunde Woldemar von Uxkull gewidmet hat, schrieb er zur Hauptsache in dem grossen, von Büchern fast ganz umstandenen Raum, dessen Fenster auf den Schlossgarten gingen. Einige Sommer lang, wohl bis 1926, war dieser Raum Stefan Georges Quartier während seiner Heidelberger Aufenthalte. Davon zeugt das Buch an vielen Stellen, wie etwa in der schönen Schilderung des ritterlichen Lebens am Hofe von Sizilien, und im ganzen durch die Kraft und Lebensfülle, mit der ein aussergewöhnliches und erhöhtes Dasein zur Darstellung kommt. Gerade dies wird wohl das Werk die Zeiten überdauern lassen. Seinem Autor war es der Dank an das Schicksal, das ihm gegönnt hatte, eine Zeit hindurch an einem grossen Leben innig teilzunehmen. So bleibt er dem Dichter verbunden, der die grosse Gestalt im Gedicht »Die Gräber in Speier« aufgerufen hat:

> Vor allen aber strahlte von der Staufischen
> Ahnmutter aus dem süden her zu gast
> Gerufen an dem arm des schönen Enzio
> Der Grösste Friedrich · wahren volkes sehnen ·
> Zum Karlen- und Ottonen-plan im blick
> Des Morgenlandes ungeheuren traum ·
> Weisheit der Kabbala und Römerwürde
> Feste von Agrigent und Selinunt.

Mehr kann ich über jene wichtige Heidelberger Zeit nicht berichten, weil ich damals fern war – Salins Buch füllt diese Lücke aus. Wohl aber ist mir ein Vorgang bekannt, der sichtbar macht, wie Heranwachsende sich zu dem Dichter verhielten: Eines Tages – im Sommer 1925 – gab ein Ungenannter (T 105 r) George an der Türe seiner Wohnung am Schlossberg ein schmales, ledergebundenes Buch ab und ging wieder weg. Dieses Buch liegt vor mir; es enthält, in feiner Humanisten-Schrift geschrieben, Gedichte, die Stefan George später für bemerkenswert gut erklärte. Eines davon mag hier die übrigen vertreten:

> Dass ich in Seinem glanz
> Nicht ohne frucht erscheine,
> Verschöne, Seele, deine kammern
> Und neuen lenzes reiser
> Streue dem blanken Gott.
> Man schaffe säle vor im raum
> Durch die er steige nach den leiden tagen.
> Eilen wir ihm entgegen, frohe Seele,
> Selbander und geschmückt:
> Wünschbar ist allen diese stunde.

Bald nach dem ersten Weltkriege — es wird um 1920 gewesen sein — kamen zu George zwei etwa Zwanzigjährige, die ihn durch ein Jahrzehnt begleiteten: Johann Anton und Max Kommerell. Damit erblühte für den Dichter wieder neues Leben nach den Verlusten, die der Krieg bewirkt hatte.

In Max Kommerell, aus Waiblingen, hat Schwaben wieder seinen Reichtum offenbart: geistig, gebildet, unermüdlich im Aufnehmen hoher Dichtung und in eigener Arbeit hat der Frühverstorbene Werke hinterlassen, die ihm seine Stelle in der deutschen Geistesgeschichte sichern. Wer seine Bücher liest, fühlt sogleich: da ist Einer, der das Handwerk versteht, der denken kann und mit der Sprache umzugehen weiss, bewusst, gescheit und mit Phantasie. Seit Gundolf hatte George eine solche literarische Begabung nicht mehr unter seinen Schülern gehabt: seine Freude über diesen Zuwachs war gross und nahm zu von Jahr zu Jahr.

Hans Anton kam aus Österreich und hatte, vielleicht von dort, eine Liebe zu Pracht und Schlichte zugleich in Adel und Volk, zur Einfalt des Liedes und zur Magie der Ballade. Den Schatten des Laubwalds zog er der klaren Linie des Südens vor; Kommerell nannte ihn »Das Kind des Rätsels«.

An der auffallenden Schönheit Johann Antons (T 136 u l) wird kein Auge vorübergehen. Weniger leicht ist Max Kommerells ungewöhnliche Geistigkeit erkennbar; doch sieht man sie auf dem Profil-Bild (T 136 o l). Aber die andere Photographie (T 136 u r) enthüllt auch etwas Unruhiges, fast zu Regsames, was ein Vertrauen zu dem jungen Manne nicht aufkommen lässt. Er nannte sich gern den Proletarier im

Staat, und zu seinem Freunde Ewald sagte er: »Du weisst gar nicht, wie schön bös sein ist«. Kaum mittelgross und nicht ansehnlich, war er im Bewusstsein seiner ungewöhnlichen geistigen Kräfte von einem Ehrgeiz, der die Grenzen überstieg, welche die Natur auch ihm gesetzt hatte. So kam es, dass er sich gern auf die Zehen stellte und streckte, und dass er auf Jüngere bestimmenden Einfluss nehmen wollte, was dann zu Streit mit dem Ewald führte. Den Hans Anton wollte er ganz für sich haben.

Diesen Freund Ewald Volhard zeigt die Tafel 136 o r; er soll lässig gewesen sein, von rührender Anhänglichkeit, triebmächtig und unberechenbar. Von George sei ihm viel geboten worden, ohne dass ers genommen habe. Er war durch Walter Elze zu Wolters, und so, wie auch Kommerell, durch Wolters zu dem Dichter gekommen.

Von Hans Anton gibt es aus dem Jahre 1929 eine Aufzeichnung: »Der Meister«. Sie ist edel in ihrer Unbedingtheit und auch in der Verzeichnung. Darin ist die Liebe zu dem damals sechzigjährigen Dichter auf eine Weise ausgesprochen, wie sie sonst nicht erscheint. Antons leidenschaftliches Gefühl für das Vaterländische suchte politische Betätigung, fand aber nicht, wo anzusetzen. Kommerell, ohne Sinn und Verständnis fürs Politische, drängte den Freund zum Handeln und wies ihm dafür die österreichische Heimat.

Durch nahen Umgang mit Stefan George ausgezeichnet, empfanden die Beiden sich als die Dioskuren, als »Jupiter und Mars im Sternbild der Zwillinge«, und wenn sie vom »Inneren Staat« sprachen, so meinten sie den Dichter und sich selbst. Freilich stammten diese Wendungen von Kommerell.

In München-Solln, in Basel und Spiez, in Königstein und Marburg, Berlin und Kiel war George von diesen und anderen jungen Freunden umgeben. Auch ältere traten hinzu, und es entwickelte sich wieder der heiter-ernste Ton im Zusammensein. Noch einmal hob sich das Leben auf eine wunderbare und zugleich natürliche Höhe, nur durch die Gegenwart des Genius — das fühlten wir wohl — aber ich fühlte auch, dass dieses festliche Dasein nicht währen werde.

Es ging bald zu Ende. Kommerell verliess den Meister und die Freunde — aus Treue zu sich selbst versicherte er; weil er treulos war, grollte Hans Anton.

In einem Briefe Kommerells an George von Anfang 1925 finden sich folgende Stellen:

»Mein geliebter Meister: ich bin froh, dass ich schon wieder veranlasst bin, Dir zu schreiben — ich schicke endlich den antwortbrief an G. P.

Du glaubst kaum, wie ich mit allen gedanken und zu jeder stunde bei

Dir bin ... Die wunderbare schönheit dieser frühlingshaften winter-
tage, die nähe meines liebsten H. — auch nicht angestrengte arbeit vermögen meine unruhe zu betäuben und das schmerzliche sehnen bei
jedem tritt und bei jeder erinnerung. Mit spannung erhoffe ich ein
baldiges wort von Dir ...
Ich kann mich immer noch nicht finden. In dem gewühl von fragen,
sehnen und auch peinlicher unzufriedenheit mit mir selbst rufe ich
mir die grossen scenen in B. zurück und all die voraus gegangenen von
der ersten zeit an — eine kette von festen und begeisterten augenblicken
— und sage mir dass nach einem solchen schreiten auf gipfeln ein abstieg kein besonderes los sei und als billiger ausgleich ertragen werden
müsse. Nur eins ist furchtbar und kann nicht ertragen werden: nicht
mehr derselbe zu sein der man war — und dies ists wovor mich bangt
und wogegen ich streite nach so manchen augenblicken wo ich mich
schwach und klein, ja wo sogar andre mich so gesehen haben ... Ich
weiss dass Du gerade hierin allein mich verstehst und allein mir bei-
stehen kannst: drum verurteile diese worte nicht als ergebnisloses
reden und enthüllen wie Du es so wenig liebst. ...«
Und fünf Jahre nachher, am 18. Juni 1930, schreibt er dann aus
Stuttgart:

»Verehrter Meister:
...Ich halte es für kein Gebot der Aufrichtigkeit, innerhalb schon fast
geschichtlicher menschlicher Beziehungen jeden innern Wandel
durch Aussprechen sogleich wirksam und vielleicht verhängnisvoll zu
machen. Was bliebe dann überhaupt noch bestehen! Und oft erhält
sich eine Tatgemeinschaft auch unter grossen innern Gegensätzen der
in ihr Begriffenen, solang diese Gegensätze nicht ausgesprochen, nicht
ausgebrochen sind. Darum habe ich das Halbjahr seit meiner Abreise von Berlin das nicht geschrieben, was jetzt zu schreiben ich allerdings für ein Gebot der Aufrichtigkeit halte.
Der Meister ist im Begriff, mir eine Zuständigkeit in seiner innersten
Sache zu übertragen: diese Handlung weitgehenden Vertrauens zwingt
mich auszusprechen, dass ich nicht mehr derselbe bin. Eine Umwandlung, die ich jetzt als Wissender durch drei Jahre zurückverfolgen
kann, die mir aber erst im letzten Jahr in ihrem ganzen Umfang bewusst und fühlbar wurde, hat mich aus allem Festgefügten gerissen —
wohin kann ich nicht wissen noch sagen und ich betrachte mich als
ein gänzlich weichgeglühtes Ding, von dem nicht erkennbar ist, zu
welcher Form es sich wieder festigen wird. Auf den Begriff bringen,
w a s sich in mir verändert hat und wo es meine Beziehung zum
Meister, meine Stellung im Kreis berührt, kann ich selbstverständlich

nicht — sicher ist nur, d a s s es diese beiden Dinge berührt. Darauf kommt es jedoch an. ...«

Von demselben Juni gibt es ein Gedicht — es heisst: »Die Sprüche der Gewalten.« Darin spricht Kommerell aus, dass er sich nun von dem gelöst habe, was ihn vordem gefesselt, und wieder geworden sei, was er im Ursprung gewesen. Die ersten Strophen lauten:

> Sanduhr Tierkreis Stab und Glas
> Brand der Hölzer streng verriechend
> Liessen mich gelähmt und siechend.
> Nun allmählich ich genas
>
> Und nach reinerm Dasein arte
> Rüttelt unwirsch mich der Wind
> Des Gebirgs am falschen Barte:
> »Darfst nur weiterziehn als Kind!
>
> Ein Gelächter ist der Zoll!«
> Ich erschaudere und lasse
> Die verzauberte Grimasse
> Lachen — Echo weiss wie toll.
>
> Weg die Mummen die mich drücken.
> Hier ist alles keusch und kühl.
> Nimm mich Wind auf deinen Rücken
> zu centaurischem Gefühl!

Ein Jahr zuvor hatte Kommerell noch vier mal vier Gedichte unter der Überschrift: »Die Werkstatt« gedichtet und mit diesem Vermerk auf dem letzten Blatt Stefan George zugestellt:

DEM MEISTER
ALS ABSCHLUSS LANGER UND
BEWEGENDER EINDRUECKE
ZUM 12.VII. 29

MK

Noch deutlicher kommt seine Abkehr in einem Briefe zum Ausdruck, den er damals — am 19. Juni 1930 — an Hans Anton geschrieben hat: »Der meisterliche Vertrauensakt, der in der mir zu übertragenden Befugnis liegt, nötigt mich meiner ganzen Natur nach zu dem Bekenntnis, dass ich in einer radikalen Umwandlung begriffen bin, und gleichlaufend mit diesen Worten an Dich deute ich dem Meister an, dass möglicherweise die absolute Gesinnung, die er dabei voraussetzt, doch in Frage steht. ...«

Und in einem folgenden Briefe — vom 24. Juni 1930 — schreibt er: »Ich bin beinah ein Kind, das zu leben beginnt.«

In jenem Sommer betrieb Kommerell seine Habilitation in Frankfurt: Mitte Juli war das Kolloquium, und damit wollte er auch in eine andere Gemeinschaft übertreten.

Ende Juli schreibt er seinem Freunde: »Man kann sich mit dreissig Jahren eigentlich zu Beruf und Umgebung nicht mehr völlig verneinend stellen. . . .

Ewald war gut . . . als Ehemann wird er freilich etwas bequem, und die Tragik des dreissig Jahre-Werdens für begabte Deutsche ist so oder so unermesslich. . . .«

Alle Drei waren in diese dreissiger Jahre gerückt, und mit der Entfernung von George entfernte Kommerell sich auch von seinem nächsten Freunde. Er selbst begab sich im August ins Gasthaus zur Post nach Langenburg, dem hübschen Sitz der Fürsten von Hohenlohe, und bat den »Ziehbruder«, auch dorthin zu kommen. Aber der kam nicht. Umgekehrt schrieb ihm Kommerell Ende September 1930: ». . . Ich habe keine innere Möglichkeit, jetzt nach Berlin zu kommen.« Und etwa Ende Oktober: ». . . die alles in Frage stellende Erschütterung dieses Jahres . . . solltest du aber etwa mit dem Plan im Herzen angereist kommen, mich unter Aufbietung aller Kräfte aus meinem Gleichgewicht zu heben, so verzeihe Dir Gott! . . .

Kann mein Gedanke nicht zu Dir dringen: ehre das mir Auferlegte als m e i n Schicksal, in das Du nicht zwingend eingreifen darfst. . . .«

Anfang November hielt Kommerell in Frankfurt seine Antrittsvorlesung über Hugo von Hofmannsthal, und brachte damit zum Ausdruck, in welchem Maasse er die Freiheit neuer Zuneigung und Auswahl sich wahrte. Eine Verwandtschaft Kommerells zu Hofmannsthal ist offenbar. Wenn er diese Vorlesung mit den Worten schloss ». . . und grüssen in ihm den deutschen Stamm, dessen Tiefsinn Musik ist und dessen Leichtsinn noch etwas Hellenisches hat,« so verbirgt sich darin auch eine Huldigung an den aus Oesterreich stammenden Freund und die Entfremdung vom Werke Georges. Dieses vom früheren plötzlich verschiedene Verhalten konnte Hans Anton nicht verstehen. Ganz unbegreiflich war ihm, dass Kommerell sich von George, vom »Staat«, vom Freundeskreis lösen wollte, und Kommerell schrieb ihm gegen Ende 1930: ». . . Immerhin: ob Du das Recht hast, zu mir so hoch von oben zu sprechen? . . . Die neuen Gedichte gehen Dir in den nächsten Tagen zu. Nimm sie gut auf. Sie wollen an, sie wollen in Dein Herz. — In den Staat send' ich sie vorläufig nicht. . . .«

Danach hat Hans Anton den Freund besucht und diese Begegnung ist missglückt:

Mein geliebter Hans!

Ich bin ratlos erschüttert von Deinem Besuch. Du hast mir noch nie so schlecht gefallen. Vergib! Ich muss Dir das sagen. Ich werfe in diesem Brief alle Rücksicht beiseite. Es geht mir um uns – die Dioskuren, und da sind mir jene Rücksichten gleich.

Ich glaube, Du vertratest mir gegenüber die Gesinnungen höhern Orts. . jedenfalls bedenke: ich habe keine andere Wahl, als Dich und jene einigermaassen zu identifizieren. Wie willst Du aber dann verantworten, dass Du sie vertrittst in einer Form, die ich entweder als vollkommene Unmündigkeit bezeichnen muss, oder als Verstellung, die über einer Wirkungsabsicht (die völlig vereitelt ist) die menschliche Situation zwischen uns in kränkender Weise verleugnet.

Deine Art der Diskussion ist grob, plump und platt, und indem sie damit einen halbwegs fein Organisierten ausser Gefecht setzt, glaubt sie damit die barbarische Dürftigkeit, das bloss noch Machtmässige ihrer Argumente zu verdecken! Du hast es Deinem freien, schönen und gelenkigen Geist angetan, dass Du ihn in das Geschirr einer pfäffischen Orthodoxie schnallst und mir! mir! damit begegnest. Bist du denn behext oder was? Ich kenne Dich nicht wieder!

Du begegnest mir mit dem Hinweis auf die Pflicht zur Ehrfurcht gegen F. W.! – sprichst von Leichenschändung, vergleichst mich mit Juden u. s. w. Liebes Kind! Ich habe F. W., als er lebte, verehrt und geliebt, doch nie so, dass ich mich unterstellt hätte, und wenn Du sagst, ich habe jetzt von der Tatsache seiner Superiorität auszugehen, so habe ich damit nichts zu schaffen. F. W. war ein ganzer Mann und ist bei der Fahne gestorben. Ja, das ist schön und gross. Und es wäre Grund genug, von den Schwächen seines Werks, nun da er so kurz erst tot ist, zu schweigen. Ich schweige auch – in der Oeffentlichkeit. Dem steht (als mein Verhalten im engern Kreis begründend) gegenüber: er hat der ganzen Gründung durch sein Buch die Ansicht des Kirchlichen gegeben, hat Gegnerschaften von Rang mit kleinen Gesten der Sekte erledigt, hat die Verehrung des grossen Menschen (in den letzten Kapiteln) entstellt zu einer Devotion, die ein Frösteln der Scham in feineren Geistern hervorrufen muss, und die als eine andere Form der Betastung D. M. ablehnen musste! Ja, dies ist es: Ich kenne die persönlichen Bildevorgänge vom Menschen F. W. zu diesen Werkäusserungen und so können sie mir alle im individuellen Sinn ehrwürdig sein, im Grund trifft mein innerster Vorwurf die Regie die dies gutheisst. Und dies hat nichts damit zu tun, dass alle Bücher, auch meine, Fehler haben: nein, es handelt sich um Praktiken! – jawohl Hans, um Praktiken! – mit denen mich zu identificieren mir mein Name zu gut ist.

Ueberhaupt – wie ist das Menschliche aus dem Leim gegangen! Gott! welche Zeit, wo die Besten dem verfallen, dass sie alles Umgebende nur noch bespeien und sich selbst in der unwürdigsten Weise beräuchern. Wenn Du von F. sprichst, an dem Du früher wenig gutes Haar liessest, so ist's ein Gott den ein Halbgott liebt und so weiter. Wenn von H., so hat er sich dem gegenüber so zu fühlen, dass er kaum mit ihm das Merkmal, auf zwei Beinen aufrecht zu gehen, teilen darf. Ich liebe und ehre alle diese Freunde, aber es liegt gänzlich ausser meiner Möglichkeit, sie als Kultmitten zu umwandeln. Ich hoffe wir sind alle ein wenig Καλοι καγαθοι und erinnern uns, dass: sich zu ehren und andre zu ehren Korrelate sind.

Auf Deine Argumente: Verlag Bondi garantiert auch schlechten Gedichten Ewigkeitswert – frühchristliche Hymnen sind gut weil da und da etwas über Nonnos »geschrieben steht« blicke ich nur hin, nicht etwa weil Du solches Zeug denkst, sondern weil Du mich gering genug schätzest, dass Du mich zwingst es anzuhören.

Du verwechselst durchaus gute Gestalt und Haltung mit geistigem Format. Natürlich ist F. W.* eines, aber glaube: mit gleicher Obhut wird es gelingen, den R. F. zu einem ähnlich wirksamen und lebenstüchtigen Gliede auszubilden.

Lass Dir noch sagen, dass die Gefahr diese ist: Das Banale in der Sprechweise höchster Salbung nicht mehr zu erkennen, es gar für dichterisch zu halten, so dass Faustrecht im Geistigen, und liturgische Pathetik im Dichterischen zusammentritt, um auch in dieser Umgebung dem mittlern Format die Existenz zu sichern, dem grössern zu erschweren oder zu verekeln. Für das reine Gedicht: das höhere Individuelle das als solches ein Muster ist – hat fast niemand mehr Sinn: es muss Aufhöhung, Ethos, Pathos, Ritual, Magie zu Hilfe kommen.

Zwischen schlechter Magie (nämlich kirchenartiger oder kulissenartiger) und geistig maskiertem Philistertum bestehen zwar tiefe Unterschiede der Wirkungsmittel, aber keine der Qualität. Hinter beidem steht frecher Unglaube an das Göttliche, das zugleich die Natur und das reine Menschliche ist. Manchmal sprichst Du wie ein kluger Wagnerianer, manchmal wie Kaas, hie und da gar wie ein Anthroposoph!!

Im übrigen: wenn ich, durch mein Verhalten, erkläre (ausser Zusammenhang mit dem Vorherigen, ich meine jetzt ganz andere und Lebensdinge), dass ich's so wie es um D. M. im Jahre 1929 zuging, nicht

---

* Gedichte, die man als solche missbilligt als Äusserungen ethischen Wohlverhaltens zu retten, verbietet die Achtung vor den Verfassern. Den Satz D. M.'s »Geistbücher sind Politik« weis' ich zurück. Ich habe nichts damit zu schaffen!

mehr aushielt und folglich wegblieb, wie kann ich verantworten, S., in dem ich einen Menschen meiner Stufe anerkenne, im wehrlosen Alter von 15 Jahren hinzuschicken!

Ich schreibe erregt, heftig, habe keine Zeit zu Konzepten. Du sollst einmal hören, wie ich denke. Deine Gestalt, o sehr Geliebter, hat empfindlich eingebüsst, und ich schreibe dies um unser Verhältnis auf seiner wahren Linie fortzusetzen, womit ich riskieren muss, es zu stören. Du kannst mit diesem Brief machen, was Du willst, nur lass ihn nicht herumliegen. Bestimmt ist er im individuellsten Sinn für Dich!

H. lass' ich die Abschrift lesen.* Es wird nicht mehr Komödie gespielt.

Sonntag 7. XII. [1930]   Innigst Dein   M. K.

Ich wiederhole meine Einladung, Weihnachten mit mir hier zuzubringen.

* mit Ausnahme des letzten Abschnitts

Danach war kaum noch etwas zu sagen oder zu tun. Die Freunde fühlten die ganze Schwere des Geschehens; am Heiligen Abend jenes Jahres 1930 schreibt Kommerell »... mein Denken und Fühlen ist wunderbar zwischen Werden und Vergehen, zwischen Schwermut der Verantwortung und ergebenem Getragensein ...«, und dann noch einmal, zwischen den Jahren:

> Liebster Hans:
>
> Jetzt send' ich die »Leichten Lieder« an D. M. mit der Bitte um Druck bei Bondi zu Ostern. Dieser Versuch muss meinem Gefühl nach unter allen Umständen gemacht werden.
> Sehr lieb und dringend erwünscht wäre mir eine Aeusserung darüber, ob Du mich im Januar besuchen willst. Des weitern, wie Du über ein späteres – von mir angedeutetes – gemeinsames Hervortreten unser beider grundsätzlich denkst.
> Am 13. Januar sprech' ich in unserm Freiburg. ...
> Weihnachten hier war recht schön ... Meine Strassenecke hat schon ein rechtes Schicksalsgesicht und ich bin dem Boden durch vielfache Verstrickung verbunden.   Dein M.
>
> Nimm mich ins Neue Jahr mit hinüber! Du weisst, dass Fragen (ob Du kommst) keine Forderungen sind und bist wie immer, frei.«

»In unserm Freiburg« hat Johann Anton, Ende Februar 1931, nachdem er Kommerell in Frankfurt wieder besucht hatte, an dessen Geburtstag den Tod gesucht und gefunden. Sein Andenken wurde durch die Herausgabe seiner Dichtungen geehrt. Dieses Buch ist erst nach Georges Tod, 1935, im Verlag der Blätter für die Kunst erschienen. Viktor Frank hat es zusammengestellt; aber den Plan und die Auswahl hat er George vorgelegt und jedes Gedicht zur Prüfung vorgelesen. In diesem Buche folgt auf die Aufzeichnung über George ein Zyklus von Gedichten an Michelangelo, dessen greise Gestalt im letzten Gedicht »Das Ende« in wahrer Majestät erscheint:

Spät ging er durch die leer gewordnen gassen
Verehrt · geliebt · der furcht- und wunderbare
Mit königlichem gruss und stumm gelassen
Im hermelin der beinah hundert jahre.

Noch einmal breitet er den ganzen stolz
Des starren greises vor des lieblings füsse ·
Der sieger war · nur weil er lebte · schmolz
In tränen noch einmal vor solcher süsse.

Schon vorher, im Oktober 1931, hat Max Kommerell seine Übertragung von Gedichten Michelangelos »Johann Anton zum Gedächtnis« erscheinen lassen, und darin zuvorderst die Grabschriften für den mit fünfzehn Jahren verstorbenen Cecchino Bracci. So wurden sie zu Grabschriften für den in Freiburg bestatteten, jung verstorbenen, schönen Freund.
Johann Anton war einer von denen, die den Übergang vom Jüngling zum Manne nicht finden können. Sieger, nur weil sie leben, haben sie Mühe, in die zweite Riege zurückzutreten, wo in der Stille die Frucht reifen soll, und es mag eine Verbindung von Anmut mit Brüchigem gewesen sein, was den Dreissigjährigen die Spannungen, denen er ausgesetzt war, nicht mehr ertragen liess. Vielleicht auch, gleich Hölderlins Empedokles, dachte er, als er hinüberging:

... und wenn ihr morgen
Mich nimmer findet, sprecht: veralten sollt
Er nicht und Tage zählen ...

Max Kommerell, der bei Gundolf begann und dann zu Wolters nach Marburg ging, hatte nicht die absichtslose Liebe, die Gundolf auszeichnete, wohl aber denselben wachen und beweglichen Geist — sogar die Handschriften sind ähnlich. George sagte später von ihm, er meine alles zu können, weil er vieles könne. Noch im letzten Jahr seines Lebens hat George mit Ungeduld das Jean-Paul-Buch Kommerells erwartet und auf dem Krankenbett sich sofort hineingelesen. Da Kommerell Ende 1930 erklärte, nicht mehr aushalten zu können, was er zuvor zehn Jahre lang richtig gefunden, mitgemacht, gefördert und genossen hatte, da er nicht genug Güte hatte, auch hinter nicht ganz gemässer Gebärde wahre Verehrung zu erkennen, und da sein Geltungstrieb ihm nicht erlaubte, in Geduld und Treue zuzusehen und abzuwarten — was reifere Freunde konnten — so musste er später die Jahre seiner Zugehörigkeit verleugnen, und eines Tages die Briefe seines Meisters, der ihn geistig und materiell genährt hatte, mit Wut ins Feuer werfen.

Was sich da ereignet hat, ist nicht neu. Sokrates sagt im Theaitet: »Die aber mit mir umgehn, die scheinen am Anfang zum Teil sogar recht einfältig; doch im Verlauf des Zusammenseins machen alle, denen es der Gott gewährt, ganz erstaunliche Fortschritte, nach ihrem eignen Urteil und dem der andern ... Diese Geburtshilfe ist Gottes Werk und meines. Das wird daraus klar: viele, die das nicht wussten und alles sich selbst zuschrieben, mich aber verachteten, sind von sich aus, oder durch andere verleitet, früher von mir fortgegangen als sie sollten ...«

Und Eckermann berichtet über Platen:
»Es ist nicht zu leugnen«, sagte Goethe, »er besitzt manche glänzende Eigenschaften; allein ihm fehlt die Liebe. Er liebt so wenig seine Leser und seine Mitpoeten als sich selber, und so kommt man in den Fall, auch auf ihn den Spruch des Apostels anzuwenden: ,Und wenn ich mit Menschen- und mit Engelzungen redete, und hätte der Liebe nicht, so wäre ich ein tönendes Erz oder eine klingende Schelle'.«

Die Aufnahme der Tafel 132 erinnert an die Aufenthalte des Dichters bei Wolters; da steht George zwischen den »Dioskuren« im Garten von Wolters.

Im »Ewigen Augenblick« habe ich berichtet, dass George denen, die er liebte, Namen gab und diese Namen änderte mit dem Grad seiner Zuneigung; auch anderen, und auch solchen, die ihm widerwärtig waren, wenn er überhaupt noch namentlich von ihnen sprach, gab er erfundene Namen. So hörte ich ihn Kommerell »Maxim« nennen und »Puck« und nach dessen Abfall, »Kröte«, in Erinnerung an die Volkssage vom Edelstein im Kopf der Kröte und an den Vers:

> Die, gleich der Kröte, hässlich und voll Gift
> Ein köstliches Juwel im Haupte trägt.

In solchen Benennungen wurde sichtbar, wie er durch die Magie des Wortes liebte oder abstiess. Tatsachen, sagte er, könne er vergessen, solang sie nicht ausgesprochen seien; einmal beredet, seien sie nicht mehr zu tilgen. Das kommt zum Ausdruck in dem zuerst überraschenden Vers   Kein ding sei wo das wort gebricht.

Dass er, in Abständen wiederkehrend, dasselbe Wort sagen konnte, durch Tage und Wochen, enthüllt, wie, ausser oder vor dem Gedanklichen der Sprache, ein Irrationales ihm galt von grösserer Kraft und ursprünglicherem Leben.

Und fast ebenso bannend war sein nicht nennen, das daran erinnert, wie Dante vermeidet, den Namen des Flusses Arno auszusprechen:

> E l'altro disse a lui: Perchè nascose
> Questi 'l vocabol di quella riviera
> Pur com'uom fa dell'orribili cose?

Sein ganzes Leben hindurch hatte er dieses fast unheimliche Verhältnis zur Sprache, bis ins Alter; es äusserte sich auch in den merkwürdigen Schriftzeichen, die er – nur für sich – auf Zettel kritzelte, und noch in Minusio heftete er solche Zettel an die Wand oder an einen Schrank. Bei dem weisshaarigen Manne wirkte auch dies noch geheimer als vordem, wie überhaupt seine Erscheinung immer stärker und fast erschreckend Ausdruck des Inneren und von eindringender Wirkung wurde. Davon zeugen die grossen Aufnahmen, die Müller-Hilsdorf 1928 in München gemacht hat. Der Sechzigjährige erscheint da in vollem Ornat; aber der Ornat bestand nur aus dem schwarzen Rock und der weissen Binde.

Die Tafel 127, fast von vorn, gibt das gesammelte, vollendete Bildnis des Dichters für die Welt, nicht für seine Nächsten. Von der Überfülle des weissen Haares ist die mächtige, unten vorgebaute Stirn umrahmt, in die Denken lange Wellenlinien, Zorn wenig Steilfalten gezogen hat. Am Augapfel ist viel von den Lidern bedeckt, und aus dem dunklen Gefältel blicken messend harte Augen. Von der »männlichen Nase« leitet die Falte zum überaus sensitiven, in weitem Bogen gezogenen zarten und strengen Mund, um den, nah und ferner, feinere Linien spielen. Das Ohr, gross und wohlgeformt, steht wie ein Wächter an der Ecke im Schutz der dichten Haarsträhnen. Als Abschluss das feste und breite Kinn. Ein königliches Haupt aus bäuerlichem Stoff voll Dämonie und mit apollinischem Lippenbogen, erfahren und weise, der Mensch auf seiner höchsten Stufe.

Ähnlich, aber minder unbedingt, etwas gemildert durch den Lehnstuhl und durch die Zigarette in der linken Hand, ist das Sitzbild (T 128), das wohl am selben Tage aufgenommen ist. Der strenge Seitenblick erinnert an die Sordello-Stelle:

> Wir kamen hin... O seele des Lombarden ·
> Wie sie abweisend war · von stolzem mute
> Und welche blicke sparsam ernst uns warden!
>
> Sie liess vorbei uns ziehen und geruhte
> Kein wort zu sprechen und die augen drehten
> Sich nur als wären sie vom leu der ruhte.

Anders das Profil nach links aus derselben Zeit (T 153), von den bekannten Bildern wohl das erschütterndste durch seine heilige Tragik. Auge und Mund enthüllen sie. Ein oft am Abgrund geführtes, grosses und schweres Leben hat die Strähnen weiss gehaucht, mit suchendem Finger Spuren in die Stirne gestrichen und an der Schläfe die Zornesader vorgetrieben; Enttäuschung und Verzicht haben Schwermut und Trauer auf Auge und Mund gemalt, aber ein blühender Odem weht noch über die Wange und das Ohr lauscht dem Lied aus ferner Ferne:

> Was ich noch sinne und was ich noch füge
> Was ich noch liebe trägt die gleichen züge.

Von Geburt an umwitterte ihn eine dramatische Luft, und wer in diesen Luftkreis eintrat, erfuhr seine Wirkung: dass der tragische Mensch tragisch erlebt, was ihm begegnet, und dass die Begegnung oft auch für den anderen, durch solchen Umgang Gesteigerten tragisch verläuft.
Blättert man die Bilder der Menschen durch, die ihm befreundet waren: mit dem ist es zum Bruch gekommen, der ging in den Tod, dieser ist gefallen, jener ging ins Exil. Gewiss, es war die Zeit der Kriege und Verfolgungen; aber in dieser Zeit lebte er sein Leben, und wenn sich Schicksale erst nach seinem Tode erfüllt haben, so doch manchmal auch dann noch getrieben von seinem Hauch.

Es mag wohl Ende 1929 oder Anfang 1930 gewesen sein, als George mir im Atelier des Achilleion einen neu modellierten, mir unbekannten Kopf zeigte. Der junge Bildhauer Frank stand dabei; ich wusste nicht, ob er oder ein anderer den Kopf gemacht hatte. Ich sollte herausfinden, was der Dargestellte sei. Nachdem ich den Kopf lang angesehen und ein paar Mal umgangen hatte, sagte ich schliesslich: »Mörder.« Ob dieser Antwort war George ungehalten, und ich meine, mich zu erinnern, dass man mir nachher sagte, der Dargestellte sei ein Offizier der Reichswehr. Später erfuhr ich, dass der Kopf den Grafen Claus von Stauffenberg darstellte, und letzthin hat sein Bruder Alexander mir das bestätigt. Man hatte ihm damals meine Äusserung berichtet.
Dass dieser eine, der vor anderen sein Leben hingab, um Deutschland von seinem Fluche zu befreien, erzogen wurde von Stefan George, dass in ihm das Wort zur Tat wurde, dass er damit seine Brüder vertrat und seine Freunde und alle die Deutschen, die die Schmach ihres Landes brennend empfanden und das Unheil, das die Verbrecher über Europa gebracht haben, abzuwenden suchten, lässt uns erkennen, welcher Glaube von dem Dichter ausging (T 138).
Die Aufnahme, welche die Brüder Stauffenberg auf der Terrasse des alten Schlosses in Stuttgart mit dem Springer Spaniel (T 139) zeigt, könnte das »beigelegte Bild« sein, das Rilke im Brief an die Mutter

192

zur Wendung von den »drei schönen und schon im jetzigen Ausdruck
so vielfach künftigen Knaben« bewogen hat. Claus als der Jüngste
trägt noch Locken. Im Reitanzug, vor der Freitreppe, den Daumen im
Gürtel, meldet sich dann schon der Offizier in dem Achtzehnjährigen,
und der Kopf fast im Profil enthüllt den Täter (T 141, 142).

Berthold, der älteste von den drei Brüdern Stauffenberg (T 138, 140,
156 u) hatte eine vornehme Gelassenheit. Sein ruhiges Urteil hat ihn
nicht gehindert, mit dem jüngeren Bruder in den Tod zu gehen. Ihn
hatte George als Nacherben bestimmt, und er selbst hatte, als Frank
gefallen war, vorgesehen, dass Claus ihm nachfolgen solle. Da sie sich
selbst zum Opfer brachten, haben sie für des Dichters Erbe das Grösste
getan.

Im Neuen Reich steht, wie der Dichter im sommerlichen München oft
über den früh verstorbenen Prinzen Luitpold von Bayern gesprochen
hat. An die Gestalt dieses Knaben heftete sich eine Zeit lang Traum
und Trauer begeisterungswilliger Menschen, und sein Bild war in der
Stube manches Freundes an die Wand geheftet. In der Tat war der
junge Wittelsbacher von grosser Schönheit, und Berthold Stauffenberg
hatte eine Zeit, in der seine Anmut an jene erinnerte.

In dem hübschen Bild (T 138), wo vor der blumigen Tapete im Pförtnerhaus im Grunewald links George sitzt, Claus Stauffenberg nach
ihm blickt und ganz rechts Berthold Stauffenberg vor sich hinsieht, ist
etwas von der Verehrung sichtbar, mit der die Brüder dem Dichter an-
hingen. Wieder drängt sich die Erinnerung an eine Santa Conversazione auf. George (T 146) in der Kamel-Haar-Weste, die er in der Spät-
zeit häufig trug, blickt still vor sich hin; die tiefliegenden Augen scheinen fast geschlossen. Die durchgearbeitete, unten vorgebaute, durch-
furchte Stirn überschattet die Augenhöhlen, dem Geäder an der Schläfe
fehlt hier die Bläue; aber das viele Weiss in den starken Strähnen ist
auch auf der Photographie sichtbar. Unter dem Backenknochen und
vor der grossen Ohrmuschel senkt sich die fleischlose Wange ein. Die
Modellierung der Nase ist an dieser Aufnahme bis ins Einzelne deutlich. Beinah parallel zur tiefliegenden Gramesfalte, die sich vom Na-
senflügel gegen den Mundwinkel hinzieht, läuft rechts eine feinere und
fast heitere Linie. Mund und Kinn, obwohl im Schatten, lassen die
weitgeschwungenen Lippen und die Kraft des Unterkiefers erkennen.

Ein schweigsames Bild des noch nicht Sechzigjährigen, nach innen ge-
kehrt, sinnend, im Bewusstsein seines Rangs ohne Zutun oder Gebärde. Rechts zeigt das Gesicht Berthold Stauffenbergs, mit Augen wie
die, von denen Anselmuccio sagt: »du schaust so drinne«, einen so
reinen und edel-stillen Ausdruck, als sollten wir an der Gegenüber-

stellung wahrnehmen, dass Jugend nicht nur Vorbereitung ist, sondern Vollendung sein kann.

Ludwig Thormaehlen, dem wir dieses schöne Bild verdanken, hat damals in dem Pförtnerhaus im Grunewald noch eine andere Aufnahme (T 145) gemacht. In ganzer Figur, von vorn sichtbar, sitzt Stefan George in der Ecke des Zimmers, eine Zigarette in der rechten Hand. Wie keine andere Photographie zeigt diese den Mann, der sein Leben souverän zu führen weiss. Geistvoll sieht er aus und heiter und in seinen einfachen Sachen elegant.

Vielleicht ist es gut, ganz nah zu diesem weltmännischen Bilde das bäuerliche mit der Baskenmütze (T 147) zu stellen, aus dem er so listig herausblickt: wie weit gezogen ist der Bogen zwischen diesen beiden Augenblicken, obwohl sie das Grösste seines Wesens — den Dichter — nicht einmal zeigen.

Aus der Zeit der Blumentapete muss die Aufnahme T 150 stammen, Weste und Krawatte gleich, der Kopf mit lebhaftem Ausdruck, das Auge offen, Spiel um den Mund, die Falten gemildert und die Ader an Stirn und Schläfe wie der schlängelnde Lauf eines Baches, über dem Ganzen eine frohe Sicherheit.

Von den drei Brüdern hat nur Alexander Stauffenberg (T 143) den Sommer 1944 überlebt: von Athen nach Moabit gebracht und von Lager zu Lager geführt, hat er sich doch die Kraft dichterischen Schaffens bewahrt und ein Totenmal aufgerichtet für den Dichter und die Freunde.

Die Brüder Stauffenberg sind durch Albrecht von Blumenthal (T 144 r), der einige Jahre in der Mitte der jüngeren Freundesgruppe stand, zu George gekommen. Als Urenkel des Feldmarschalls in Pommern geboren, wandte Blumenthal sich der klassischen Philologie zu, lebte längere Zeit in England und war zuletzt Professor der griechischen Sprache und Literatur in Giessen. Dem Dichter verbunden und der Antike, besonders nach 1922 in Jena, wo er mit den Zwillingen Stauffenberg den Vorlesungen seines Freundes Herbert Koch zu folgen pflegte, ist er 1945, als die Alliierten sich der Stadt Giessen näherten und seine Wohnung mit der schönen Bibliothek vernichtet war, nach Marburg geflohen und hat dort zuerst seine Frau und dann sich selbst erschossen.

MINUSIO

Nachdem Kommerell weggegangen war, rückte in dessen Stelle als nächster Begleiter Victor Frank (T 165 l), und er blieb bei George bis zum Tode. So in Berlin, in Königstein und Bingen, in München und im Molino (T 156 o), wo George die drei letzten Winter verbracht hat.

Dort hat ihn ein Neuankommender so gesehen: »Oben trat mir aus der Glastür ein Wesen entgegen, in Tracht und Haarschnitt wie ichs ungefähr erwartet hatte, sehr ausserhalb der Zeit: gekleidet in einen blauen Anzug mit hochgeschlossenem Kragen über gelber Binde. In die Stirn wie aus Elfenbein fielen glatte schwarze Haare wie ein seidener Helm. Auftreten und Haltung waren völlig frontal. Ich erriet gleich, dass Frank, der Begleiter des Meisters, vor mir stand.«

Wenn Einer, von Locarno kommend, die via del sole, jetzt via Bacilieri, hinaufgeht nach Muralto, so sieht er links eine von Ingenbohler Schwestern geführte, grosse, modern ausgebaute Klinik, die Clinica Sant'Agnese, früher Dr. Aldo Balli. Von da an läuft die via del sole eben; eine kleine Brücke führt über einen Bach, den Rabissale, und gleich nach der Brücke links, etwas zurück, liegt der Molino dell' Orso, den Michael Stettler (T 133 l), damals achtzehnjährig, im November 1931 suchte und von dem er in seinen schönen Aufzeichnungen so berichtet:

»Ich fand eine verwunschene Klause hinter weithin sichtbaren Tannen, die über den Tobel des Orso-Bachs hochragten. Mit Mühe öffnete ich die klösterliche Riegeltür, die mich in einen überwachsenen Hof einliess.«

Dieser Molino (T 154, 156, 171), eine Entdeckung von Clotilde Schlayer und im Herbst 1931 kurzerhand von ihr gemietet, hatte ein geräumiges Atelier, in dem man zusammen war. Die Bilder (T 159, 166, 167) sind dort aufgenommen. Unter dem nach Norden gehenden Atelier-Fenster hing ein Vorhang und davor stand die Chaise-longue, auf der George auszuruhen pflegte. Die Aufnahme (T 155) ist bezeichnend für seine Art, dort zu ruhen, im Gespräch oder mit einem Buch.

Das von oben einfallende Licht lässt die tiefen Horizontalfalten und das weisse Haar klar erscheinen. Auch der sonderbare Blick ist wahrnehmbar. Diese Aufnahme ist vom Winter 1931/32. Wie George damals war, wie im Umgang mit Jüngeren, wie der Raum aussah, das hat Stettler so lebendig erzählt, dass ich gut daran tue, ihn sprechen zu lassen:

»Der Meister nahm meinen Arm und führte mich im Zimmer hin und her: fragend, zuhörend, mit Nicken und Wenden des Kopfes zu mir hinauf, und raschen Blicken aus eisblauen Augen. Die waren tief in ihre dunkeltonigen Höhlen gebettet, die Farbe des Gesichts war olivenes Hellbraun, umrahmt von der schneeweissen, sehr dichten und trockenen Mähne. Halb verstohlen musste ich immer von neuem auf ihn blicken, mir wohl bewusst, dass ein selbstvergessenes Anstarren ihn verdriessen könnte...

Den ich nun hörte: sein Sprechen war lebhaft, vom Augenblick geführt, nicht Hochdeutsch, sondern durchaus Mundart, mit Aus- und Zwischenrufen; war Spott und Seufzer und zärtliches Raunen, mit Ausdrücken, die s e i n e m Wörterbuch entstammten, die oftmals wiederkehrten und von seiner Umgebung, mithin dann auch von mir, mühlos übernommen wurden. Die Frage steht noch offen, ob eine Plastik ihn je ganz wiederzugeben vermag; die Wirkung, die von ihm in Gebärde und Gespräch, von diesem festlichsten Haupt, von diesen edelsten Händen ausging, wird gewiss weder Bild noch Sage ganz ausdrücken und vergegenwärtigen können — mögen auch beide der Erinnerung eine willkommene Hilfe sein.

Der Wohnraum durchmass die ganze Breite des Hauses und hatte nach drei Seiten hinaus Fenster: eines öffnete auf den Orsotobel und erhellte das Kanzler-Tischchen Franks, auf dem Schreibzeug, ein paar Bücher und ein Bild des Meisters aus der Zeit des Jahrs der Seele lagen, während am Sims eine Wiedergabe des Mykenischen Löwentors lehnte. An der Längswand gegenüber führte eine Glastür in den Garten, der einem halb verwilderten Weinberg glich; hoch an der Rückwand waren grosse Atelierscheiben über einem Diwan, vor dem Tisch und Stühle standen. Ein unbenützter Flügel, ein verschlossener Bücherschrank, ein geschnitzter Bär als Stockhalter und ein geflochtener Schaukelstuhl bildeten den Rest der Einrichtung, die unverändert vom früheren Bewohner übernommen war. An der vierten Wand führte eine schmale Tür über zwei Stufen in den Gang, zur Treppe und den übrigen Räumlichkeiten. Durch seine Einpassung ins Gelände wie auch durch Tobel und Garten wusste sich das Molino vor den Neugierblicken der Aussenwelt geschützt wie kaum ein anderes Haus der Ortschaft....

Nachmittags bin ich zu spät, weil ich vorher gegen Ascona gelaufen war; als ich in die Strasse zum Molino biege, steht der Meister mit Frank einige Schritt vom Tor zum Spaziergang bereit, im schwarzen Mantel, die weite Baskenmütze auf dem weissen Haar. Frank trägt eine gleiche, die ich ihm hernach für die Dauer meines Aufenthaltes abgebettelt habe. Eilends hole ich sie ein, zudritt setzen wir den Weg fort. Wir kommen an jahrhundertealten, armseligen, aber nicht würdelosen Häusern vorüber, ‚unglaublichen Bâtissen' findet der Meister. Ein Heiligenbild al fresco an die Wand gemalt, mit halbverlöschten Farben blau und rot und gewiss kein Kunstwerk, sei, meint der Meister, noch erhaben über jene Gemälde, die heutigentags zusammengestrichen würden.

An der Friedhofmauer von Minüs und den langen Laubengängen vorbei, die tief mit Reben behangen sind, kommen wir bis zum schönen alten Turm von San Quirico überm See....

Wie ich mich diesen Morgen verabschiede, drückt mir der Meister vor der Tür ein zusammengefalztes Papier wie einen Göttibatzen in die Hand — damit ich nicht in Verlegenheit geriete. Als ich es nachher auseinanderfalte, liegt eine Geldnote drin, die mir in der Tat zustatten kommt, denn als ich wie ins Blaue und ohne Gepäck am Montag hergefahren war, hatte ich weder über Dauer noch Verlauf meiner Reise Bescheid gewusst.«

Wie eine Illustration zu diesen Berichten wirkt die Aufnahme (T 158) vom Winter 31/32: George mit Frank, der, wie er selbst sagte, ein recht scheinheiliges Gesicht machte. Doch zeigt dieses Profil nach rechts den hohen Kopf mit dunklem Haar, das die obere Stirn bedeckt, das klare Profil, die Unterlippe etwas vorgeschoben, und den klugen Ausdruck des jungen Bildhauers. Georges Haltung hier, wie in ähnlichen Aufnahmen, väterlich bedacht auf das Wohl des Jüngeren. Ebenso zeigt seine Lebensweise das hübsche Bild (T 160) vor dem Atelier, aus dem man durch eine grosse Türe eben heraus trat in den Garten. George steht mit dem Rücken zum Atelier, ihm gegenüber Frank, und zwischen beiden durch sieht man auf den Lago Maggiore und das gegenüberliegende Ufer. Die südliche Vegetation des Tessin gibt ein Element der Freude, das sich auf den Gesichtern widerspiegelt. Die nächsten Aufnahmen (T 166, 167), vom Frühjahr 1932, zeigen George in lässiger Haltung an dem kleinen Schreibtisch im Molino, an dem er kaum je geschrieben hat, zwei wirkliche Altersbilder, die den Ausgang des nächsten Jahres ahnen lassen.

So erschien er aber recht selten. Die zwei ersten Winter waren noch voll Leben. Das schöne Bild der Tafel 149 ist auch vom Winter 1931/32. Es ist bezeichnend für jene Jahre, nur dass die Mundwinkel etwas herabgezogen sind, was ich fast nie gesehen habe. Alles andere erscheint richtig: die mächtige, unten vortretende Stirn, von Horizontalwellen durchfurcht, mit der aufsteigenden Ader an der Schläfe, dunkel eingebettet die wissenden Augen, die Backenknochen etwas zu stark wirkend, weil die Wangen hohl sind, Nase und Ohr, Mund und Kinn bestimmt und klar, Falten von Gram und von Lachen, das wunderbare Haupt gekrönt und umrahmt von der Aureole seines bis zuletzt üppigen schneeweissen Haares, dazu die leichte Neigung des Kopfes und Wendung nach der linken Schulter: beim Betrachten dieses Mannes habe ich heute dieselbe Empfindung, die ich als Student beim Anblick des Adam der Sixtinischen Decke und bei einzelnen Bildern Goethes hatte: dass andere Männer und Männer-Bildnisse nur Versuche seien, hier aber Natur und Kunst gezeigt habe, wie ein Mann sein könne, nein: sein müsse.

Die Tafel 171 zeigt die Front des Molino gegen den See hin. Da sieht man den Balkon des Schlafzimmers. Aufs Geländer gelehnt erwartet der Dichter die Heimkehrenden mit jener Gebärde ruhiger Gelassenheit, die ihm in den letzten Jahren eigen war. Wer ihn damals dort gesehen hat, spürt in dieser Aufnahme heute noch — nach mehr als fünfzehn Jahren — den wehmütigen Zauber jener »glanzerfüllten sterbewochen«.

Am Molino gefiel ihm besonders, dass das Haus drei Ausgänge hatte, und dass man auch aus dem Garten nach zwei Strassen vor unerwünschten Besuchern ausweichen konnte. Je bekannter er wurde, desto mehr musste er auf die Sicherung seiner Privat-Existenz bedacht sein; auch liebte er das Geheimnis. Lange Zeit hatte er keinen Wohnsitz, war nirgends angemeldet; oft war er nur über die Adresse eines Andern zu erreichen. Briefe liess er gern an der Bahn einwerfen, damit sie den Stempel der Bahnpost, nicht den des Abgangsortes, trugen.

Auf einer der Strassen von Minusio zeigen ihn die Abbildungen der Tafel 157, 161. So sah er aus, wenn er vormittags den Gang in der Sonne machte. Als George die Frontal-Aufnahme (T 168) sah, rief er, das ü in i verwandelnd, aus: »Riebezahl!« Oft gingen wir beim Municipio hinunter am Friedhof von Minusio vorüber. Oben, im Schulhof auf der Terrasse über der kahlen Mauer, spielten die Kinder in der Pause.

Eine leichte Luft weht über Minusio (T 172). Zedern und Palmen rahmen das Blickfeld. Hohe Granitstützen tragen Reben, und dazwischen heben Maulbeerbäume ihre schmalen Äste und die ganz feinen Zweige in den hellblauen Tag. Von Tessiner Steinhäusern, mit Balkonen, über denen, aufgehängt am vorspringenden Dach, goldene Maiskolben sich langsam röten, schweift der Blick zum See, hinauf zu den schneebedeckten Berghöhen am anderen Ufer. Vom Glockenturm tönt ein dünner Ton herab; Knaben sind hinaufgeklettert, um zu beiern.

Vom Spaziergang heimgekehrt, und auch ohne Ausgang, trank George, wie man das am Rhein tut, einen Schluck Wein, so eine halbe Stunde vor dem Essen, oft stehend im Gespräch, und dazu ass er ein Stück trockenes Brot als »Schwämmchen«. Die Aufnahme der Tafel 159 zeigt ihn in einem solchen Augenblick im Gespräch mit Frank, das Weinglas in der Hand, im Atelier des Molino. Aus jener Zeit, vom Herbst 1931, ist auch das Profil (T 169) mit dem schneeweissen Haar vor einem blühenden Busch des Molino-Gartens. In der Kamelhaar-Weste, die Hände in den Hosentaschen, ist seine Haltung durchaus natürlich; nur dass irgend etwas bewirkt hat, dass er an der Nasenwurzel die Falten zusammenzieht.

Besonders hübsch ist das Dreier-Bild (T 162), das George zwischen Frank (schwarz gekleidet) und Karl Joseph Partsch genannt Cajo (weiss gekleidet) (T 165 r) — sein Profil nach rechts blickt gerade noch ins Bild herein — zeigt. Auf Georges Gesicht ist jener Ausdruck etwas spöttischer Freundlichkeit zu sehen, mit dem er oft die Jüngeren anblickte. Dabei denkt man an ein griechisches Vasenbild. Von dem gleichen Gang zu Dreien stammt die nächste Aufnahme (T 163), auf der er Cajo zu seiner Linken hat.

Wenig froh sieht er in Mantel und Mütze, auch auf einem Spaziergang in Nymphenburg mit Cajo allein aus (T 164).

Im Juli 1933 brachten verschiedene illustrierte Zeitungen eine Photographie, die ein Binger Bürger, verdeckt durch Gitterstäbe, heimlich aufgenommen hat (T 170): George verlässt das Elternhaus in Bingen. Eben geht er durch das eiserne Tor, welches den vorderen Hof von der Hinteren Grube abschloss. Er trägt die baskische Mütze und über dem linken Arm seinen Mantel; Frank erwartet ihn am Wagen, der ihn fortbringen soll. Die Aufnahme ist am 8. Juli 1933 gemacht worden. Er reiste ab, um sich den drohenden Ehrungen zu entziehen, zuerst nach Berlin, wo er noch einmal seine dort wohnenden Freunde sah, darunter Ernst Morwitz und Bernhard von Bothmer (T 102 u), den er in seinen zwei zuletzt gedichteten Liedern gegrüsst hatte. Auch dies Mal wohnte er in Dahlem bei Clotilde Schlayer, und dort machte Walter Kempner am letzten Geburtstage des Dichters die wunderbare Aufnahme (T 1), die den Bilderband eröffnet.

Nachher ging George, wie in den vorausgehenden Sommern, nach Wasserburg am Bodensee. Ich erinnere mich, dass ich nun wieder dorthin kommen sollte und schrieb, ich würde es tun, wenn er es verlange, sonst aber würde ich nicht mehr nach Norden fahren. George verlangte nicht, dass ich hinüber käme, aber im August kam er in die Schweiz, zuerst nach Heiden, mit jüngeren Freunden. Dort besuchte ich ihn Ende August für zwei Tage, und da sagte er scherzend, als das Schiff mitten auf dem Bodensee gewesen sei, habe er freier geatmet.

Als ich am 3. Oktober nach Locarno kam, fand ich ihn im Bett. Im Molino war jemand, der für ihn sorgte; wer es war, wusste ich nicht, obwohl ich vor- und nachmittags hinkam. Er gab mir die Korrekturen von Tage und Taten zu lesen, für die Gesamtausgabe. Manchmal hiess er mich, wenn ich am Bett sass, sein Handgelenk umspannen und pressen, damit er nicht einschlafe. Er dachte nachts besser zu schlafen, wenn er sich am Tage wachhalten liess. Er war recht schwach geworden und fühlte es: »Es ist nicht gut«, sagte er, »so schwach zu werden. Kommt dann etwas, so kann man nicht mehr Widerstand leisten.« Wiederholt riet ich zum Aufsuchen der Basler Klinik, in der er früher schon gewesen war, aber er war nicht dazu zu bewegen. Er wollte »bei der konservativen Behandlung« durch seinen Arzt bleiben, den ich nicht kannte, dem aber täglich nach Berlin telephoniert wurde. »Der hat sich das sozusagen zur Lebensaufgabe gesetzt.«
Wie erstaunt war ich, als ich an einem der letzten Tage des Oktober in den Molino kam und ihn angekleidet sitzen sah, vor einem gedeckten Tisch, auf dem sogar Wein stand. Er schien erfrischt und genoss meine Überraschung. Das hatte Frank bewirkt, der weil ich wegreisen musste, auf des Kranken Ruf hin gekommen war. Wie oft in den letzten Jahren hat sich Georges Gesicht erheitert, wenn Frank ins Zimmer trat, und noch heute rührt es mich, zu denken, mit welcher Liebe Frank ihm anhing. Dann kam noch mein Bruder Erich, und es waren wieder Gespräche im Molino: Über den »Genius des Abendlandes« und über den neu gefundenen Platonkopf. So reiste ich etwas beruhigt ab. In Basel suchte ich den Urologen auf, der den Dichter früher seines Steinleidens wegen behandelt hatte, nun aber natürlich sagte, er müsse den Patienten in der Klinik haben, um feststellen zu können, was ihm fehle. Brieflich bat ich, die Besserung zur Reise nach Basel zu benutzen — vergeblich.
In der letzten November-Woche war ich in Paris, und dort erhielt ich am Dienstag, den 28. November 1933, ein Telegramm aus Locarno: »Sonntag Rückfall, Montag Klinik verbracht«. Da im Oktober wiederholt von Verbringen in die Klinik die Rede gewesen war, entnahm ich dieser Nachricht noch nicht eine bedrohliche Wendung; aber am Mittwoch, den 29. November, 18 Uhr, fand ich im Hotel zwei Telegramme vor: »29. November, 9^{h}15 Befinden seit Sonntag verschlimmert, Zustand nicht unbedenklich. Kommen erwünscht — 29. November 16^{h}12 Berliner Arzt heute eingetroffen, Nachmittags Zustand günstig.« — Um

21 Uhr reiste ich von Paris ab, und am 30. November, 20 Uhr, war ich in Locarno.

In der Clinica Sant'Agnese lag der Kranke im grössten Zimmer des ersten Stocks des alten Hauses, das nun im Umbau verschwunden ist. Bei ihm war sein Arzt, Walter Kempner, die bisher unsichtbare Pflegerin aus dem Molino, Clotilde Schlayer, und Victor Frank; eine der Krankenschwestern ging ab und zu. Am Nachmittag war er in höchster Lebensgefahr gewesen; auch nun atmete er schwer. Nichts verriet, dass er mich erkannte. Der Arzt blieb am Bett, und auch Clotilde Schlayer und Frank waren immer bereit. Der Kranke schlief ziemlich viel, doch wechselte Schlaf mit Wachen.

Ich hörte nun, was sich ereignet hatte: nach einigen Wochen körperlichen Wohlbefindens hatte er am Sonntag, den 26. November, ein reichliches und nicht leichtes Mittagessen, mit Wein, zu sich genommen; am Ende der Mahlzeit verlor er das Bewusstsein und erlangte es nicht wieder bis zum nächsten Tage.

Am Freitag, den 1. Dezember, schien eine Besserung deutlich; der Puls war kräftiger. Der Patient klagte zwar über die schlechte Nacht, aber er nahm etwas zu sich und sprach auch. Im Laufe dieses Freitags, als ich einmal allein bei ihm im Zimmer war, sagte er: »Ach Robert«. Schon an diesem Tage wurde er viel durch Schlucken gequält, wodurch er oft schreckhaft erwachte. Sein Zustand war so viel bedenklicher, als ich erwartet hatte, dass ich mit Frank beriet, wer zu benachrichtigen sei. Schon am Donnerstagabend hatte Frank einige Telegramme an Freunde ausgesandt, nun gab er noch einige auf.

Der Kranke konnte sprechen; er antwortete auf Fragen, äusserte auch Wünsche, doch bezog sich das meiste auf die Pflege. Mit grossem Widerwillen nahm er Einspritzungen hin. Sein Puls und Blutdruck, der immer wieder absank, wurden ständig überwacht.

Die Nacht vom Freitag, den 1. auf Samstag, den 2. Dezember verlief ähnlich wie die vorhergehende. Am Morgen dieses Samstags empfahl die Krankenschwester dem Arzt, sich etwas hinzulegen, er habe nun manche Nacht nicht geschlafen. Als der Kranke das hörte, sagte er, das mache nichts, er habe auch manche Nacht für die andern gewacht. — Da er mit ziemlich schweren Wolldecken zugedeckt war — der Reichtum des Indianers, pflegte er zu sagen, zeigt sich in Decken — so legten wir ihm eine ganz leichte Daunendecke auf. Scherzend bemerkte der Arzt dazu: »Der Robert hat eine so schöne Decke mitgebracht«. »Hawe mer all auch«, war die Antwort. Daraus meinte ich wieder auf Besserung schliessen zu dürfen; aber der Schlucken nahm zu, Schlaf und Nahrungsaufnahme gingen zurück. Als ich am Samstag gegen 16 Uhr wieder in die Klinik kam, hatte der Kranke sich gerade von einer

Herzschwäche erholt. In der Nacht vom 2. auf Sonntag, den 3. Dezember, schlief er viel weniger als in den vorhergehenden Nächten. Der Schlucken liess ihm gar keine Ruhe mehr. Allmählich trafen Freunde ein; sie durften das verdunkelte Zimmer betreten, aber ohne dass der Kranke sie bemerkte.

Am Sonntagabend wich der Schlucken einem mühsamen, lauten Atmen, das schliesslich in Röcheln überging. Jedes Ausatmen klang wie ein erschütterndes Ach. Der Puls war sehr schwach und wurde immer schwächer. Dennoch schien der Kranke bei Bewusstsein. Denn als der Arzt einmal einen Augenblick das Zimmer verliess, verlangte er nach ihm.

Da sein Zustand zusehends hoffnungsloser wurde, traten die Freunde etwas näher an das Bett heran. Er schien das zu erkennen, und einmal brachte er heraus: »Ihr Kinder« und »saget kein Wort«. Danach noch »Genug, genug«. Auch hob er beide Hände bis zur wagrechten Höhe. Es schien, als bedrängte ihn die Nähe der Freunde. So traten sie zurück ins Dunkel. Langsam wurde der Atem schwächer, und am Montag, den 4. Dezember 1933, um 1^h 15 stand das Herz still. —

Während die Krankenschwestern den Körper des Toten pflegten, berieten ein paar Freunde, was nun zu tun sei; von Gesicht und Händen waren Abgüsse (T 175) zu nehmen. Das taten die Bildhauer Max Uehlinger und Wilhelm Schwerzmann. Schon vorher hatten wir dem Toten seine weisse Woll-Jacke und die weisse Halsbinde angezogen. In königlicher Ruhe lag er auf dem Lager, alles um sich her weit distanzierend. Der Ausdruck geheimnisvoller Hoheit war beinah noch stärker, als er am Abend in dem engen Gehäuse lag, in dem wir ihn nach der Grabkapelle des Friedhofs von Minusio (T 174) brachten. Dort schien Gewähr für stille und würdige Bestattung durch die Freunde. Auch hatte er gelegentlich gesagt, es sei einer dort zu begraben, wo er gestorben sei. Also war der Platz fürs Grab in Muralto oder in Minusio zu suchen. Wir fanden ihn an der Mauer zum Schulhof von Minusio (T 173). In der Mitte der ausgeräumten Kapelle stand der eichene Sarg auf einem violett bedeckten Gestell. Über dem Kopf-Ende hing ein Lorbeerkranz, dessen Blätter anlagen nach römischer Art. Rechts und links vom Tisch standen je drei Lorbeerbäume, die über den Sarg hinausragten. In den Ecken der kahlen Kapelle hielten Freunde die Totenwache, die im Tessin üblich ist; nach der von Claus Stauffenberg gegebenen Ordnung lösten sie sich ab. Vor der Kapelle, rechts und links vom Eingang, waren zwei gleiche Lorbeerbäume aufgestellt.

Am Abend des 5. Dezember kamen die Freunde zur Kapelle, um den Toten noch einmal zu sehen. An seiner Stirne lagen, aufsteigend von rechts und links, zwei Lorbeer-Zweige; am linken Handgelenk trug er den Goldschmuck. Die Eintretenden legten Blumen vor dem Sarg nieder. Von ihnen war der Tote durch die Lorbeerbäume getrennt. Sein Antlitz war von unbeschreiblicher Hoheit. Die Unbeweglichkeit des Todes bewirkte, dass er noch weiser, noch erhabener, noch undurchdringlicher aussah als im Leben. Um die Oberlippe spielte ein feiner Zug von überlegenem Wissen; man konnte meinen, innen lächle er.

Mein Bruder wusste von seinem langsamen Erwachen nach einer Operation zu berichten. Damals hatte Erich dem Erwachten erzählt, wie schön sein Antlitz in diesem Schlafe gewesen sei, schöner als je im Wachen. Darauf habe der Dichter gesagt, dann müsse er ja sterben, um ganz schön zu werden.

Die Bestattung war auf Mittwoch, den 6. Dezember, nachmittags, angesetzt. Weil aber Fremde sich darnach erkundigt hatten, fand sie früh am Morgen statt. Der geschlossene Sarg war mit Blumen bedeckt. Als die Freunde versammelt waren, wurde die Türe der Kapelle zugemacht, und einige — sie standen am Fuss-Ende — lasen Gedichte aus dem Siebenten Ring. Dem Jüngsten gab man den Lorbeerkranz, einem Anderen Lorbeerzweige, und sechs trugen den Sarg. Nachdem er in die Kammer hinuntergelassen war, warf jeder seine Zweige nach, dann wurde die Deckplatte geschlossen, mit Kranz und Blumen bedeckt und mit den Lorbeerbäumen umstellt. Drei lasen den Schlusschor aus dem Stern des Bundes. Darnach ging jeder fort. —

Auf der Grabkapelle steht die Inschrift:

MEMENTO HOMO QUIA PULVIS ES
ET IN PULVEREM REVERTERIS

Das ist gewisslich wahr. Aber welches Wunder aus solchem Staub aufsteigen kann, das bezeugen Leben und Werk des Dichters Stefan George.

ENDE

HINWEISE*)

S. 9 *Motto:* Spruch von Stefan George, aus dem Nachlass.
Rudolf Burckhardt, geb. Basel 30. März 1866, gest. Rovigno 14. Januar 1908.
Professor der Zoologie, schickte seine Schrift DIE BIOLOGIE DER GRIECHEN,
Frankfurt 1904, an George, der dann — ganz gegen seine Gewohnheit — auf
der Durchreise durch Basel spontan den Gelehrten besuchte. Burckhardt
sagte George, er müsse mich sehen, und so verdanke ich ihm die Begegnung.
Das Porträt des 18jährigen ist das Erstlingswerk des gleichaltrigen Freundes
Wilhelm Balmer, Basel — eine Zeichnung, mit Farbstift und Pinsel belebt.

S. 10 *Brücke in Rheinfelden:* RING 194.
Kloos, Verwey, Dowson: ZEITGENOSSEN I 67, 73, 47.
David-Dichter: Saladin Schmitt, vgl. Text S. 158.
Und welches willens: BLÄTTER XI/XII 225.

S. 11 *Mein äusseres Auge sank:* Annette von Droste-Hülshoff: DIE VERBANNTEN.
Abbildungen hessischer Typen: Hans Ludwig Oeser, DEUTSCHES LAND UND
DEUTSCHES VOLK, Deutsche Buch-Gemeinschaft 1934.
Stoff und stamm: NEUES REICH 33.
Mauclair Camille: MALLARME CHEZ LUI, 5e édition, Paris, Grasset, 1935,
S. 40.

S. 12 Von der linken Hand ist zu Lebzeiten in München ein Abguss gemacht
worden.
Und so ihr euch verzehrt: RING 90.
Natura il fece e poi ruppe la stampa heißt es im ORLANDO FURIOSO X 84.
Doch wir sind Geister: SOMMERNACHTSTRAUM III 2.
Monokel: Wie Goethe liebte er Brillen nicht.

S. 13 *Curt Stöving*, geb. Leipzig 6. März 1863, Maler und Architekt, Professor.
Von ihm ein Bronze-Relief Stefan George, abgebildet Leipz. Ill. Zeitung
1902, und eine Zeichnung, abgebildet als Vorblatt zu Klages' Georgebuch.
Von ihm auch die Aufnahme T 73.
Friedrich Wolters, STEFAN GEORGE UND DIE BLÄTTER FÜR DIE KUNST, Berlin
1930, Georg Bondi, S. 120f., 579.
Albert Verwey, MIJN VERHOUDING TOT STEFAN GEORGE, N. V. Uitgeverij vj.
C. A. Mees, Santpoort 1934, S. 37.
Deutsch: MEIN VERHÄLTNIS ZU STEFAN GEORGE, Heitz & Co., Strassburg,
1936, S. 38.

S. 14 *Boccaccio:* Macri-Leone, LA VITA DI DANTE scritta da Giovanni Boccaccio
Testo critico con introduzione, note e appendice, Firenze 1888, S. 43.
Valéry, PASSAGE DE VERLAINE in Variété II (1930) p. 177 und Oeuvres com-
plètes Bd. VII (1937) p. 168.

*) Für Erinnerungen des Verfassers und für Dokumente aus des Verfassers Besitz
sind keine Hinweise verzeichnet. Zitiert werden die Georgeschen Gedichte mit
kurzem Buchtitel (z. B. Hirtengedichte, Teppich, Ring, Zeitgenossen) und mit
der Seitenzahl der Gesamtausgabe.

geckenhaft: »Es steckt etwas Gecken- und Modehaftes in seinem Jugendwerk, weshalb es denn mit besonderer Inbrunst von allen Ästheten gekostet wird.« Karl Vossler, DIE GÖTTLICHE KOMÖDIE, 1. Ausgabe, Heidelberg, 1907, S. 516. *Dantes Sonett an Meuccio und das Sonett aus der Vita Nuova:* SCHLUSS-BAND 78.

S. 15 *c'ha l'abito* . . . Dante, PARADISO XIII 78.

Das Wissen eines grossen Mannes: Francisco de Hollanda, VIER GESPRÄCHE ÜBER DIE MALEREI, geführt zu Rom 1538. — Originaltext mit Übersetzung, Einleitung, Beilagen und Erläuterungen von Joaquim des Vasconcellos. — Sonderband der Quellenschriften für Kunstgeschichte. Verlag von Carl Graeser, Wien 1899. — S. 118 (f. 145 v der Handschrift) heisst es: »E nisto se conhece o saber do grande homem, no temor com que faz uma cousa quanto melhor a entende« und es geht weiter: »e polo contrario, a inorancia d'outros na temeraria ousadia com que enchem os retavolos do que não sabem aprender« — » . . . während im Gegenteil die Unwissenheit der anderen sich an dem tollkühnen Wagemut zu erkennen gibt, mit dem sie Tafelbilder mit Dingen anfüllen, die über ihre Kräfte hinausgehen«. — In der italienischen Ausgabe von Antonietta Maria Bessone-Aureli, DIALOGHI MICHELANGIOLESCHI DI FRANCISCO D'OLANDA, II ª Ediz. Maglione e Stirni, Roma 1926, lautet S. 142 die Stelle: »Si conosce il sapere di un grande uomo nel timore che ha die non fare une cosa bene come la intende; e l'ignoranza dei molti nella temeraria arditezza con la quale empiono i quadri di tutto ciò, che non sanno.«

Baudelaire, »Edgar Poe, sa vie et ses oeuvres«, ein Essai, den Baudelaire seiner Übersetzung HISTOIRES EXTRAORDINAIRES voranstellte: Baudelaire-Gesamtausgabe von Crépet VI (1932), p. XXI.

S. 16 *In meiner jugend:* BRIEFWECHSEL ZWISCHEN GEORGE UND HOFMANNSTHAL, Bondi, Berlin 1938, S. 166.

S. 17 *Sonntage auf meinem Land:* TAGE UND TATEN 10.

zur Ahnentafel: Walther Föhl, DIE AHNEN STEFAN GEORGES. Festschrift zum 25jährigen Bestehen der Westdeutschen Gesellschaft für Familienkunde e.V., Köln, 1913—1938, S. 85 ff. Dort auch Ahnenliste Stefan Georges und seiner Geschwister. — A. Ph. Brück, DIE FAMILIE GEORGE IN BINGEN UND BÜDES-HEIM, im Katholischen Kirchenkalender der Pfarreien Bingen und Bingen-Büdesheim, 17. Jg. 1933.

S. 18 *von dem die Bauern sagten:* Herbert Steiner, BEGEGNUNG MIT STEFAN GE-ORGE, 1. Ausg. 1942, 2. Ausg. 1947, beide in Aurora, N. Y. — Es war aber das Haus des Grossonkels Etienne George oder Stephan George I, laut Auskunft des Grundbuchs.

so klang: RING 18.

Kindlicher Kalender: TAGE UND TATEN 13.

S. 19 *Ursprünge:* RING 127.

Amhara alai:

Schon als die ersten kühnen wünsche kamen
In einem seltnen reiche ernst und einsam
Erfand er für die dinge eigne namen —

JAHR DER SEELE 52

Das Anwesen an der Hinteren Grube: Das Anwesen, wie es aus der Flurkarte (T 17 l) ersichtlich ist, hat fünf Teile, in die ich A, B, C, D, E eingetragen habe:

A) ist der Vorgarten,
B) der kleine Vorplatz, zu dem die Eingangstüre aus der Hinteren Grube hineinführte; aus diesem Vorplatz ging man rechts zehn Stufen hinauf ins Haus, nach links in den Garten,
C) ist das Haus, in dessen Erdgeschoss links des Dichters Arbeitszimmer war. Die Abbildung zeigt den Dichter am Fenster seines Zimmers.

206

D) war ein Hof für die Küferei und Weinhandlung,

E) war das Hinterhaus, umfassend: Werkstatt, Kohlenraum, Wasch-
küche, darüber Speicher.

Im Parterre des Haupthauses waren vier Zimmer, Küche, Bad, Klosett und ein durchgehender Gang. Vor der Treppe zum ersten Stock war ein Abschluss. Das Treppenhaus hatte keine Fenster, sondern bekam sein Licht durch ein Oberlicht im Dachgeschoss.

Vom Haupthaus (C) zum Hof (D) führten nur drei Stufen, weil das Gelände an der Hinteren Grube ansteigt. Die Zimmer nach der Grube hatten alle zwei Fenster. In das Zimmer im ersten Stock über dem Arbeitszimmer des Dichters liess die Schwester nach dem Tode des Dichters die Einrichtung seines Arbeitszimmers aus dem Erdgeschoss verbringen. Dieses Zimmer im ersten Stock hatte zwei Fenster nach der Stefan-George-Strasse. Das darunter liegende Arbeitszimmer des Dichters hatte nur ein Fenster und war kleiner, weil der Eingang zum Haus Platz wegnahm.

Das Eckzimmer im ersten Stock ist im Plane als Schlafzimmer bezeichnet. Früher war es Wohnzimmer, und dort hat bei meinem letzten Besuche die Schwester mich empfangen.

Im Dachgeschoss waren zwei gerade Zimmer nach der Grube. Im übrigen war dort Speicher und darüber ein Speicher zum Trocknen.

Alle Zimmer waren sehr hoch, über 4 m.

S. 20 *Beschreibung von Haus und Zimmer:* Verwey, MEIN VERHÄLTNIS, S. 23f. Dort auch als Titelbild die *Zeichnung von Toorop,* die auch Wolters S. 111, 578 bespricht und abbildet.

Ernst Robert Curtius, STEFAN GEORGE IM GESPRÄCH, in: Kritische Essays zur Europäischen Literatur, S. 138ff., A. Francke, Bern, 1950.

S. 21 *Gebhard Fugel,* geb. Oberblicken bei Ravensburg 14. 8. 1863. Das Porträt, 1894 ausgestellt auf der Münchner Jahres-Ausstellung im kgl. Glaspalast, ist abgebildet in der Allgemeinen Kunstchronik Bd. XVIII Nr. 23, S. 673, München 1892, 2. November-Heft.

hinaufgetragen haben in die Sonne: so im »Brand des Tempels«, NEUES REICH 88:

> Im engen felstal wo du aufgewachsen
> Trug ich dich stunden-lang zur höh hinauf
> Damit du sonne sähest, diesen strahlen
> Verdankst du deine stärke und dein glück.

Sie unterwies die Kinder: »Unsere mutter lehrte uns die namen und die kräfte der blumen und kräuter und wir bekamen die schwer zugängliche kuppe gezeigt wo die seltene blume diptam wächst aus der des nachts weisse flammen perlen.« »Der Kindliche Kalender«, TAGE UND TATEN 15.

S. 22 *Basilienkraut:* HIRTENGEDICHTE 90.
Einst attich suchte und ranunkel: »Die Fremde«, TEPPICH 44.

S. 23 *Die Schwester:* Verwey, MEIN VERHÄLTNIS, S. 26.
wer wie ich: BRIEFWECHSEL 171.

S. 24 *Kindliches Königtum:* HIRTENGEDICHTE 92.
Mitschüler: N. Werner, DEUTSCHES PHILOLOGENBLATT, 22. August 1934.
ein anderes als Schüler: BRIEFWECHSEL 172.
Georg Fuchs, STURM UND DRANG IN MÜNCHEN UM DIE JAHRHUNDERTWENDE, München 1936, Georg Callwey, S. 123ff.

S. 25 *Der Worte Sinn:* Verwey, MEIN VERHÄLTNIS, S. 55.
Da wurde mir: Ernst Morwitz vom Dichter selbst.

S. 26 *zarten Erstlinge:* Vorwort zur FIBEL.
Fragment »Frühling«, »Phraortes«, »Manuel«, Werner, a. a. O. S. 369.

S. 28 *nach London, zwanzigjährig wie Mallarmé:* » . . . je suis parti à vingt ans en Angleterre . . .« AUTOBIOGRAPHIE Mallarmés: Brief an Verlaine vom 16. Nov. 1885.

S. 31 *Ein Angelico:* HYMNEN 47.
S. 32 *Der Sieg:* ALLGEMEINE KUNSTCHRONIK 1894, 2. November-Heft, S. 683.
Mon livre: vermutlich die HIRTENGEDICHTE.
S. 33 *Revue d'Allemagne*, Paris, Emile-Paul Frères, Nov. Dec. 1928, p. 385 sq.
S. 34 *der dichter und der freund:* Widmung des ALGABAL.
S. 35 vgl. auch *Charles Du Bos*, MAQUETTES POUR UN HOMMAGE A STEFAN GEORGE,
avril mai 1926, in »Approximations«, 4me série 1930, Roberto A. Corrêa,
Paris.
Fannomi onore: Dante INFERNO IV 93.
S. 36 *Hermann Bodeck*, Paris, in Briefen an den Verfasser. Von Bodeck über die
Symbolisten: SINNBILDLICHE DICHTUNG FRANKREICHS in »Das goldene Tor«,
1949, Lahr, M. Schauenburg, Heft 6, S. 419 ff.
George selbst, schreibt mir Morwitz, habe *Villiers* nicht persönlich gekannt.
Übertragungen: ZEITGENOSSEN II, *Lobreden:* TAGE UND TATEN.
»Verlaine qui ne dort pas sur l'or« habe ein Brief Verlaines an George be-
gonnen — als dieser 1892 Übertragungen Verlainescher Gedichte in den
Blättern erscheinen liess. Ernst Gundolf vom Dichter selbst.
Abschriften: Ein Verzeichnis dieser Abschriften hat Johannes Oeschger an-
gefertigt.
S. 37 Wolters S. 87.
S. 38 *Lieder,* »Widmungen«, ZEITGENOSSEN II 99 ff.
An Kallimachus: HIRTENGEDICHTE 36.
Einmal sah George einen jungen Mann schlafend in *Lieders* Zimmer, und
Lieder sagte, das sei ein polnischer Patriot, dem er auf der Flucht helfe.
Das liess George den Freund noch mehr schätzen. Als Lieder wünschte, dass
George Omar Chajâm übersetze, begann er Persisch dafür zu lernen.
So bist du geschieden: ZEITGENOSSEN II 92.
S. 39 *Jaskółki* = »Die Schwalben«, ZEITGENOSSEN II 95.
Descz placze = Der regen weint gleich der reifen frauenseele, »Regenland-
schaft«, ZEITGENOSSEN II 94.
Pieśni wędrownego lutnika = »Die Sänge eines fahrenden Spielmanns«,
HIRTENGEDICHTE 70 ff.
Czarne lelije = Schwarze Lilie, mit Endreim Rzewny poeta . . . =
    Zarter dichter — stiller augen — der mit
    Weisser hand die schwarzen blumen pflückt.
A to dni:
    Einst wenn die trauer unseres sinnens entschlafen
    Erblicken die völker zweier sterne schein.
    Dies sind dann unsrer entfernten tage strahlen
    Die brennen werden über Weichsel und Rhein.
                      ZEITGENOSSEN II 100.
S. 40 *. . . schon weil du bist*
Sei dir in dank genaht . . . JAHR DER SEELE 76.
Ich möchte wissen: »Widmungen VI« ZEITGENOSSEN II 104.
S. 42 *Pan mystiq:* »Der Herr der Insel« HIRTENGEDICHTE 20.
S. 43 *An Waclaw:* RING 213.
Edgar Salin, UM STEFAN GEORGE, Godesberg 1948, Verlag Helmut Küpper
vormals Georg Bondi, S. 270.
vom nordischen geist: BLÄTTER III 2 und AUSLESE AUS DEN JAHREN
1892—1898, Berlin 1899, Bondi, S. 17.
so will ich Ihnen gern: BRIEFWECHSEL S. 91.
S. 44 *Wie einst noch immer:* JAHR DER SEELE 58.
Wedel: HIRTENGEDICHTE 88.
Inselgarten: PILGERFAHRTEN 79.
Nacht in der Alhambra: ZEITGENOSSEN I 81.
Wolters: S. 22.

S. 45 Über die *Mexikaner* schreibt George an Maurice Muret am 8. April 1890
aus Bingen:
»... Wie sehr bedauerte ich es dass Sie nicht in jenen wunderbar schönen
vorfrühlingstagen mit hier am Rheine waren in der gesellschaft der gevattern
Peñafiel! Es wäre so reizend gewesen, wir haben so oft von Ihnen (ingrat!)
gesprochen auf allen unseren ausflügen und Sie haben nicht ein einzigesmal
ihre gedanken zu userm kreis steigen lassen.
Wir waren 14 tage zusammen und haben die ganze umgegend in meilen-
weitem cirkel abgegrast. Wir waren in köstlicher laune und bedauerten nur
— Ihre abwesenheit.«
ersten stürmejahrs gesell: RING 28 und *Tafel:* RING 193.

S. 46 DIE SENDUNG STEFAN GEORGES, *Erinnerungen von Carl August Klein*, Berlin
1935, Die Rabenpresse.
Ein Meter Mensch: Ernst Morwitz, vom Dichter selbst.
Legenden, Zeichnungen in Grau, in der FIBEL.
Lingua Romana: SCHLUSSBAND 130f.

S. 47 *Überbord mit vernunft:* aus Ibsens KOMÖDIE DER LIEBE, FIBEL 65.
Von dem Schulfreund *Carl Rouge* kamen doch noch Gedichte in den BLÄTTERN
I 1 und I 4, und Auszüge aus »Rosen und Disteln« in I 5.

S. 48 *Maurice Muret,* Paris, aus Lausanne, homme de lettres, hat im JOURNAL DES
DEBATS vom 2./3. Jan. 1934 Erinnerungen an Stefan George und dessen
Gedichte Rosa Galba, Paz und El Imagen — die beiden letzten zum ersten
Mal — veröffentlicht.
Stanislaus Rosniecki, Professor für slawische Philologie, Kopenhagen, geb.
8. Mai 1865, gest. 21. Dez. 1921.
Die Gedichte »Verwandlungen« usw.: HYMNEN, »Lass deine tränen« und
»Die jugend ...« usw.: PILGERFAHRTEN.
Franz Url aus Nürnberg, wohnhaft am Gardasee. Von ihm sollen Briefe an
einen Arzt in Darmstadt, einen Altersgenossen Wolfskehls existieren, in
denen »ausführlichst über Begegnung und Zusammensein berichtet wird«
(K. Wolfskehl aus Recco am 16. Febr. 1933).

trifft nun in Wien auf Hugo von Hofmannsthal: Während der Drucklegung
dieses Buches bekomme ich einen Brief zu Gesicht, den Hofmannsthal an
Walther Brecht, München, geschrieben hat und in dem er fünf Monate vor
seinem Tode noch einmal ausspricht, was die Begegnung mit Stefan George
für sein Leben bedeutete:

Rodaun 20. 2. 29

Lieber Freund,

ich trachte mir so gut als möglich diese fernen Dinge ihrer Aufeinanderfolge nach
ins Gedächtnis zu rufen. 1891, im Frühjahr, war das »Gestern« entstanden, etwas
früher schon etliche Gedichte: diese aber alle nicht aus der tieferen Schicht. Sie
waren, unter dem Pseudonym Loris, in einer Wiener Zeitschrift abgedruckt, die »An
der schönen blauen Donau« hiess. Sie haben keine Bedeutung. Aus der tiefsten
Schicht kam damals etwas Anderes, dann und wann, ein ganz kleiner visionärer
Vorgang: dass ich manchmal morgens vor dem Schulgang (aber nicht wenn ich
wollte, sondern eben dann und wann) das Wasser wenn es aus dem Krug in das
Waschbecken sprang, als etwas vollkommen Herrliches sehen konnte, aber nicht
ausserhalb der Natur, sondern ganz natürlich aber in einer schwer zu beschreibenden
Weise erhöht und verherrlicht, sicut nympha. (Ich erinnere mich, ich brachte diese
Secunden irgendwie mit dem Dichterischen in mir in Zusammenhang.) — Im Winter
1892 entstand dann der »Tod des Tizian« — so wie das Fragment jetzt da ist,
sammt dem Prolog. Es war das Jahr der Matura, und ich hatte eben sehr wenig
Zeit, deshalb brach es ab — denn es hätte ein viel grösseres Ganzes werden sollen.
Es sollte diese ganze Gruppe von Menschen (die Tizianschüler) mit der Lebens-

erhöhung welche durch den Tod (die Pest) die ganze Stadt ergreift, in Berührung gebracht werden. Es lief auf eine Art Todesorgie hinaus: das Vorliegende ist nur wie ein Vorspiel — alle diese jungen Menschen stiegen dann, den Meister zurücklassend, in die Stadt hinab und erlebten das Leben in der höchsten Zusammendrängung — also im Grund das gleiche Motiv wie im »Tor und Tod«.

Diese Welt (Venedig u. die Tizianschüler) war an Stelle einer anderen Welt plötzlich eingesprungen: denn etwa einen Monat vorher wollte ich das Gastmahl der verurteilten Girondisten so darstellen. Die Form, in Parenthese — und ich glaube das ist nie gesagt worden — hat etwas mit den lyrisch-dramatischen Dichtungen von Lenau zu tun, den ich mit 15, 16 leidenschaftlich gelesen hatte. Dieses Manuscript (das Bruchstück) schrieb ich dann ins Reine und zeigte es keinem. Ein paar Monate später (im April etwa, 1892) hörte [ich] von irgendwem im Café (es war dieses berühmte Griensteidl, wo ich oft hinging, u. waren damals sehr viele j u n g e Leute da) es sei jetzt ein Dichter Stefan George in Wien, der aus dem Kreise von Mallarmé komme. Ganz ohne Vermittelung durch Zwischenpersonen kam dann George auf mich zu: als ich, ziemlich spät in der Nacht, in einer englischen revue lesend, in dem Café sass, trat ein Mensch von sehr merkwürdigem Aussehen, mit einem hochmütigen leidenschaftlichen Ausdruck im Gesicht (ein Mensch der mir w e i t älter vorkam als ich selber, so wie wenn er schon gegen Ende der Zwanzig wäre) auf mich zu, fragte mich, ob ich der und der wäre — sagte mir, er habe einen Aufsatz von mir gelesen, und auch was man ihm sonst über mich berichtet habe, deute darauf hin, dass ich unter den wenigen in Europa sei (und hier in Oesterreich der Einzige) mit denen er Verbindung zu suchen habe: es handle sich um die Vereinigung derer, welche ahnten, was das Dichterische sei. Wir kamen dann einige Male zusammen: die Namen Verlaine, Baudelaire, Swinburne, Rossetti, Shelley wurden dabei in einer gewissen Weise genannt — man fühlte sich als Verbundene; auch der Name d'Annunzio kam schon vor, und natürlich Mallarmé. Ich bin nicht sicher, ob er mir damals schon den Druck der »Hymnen« u. »Pilgerfahrten« zeigte, oder nur das Papier, welches er erworben hätte u. eine Druckprobe: von diesem scheinbar Äusserlichen, auch von der Schrift sprach er mit einem imponierenden Ernst, den ich sogleich verstand. Er sprach von der Vereinigung Gleichgesinnter und von Heften, die er plane, und ich muss ihm damals das Bruchstück (T. d. T.) entweder übergeben (es sind hier grosse Lücken in meinem Gedächtnis) oder es ihm bald nachgeschickt haben; denn er verliess Wien bald wieder.

Im ersten Heft der Blätter f. d. Kunst — das wohl im Sommer 92 erschienen ist, stand dann das Bruchstück — im zweiten ein paar Gedichte, darunter Vorfrühling, das auch schon vor der Begegnung (ich glaube Ende März an einem feuchtwarmen windigen Abend) entstanden war.

Im Ganzen kann man sagen, dass die Begegnung von entscheidender Bedeutung war — die Bestätigung dessen was in mir lag, die Bekräftigung dass ich kein ganz vereinzelter Sonderling war, wenn ich es für möglich hielt — in der deutschen Sprache etwas zu geben, was mit den grossen Engländern von Keats an sich auf einer poetischen Ebene bewegte und andererseits mit den festen romanischen Formen zusammenhing — so wie ja die Italiener auch für diese Engländer so viel bedeutet hatten. Ich fühlte mich unter den Meinigen — ohne einen Schritt von mir selber weg tun zu müssen.

Diese ganze neue Welt war da — und durch das plötzliche Hervortreten dieses Menschen als eine lebende Welt beglaubigt; ich war bereichert, wie einer der eine sehr grosse Reise getan hat und ein neues Land als geheime zweite Heimat erkannt hat. Der Einfluss war sicher gross — aber nicht was die nach Beeinflussung suchenden Litterarhistoriker unter Einfluss verstehen — sondern jenes Communicieren webender Kräfte, das eben den Geist einer Zeit ausmacht; und diese Zeit hatte einen Geist, und hat nicht, wie eine andere uns nähere, von der Wucht der Ereignisse bedrängt, sich selber genötigt, einen Zeitgeist zu praestieren den sie — ohne ihr Verschulden in sich selber nicht fand, noch finden konnte.

In Freundschaft Ihr

Hofmannsthal

S. 49 *edle plötzlichkeit:* BRIEFWECHSEL 116, nach Nietzsche, GENEALOGIE DER MORAL I 10.

das konnte denn kein wunder sein: BRIEFWECHSEL 238.

akademische Gespräche: weil Hofmannsthal damals das Akademische Gymnasium in der Lothringer Strasse besuchte und George ihn dort einige Male zu Spaziergängen abholte.

S. 50 *Einer der vorübergeht:* Hofmannsthal hatte sein Gedicht überschrieben:
    Herrn Stefan George
    einem, der vorübergeht   BRIEFWECHSEL 9

wesen x, und die Antworten: BRIEFWECHSEL 13—15.

S. 51 *Der Prophet:* BRIEFWECHSEL 235.

Der Vater: BRIEFWECHSEL 237.

Chandos-Brief: Hofmannsthal, Ges. Werke III 2 S. 190.

Carl J. Burckhardt: ERINNERUNGEN AN HOFMANNSTHAL UND BRIEFE DES DICHTERS. Benno Schwabe, Basel, 1943, S. 23 f.

Worte und Blut: Dante INFERNO XIII 44, S. 39 der Übertragungen von George.

S. 52 *Aussprache, Publikum:* BRIEFWECHSEL 67. 69.

gewissen Nähe: BRIEFWECHSEL 77.

Sieh drohend sieh flehend die hand! NEUES REICH 97.

im Gedränge umherwandelnd: BRIEFWECHSEL 155.

nach jenem ersten Missverstehen: BRIEFWECHSEL 144.

S. 53 *Besprechung der Hirtengedichte:* GEDICHTE VON STEFAN GEORGE: »Die Zeit« vom 21. März 1896, auch bei Loris, DIE PROSA DES JUNGEN HUGO VON HOFMANNSTHAL, S. Fischer, Berlin, 1930, S. 249 ff.

Georges Dank: BRIEFWECHSEL 89.

Laune: BRIEFWECHSEL 92.

Erfolg suchen: BRIEFWECHSEL 252.

S. 54 *Hölderlin an Schiller,* Brief vom 20. Juni 1797.

Da wollten wir: TEPPICH 77.

Für wessen Dichtungen: BRIEFWECHSEL 112.

Entwürfe: BRIEFWECHSEL 249.

wie vereinsamt: BRIEFWECHSEL 114.

im Gedicht: BRIEFWECHSEL 116, JAHR DER SEELE 79

S. 55 *was Sie immerhin:* BRIEFWECHSEL 119.

Sie selber haben sich: BRIEFWECHSEL 251.

entgegenwirkend: BRIEFWECHSEL 150.

in Bewunderung und Liebe: BRIEFWECHSEL 174.

Mögen die Gestalten . . . und *Georges Antwort:* BRIEFWECHSEL 222, 223.

S. 56 *weder ferner:* BRIEFWECHSEL 227.

dass es kaum noch einen punkt: BRIEFWECHSEL 226.

Johannes Oeschger, Basel, Humanist und Dichter, mit Stefan George 1925 in Berührung. Von ihm ANTIKES UND MITTELALTERLICHES BEI DANTE, Hinweise und Untersuchungen zur Commedia, Halle, 1944 — unentbehrlich für den Dante-Leser.

S. 57 *Sammelbild* und *ob Einer ein Dichter sei:* BRIEFWECHSEL 66, 244.

Hieroglyphe: BRIEFWECHSEL 170.

Leopold Freiherr von Andrian zu Werburg, Freund Hofmannsthals (vgl. dessen Briefe), Mitarbeiter der BLÄTTER, Verfasser von DER GARTEN DER ERKENNTNIS, Berlin 1895, wieder abgedruckt in DAS FEST DER JUGEND, Berlin 1919; an ihn Georges Gedicht »Den Brüdern«, TEPPICH 77, und Hofmannsthals Gedicht »Mit Handschuhen, für Leopold Andrian«, NACHLESE DER GEDICHTE, Berlin 1934, S. 58. Wolters S. 72. Seine »Erinnerungen an meinen Freund« in der Olla potrida HUGO VON HOFMANNSTHAL, DIE GESTALT IM SPIEGEL DER FREUNDE Wien, Humboldt Verlag, 1949, S. 52, enthalten eine

Legende von einem »Rosenbouquet«, die auch Herbert Steiner für eine poetische Lizenz Hofmannsthals hält, dessen Mitschüler Andrian übrigens nicht gewesen ist.

Andrian, Sonett: BLÄTTER V 61, AUSLESE II 115.

S. 58 *Verwey*, MEIN VERHÄLTNIS S. 50 f.

Bozen: Erwins Schatten: RING 204.

Clemens Freiherr von und zu Franckenstein: Komponist, Freund Hofmannsthals; ihm ist das Gedicht »Winterwende«, TEPPICH 76, gewidmet. Seine Vertonung von Hofmannsthals »Vorfrühling« erschien als Beilage zu den BLÄTTERN III.

August Mayer-Oehler: Gedichte in den BLÄTTERN; ANTIGONE, Georg Müller, München 1917; DER KRANZ DES MELEAGROS VON GADARA, Berlin, Propyläen-Verlag, 1920. Dort S. 81 die angeführte Äusserung über George. Wolters S. 167. Salin S. 168. Seine Erscheinung nach dem Zeugnis von Ernst Morwitz.

S. 59 *Denn wir erleben nichts:* Friedrich Gundolf, STEFAN GEORGE IN UNSERER ZEIT, S. 8.

Paul Gérardy: Seinem Sohne, Monsieur Paul-M. Gérardy, verdanke ich nähere Angaben über Gérardy: geboren am 15. Febr. 1870 im damals deutschen Dorfe Maldingen (Maldange), das zur Gemeinde Thommen bei St. Vith gehörte, an der deutsch-französischen Sprachgrenze liegt und an der Wasserscheide von Maas und Rhein, mit 14 Jahren Waise, erzogen von einem Pfleger in Lüttich, wo er dann auch die Universität (philologische Fakultät) besuchte, heiratet 1894, lebt aber für sich, Bohémien, ohne Domizil, Nationalität und Beruf, meist nicht auffindbar, flüchtet 1914 bei Kriegsausbruch nach London, wo er belgische Zeitungen gründet, wird 1918 Bürger von Malmédy und Belgier, stirbt in Brüssel am 1. Juni 1933. — »Il ne fut poète que dans sa jeunesse ... il fit du journalisme ... il avait l'habitude de travailler sur les tables des cafés ...«

Er war Mitarbeiter der BLÄTTER, Begründer des FLOREAL, 1892—93, Mitarbeiter des REVEIL, an ihn das Gedicht im JAHR DER SEELE 77. Wolters S. 35. Enid Lowry Duthie, L'INFLUENCE DU SYMBOLISME, Paris 1933, S. 450 ff. enthält einiges Ungenaue. — Deutsche Verse von Gérardy sind unter dem Titel SINGSANG, Liederkranz, München 1892, erschienen, französische: LES CHANSONS NAIVES, Liège 1892, PAGES DE JOIE, des presses de Floréal, Liège 1893, LES ROSEAUX, Paris, Mercure de France, 1898 — dies die wichtigste Sammlung seiner Gedichte. — In Prosa: LES PETITS ESSAIS D'ENTHOUSIASME: A LA GLOIRE DE BÖCKLIN, Liège 1895, Auszüge daraus in den BLÄTTERN III 49. — Kunsthistorische Aufsätze von ihm in L'ART MODERNE, Bruxelles. — Schriften politischen und polemischen Inhalts.

an Hofmannsthal: BRIEFWECHSEL 90.

Wolters S. 35.

S. 60 *Heide:* Ernst Morwitz vom Dichter selbst.

an Hofmannsthal: BRIEFWECHSEL 21.

Sprüche für die Geladenen in T.: JAHR DER SEELE 55, französisch im FLOREAL, 1893, p. 4.

auf dem Dichterberg: BRIEFWECHSEL 38.

Edmond Rassenfosse: von ihm DIT UN PAGE Liège, chez Auguste Bénard, 1893, mit Illustrationen von Auguste Donnay et Armand Rassenfosse und Übertragungen Georgescher Gedichte im REVEIL, Oktober 1895. An ihn das Gedicht im JAHR DER SEELE 81.

Der Familie Rassenfosse gehörte das Haus in Tilff: Ernst Morwitz vom Dichter selbst.

Stuart Merrill in L'ERMITAGE 1893.

S. 61 *Gustav Uddgren:* »Stefan George. Några konturer af ett skaldeporträtt« in der NORDISK REVY FÖR POLITIK OCH SOCIALA ÄMNEN, LITTERATUR OCH KONST Årg. 4 (1898).

S. 62 *Ida Coblenz:* grossen Teils deren persönlicher Bericht; die angeführten Gedichte im JAHR DER SEELE.
Der Turban des Korsaren: HIRTENGEDICHTE 56.
Die Verlaine-Übertragungen: ZEITGENOSSEN II 21. 19. 11. 16.

S. 63 *Menippa:* HIRTENGEDICHTE 34. 35.
Rat für Schaffende: TAGE UND TATEN 84, das *Motto* Dante, INFERNO II 9.
Pan: Dem Plan von Ida Coblenz hatte Stefan George zugestimmt unter der Bedingung, daß seine Gedichte und die von ihm ausgewählten befreundeter Blätterdichter zusammen und ohne Beiträge fremder Autoren in einer Sondernummer des PAN erscheinen sollten. Wegen Veränderungen in der Schriftleitung des Pan kam der Plan nicht zur Ausführung.

S. 66 *Sabine Lepsius*, GESCHICHTE EINER FREUNDSCHAFT, Berlin, Verlag Die Runde, 1935, S. 37.
Luise Brück: mündlicher Bericht von Ida Dehmel-Coblenz.
Über Frau Brück: Wolters S. 62.
Unserer laube: HIRTENGEDICHTE 39.
Karl Bauer: geb. Stuttgart 7. Juli 1868, gest. München 1942, Maler und Zeichner. »Einen Hauptzweig seiner Tätigkeit bildete die Porträt-Lithographie; seine Darstellungen lebender und verstorbener, geistig bedeutender Persönlichkeiten haben rasch ihren Weg in das gebildete deutsche Bürgerhaus gefunden«, Thieme-Becker, KÜNSTLER-LEXIKON III 69. Vgl. Wolters S. 63 ff.

S. 68 *Vollmöller:* »Landschaften«, BLÄTTER V 94 f., AUSLESE II 117.

S. 71 *Richard Perls:* Mitarbeiter der BLÄTTER, an ihn das Gedicht im JAHR DER SEELE 84; »Fahrt-Ende« TEPPICH 79 und der Spruch im RING 187. Wolters S. 83.

S. 73 *nächsten Heft der Blätter:* das Heft IV 3 brachte schwarz umrändert Verse von Perls, und Gedichte auf ihn von George, Wolfskehl und Schmitz.
Albert Verwey, OORSPRONKELIJK DICHTWERK, Amsterdam, Querido, und Santpoort, Mees, 1938; dort die angeführten Gedichte.
hellen Flamme: Verwey, MEIN VERHÄLTNIS, Vorwort.
Jan Veth, geb. 1864 in Dordrecht, Autor einer Rembrandt-Schrift, deutsch: Leipzig, Seemann, 1908. Bekannt durch Bildnisse, die er z.T. selbst radierte oder lithographierte.

S. 74 *Ein Abschied A. V.:* BLÄTTER XI/XII 289.
Vielleicht ist hier ein Hinweis willkommen, der recht wenig bekannt ist und den ich Salin verdanke:
Verlaine spricht in seinen QUINZE JOURS EN HOLLANDE, LETTRES A UN AMI Oeuvres complètes V 193, von Verwey: » . . . qui s'exprime assez difficilement dans notre langue qu'il connaît d'ailleurs à fond. Tout en cheveux terriblement en brosse, ce Verwey. C'est même ce qu'il y a de plus terrible dans sa physionomie de vraie bonté presque enfantine. D'ailleurs il est fort jeune, trente ans tout au plus, qu'il ne paraît pas.«
Damals, im November 1892, hat Verwey nach einem Vortrag Verlaines im Haag die P. V. überschriebenen Verse (OORSPRONKELIJK DICHTWERK I 177) gedichtet und sie Verlaine vorübersetzt. Verlaine gibt die Übersetzung wieder und bemerkt dazu: »Ces vers sont beaux, ne trouvez-vous pas ? Verwey me les avait lus en néerlandais et j'y trouvais une musique étrange, une harmonie toute neuve. Mais pour qui me connaît physiquement il y a là comme des traits réalistes parfaits; ‚les doigts comme de petites lattes' sont un chef-d'oeuvres qui caractérise à merveille mes mains sèches aux phalanges de disposition goutteuse.

> ‚Ce ne sont pas des mains d'altesse,
> De beau prélat quelque peu saint;
> Pourtant une délicatesse
> Relève leur galbe succint.'   [Erste Strophe von »Les Mains«
>   in PARALLELEMENT von Verlaine]

Le ‚nez de petit garçon' est aussi un trait joliment attrapé.«

S. 75 *Warst es du nicht:* »Rhein«, RING 169.

S. 77 *Ernest Dowson,* geb. Belmont Hill, Lee, Kent, 2. August 1867, gest. London, 23. Februar 1900. Von ihm: VERSES BY ERNEST DOWSON, Leonard Smithers, London, 1896, — THE POEMS OF ERNEST DOWSON, John Lane, The Bodlay Head, London & New York, 1905, vierte Ausg. 1911. An ihn das Gedicht »Juli-Schwermut« TEPPICH 73. Seine Erscheinung: Ernst Morwitz vom Dichters selbst.

Cyril Meir Scott, Komponist, Schriftsteller. Von ihm MY YEARS OF INDISCRE-TION, London, Mills and Boon, 1924, wo sich S. 41 ff. und S. 115 ff. die an-geführten englischen Stellen finden. Wolters S. 113.

S. 78 *Willem de Haan:* nach Scott und nach dem Zeugnis von Frau Wiesi de Haan.

S. 79 Scotts liebende Verehrung für Stefan George leuchtet aus manchen seiner Briefe rühmlich hervor. Wenn der alternde Komponist und Theosoph nun versucht, in das edle Porträt des Dichters die Züge Oscar Wildes hinein-zuretouchieren, und sich zum Beweis dafür auf Äusserungen Verstorbener beruft, die nicht mehr befragt werden können, so kann dies nur auf eine sonderbare Verschiebung in seiner eigenen Seele zurückgeführt werden; davon legen »die Briefe eines englischen Offiziers an seine deutsche Geliebte«, mitgeteilt von Cyrill Scott im »Querschnitt« 1932, Heft 2, erschreckendes Zeugnis ab.

Drei Gedichte für Scott: TEPPICH 70 ff.

STEFAN GEORGE, SELECTION FROM HIS WORKS, translated into English by Cyril Scott, London, Elkin Mathews, 1910.

S. 80 *hohen blanken Kloster:* Verwey, »An Melchior Lechter«, Übertragungen aus den Werken von Albert Verwey, im Verlag der BLÄTTER FÜR DIE KUNST, Berlin, 1904, S. 36 f.

S. 82 *Gespräch:* Wolters vom Dichter.

S. 83 DER SCHATZ DER ARMEN von Maurice Maeterlinck, in die deutsche Sprache übertragen durch Friedrich von Oppeln-Bronikowsky, Verlag Eugen Diede-richs, Florenz 1898 Leipzig. Die Titelzeichnungen und Schriftanordnung von Lechter.

S. 85 GOETHES REISE-, ZERSTREUUNGS- UND TROSTBÜCHLEIN, 36 Handzeichnungen, ausgewählt und herausgegeben von Hans Wahl, im Insel-Verlag zu Leipzig, o. J.

Rossetti u. a.: ZEITGENOSSEN I 15, II 11, 73, I 59, 94.

S. 88 Melchior Lechter: ZUM GEDÄCHTNIS STEFAN GEORGES MIT EINEM NACHWORT UND ZEHN SYMBOLEN. Zum Gedächtnis Stefan Georges sprach am hl. Drei-königstage 1934 Melchior Lechter in der Lessing-Hochschule zu Berlin. Georg Bondi, Berlin, 1934.

S. 89 *Ludwig von Hofmann,* geb. Darmstadt 17. August 1861, gest. Dresden 23. Aug. 1945, Maler, Graphiker und Kunstgewerbekundiger. 1894—1900 in Rom, wo George 1898 ihn kennen lernte. »Das Thema fast aller Bilder Hofmanns ... ist die Darstellung jugendlich schöner, nackter oder ideal gekleideter, rhythmisch bewegter Figuren ...« Thieme-Becker, KÜNSTLER-LEXIKON XVII 272. An ihn sind Georges Gedichte »Feld vor Rom«, »Süd-liche Bucht«, TEPPICH 74 und 75, gerichtet. Vgl. Wolters S. 172.

Georg Bondi: ERINNERUNGEN AN STEFAN GEORGE, mit einer Bibliographie, Georg Bondi, Berlin, 1934.

S. 90 Vielleicht ist jüngeren Lesern nicht gegenwärtig, dass *Bismarck* auf sein Grab geschrieben wissen wollte:

Hier ruht Fürst Bismarck,
ein treuer deutscher Diener Kaiser Wilhelms des Ersten.

Eher werden sie wissen, dass er am Schluss seiner Rede vom 6. Februar 1888 sagte: »Wir Deutschen fürchten Gott, aber sonst nichts in der Welt.« — Welches Zerrbild schliesslich aus dem Kyffhäuser herausgekommen sein sollte, ist noch in aller Gedächtnis.

S. 91 *Wolters* S. 114 ff.

S. 92 *Simmel:* »Der Weisheitslehrer«, NEUES REICH 111.

S. 94 *Marie von Bunsen:* in der Vossischen Zeitung 9. 1. 98 nach Wolters S. 123.
sublim durch ihre Intelligenz: E. R. Curtius, a. a. O. S. 139.
Gertrud Kantorowicz: Gedichte von ihr in den BLÄTTERN IV 4 unter dem
Namen ihrer Mutter Gert Pauly. Sie hat Gedichte Michelangelos übersetzt (ungedruckt). Als Privatdruck erschienen: VERSE AUS THERESIENSTADT.
Auf der letzten Seite dieser Vermerk:
»Fetzen armseligsten Papiers — der verrissene Briefbogen eines Meraner
Gasthofes, die Rückseite einer Ansichtskarte vom Hohen Neuffen, eine un-
benutzte Rückantwortkarte — bilden die Urschrift vorliegender Gedichte,
meist mit Bleistift gekritzelt, vielfach durchstrichen und verbessert, oft ver-
löscht und schwer lesbar. Die hier gedruckten Verse, von einem unwieder-
herstellbaren Gedicht abgesehen, sind alles von Gertrud Kantorowicz handschriftlich Erhaltene der Zeit in Theresienstadt: 6. August 1942 bis 19. April
1945« — vgl. auch Ludwig Curtius, IN MEMORIAM THERESIENSTADT, Merkur,
Heller und Wegner Verlag, Baden-Baden, 1948, Heft 3, S. 474.

S. 95 *Georg Edward:* ERINNERUNGEN AN STEFAN GEORGE, Kasseler Post, Januar
1935, wieder abgedruckt zum 80. Geburtstag des Verfassers in: Giessener
Familienblätter, Unterhaltungsbeilage zum Giessener Anzeiger, 15. April
1950.
d. M.: in den Briefen der Freunde übliche Abkürzung für »der Meister«.
sein Gedicht: JAHR DER SEELE S. 80.

S. 96 *die jünger lieben doch sind schwach und feig:* TEPPICH 33.
Der lüfte schaukeln: JAHR DER SEELE 36; der Erstdruck BLÄTTER III 4 liest
noch: »Im wind ein schaukeln«.
Verwey: MEIN VERHÄLTNIS S. 20.

S. 97 *Der horcher:* NEUES REICH 63.
Edgar Salin, ZUM GEDÄCHTNIS VON KARL WOLFSKEHL, Sonntagsblatt der
Basler Nachrichten, 1948 Nr. 30. — Emil Preetorius: KARL WOLFSKEHL,
DEM GEDÄCHTNIS DES FREUNDES. Buchdruckerei A.-G. Passavia, Passau, o. D.

S. 98 *Es wurde auch gegraben:* Ernst Morwitz vom Dichter selbst.
Engelsspeise: Ihr andren wenigen die ihr die bärte
            Zuzeiten aufreckt nach der engelsspeise
Dante, PARADISO II 10, S. 161 der Georgeschen Übertragung.

S. 99 Karl Wolfskehl, SANG AUS DEM EXIL, Lambert Schneider, Heidelberg und
Origo-Verlag, Zürich, 1950; HIOB ODER DIE VIER SPIEGEL, Claassen, Hamburg 1950.

S. 100 *an Güte:* ROMEO UND JULIA II 2.
Der Vierzeiler: »An Hanna mit einem Bilde«: RING 193.
JAHRBUCH FÜR DIE GEISTIGE BEWEGUNG, herausgegeben von Friedrich Gundolf und Friedrich Wolters. I. Jg. 1910, II. Jg. 1911, III. Jg. 1912, Verlag
der Blätter für die Kunst, Berlin.

S. 102 Über Klages gibt Aufschluss sein Jugendfreund, Theodor Lessing: EINMAL
UND NIE WIEDER, LEBENSERINNERUNGEN, Heinr. Mercy Sohn, Prag, 1935.

S. 103 *wenn die winde ... harfen:* In den BLÄTTERN V steht ein Gedicht von Klages,
»die Wettertanne« (1895), dessen letzte Strophe lautet:
            Die tanne starrt in ungewisser enge ...
            Der stürme rätselhafte melodien
            Als Nordens dunkle trotzige gesänge
            Durch ihrer nadeln sausende harfe ziehn.

S. 106 *Blond oder schwarz:* STERN DES BUNDES 41.
Porta Nigra: RING 16, *Maskenzug:* RING 211, *Hausgeist:* STERN DES BUNDES
46, *Geheimes Deutschland:* NEUES REICH 59.
Alfred Schuler, DICHTUNGEN. AUS DEM NACHLASS. Privatdruck, München o. J.

— FRAGMENTE UND VORTRÄGE AUS DEM NACHLASS. Mit Einführung von Ludwig Klages. J. A. Barth, Leipzig, 1940.
Ludwig Curtius, DEUTSCHE UND ANTIKE WELT, LEBENSERINNERUNGEN, Deutsche Verlags-Anstalt, Stuttgart, 1950, S. 246 ff.

S. 107 *Verwey*, MEIN VERHÄLTNIS, S. 20, 34 ff., 40.
Die Umrisse, die Verwey und Curtius von Klages zeichnen, ergänzt der Vers aus dem Dritten SCHWABINGER BEOBACHTER
       Ich bin allein, nur einer ist der Erste
       In Schwabing. Regne, Schwefel! Erde, berste!

S. 109 *Franziska Gräfin zu Reventlow:* HERRN DAMES AUFZEICHNUNGEN ODER BE-GEBENHEITEN AUS EINEM MERKWÜRDIGEN STADTTEIL. Albert Langen, München, 1913.
Rolf von Hoerschelmann: LEBEN OHNE ALLTAG, Wedding Verlag, Berlin, 1947.
Roderich Huch: ERINNERUNGEN AN KREISE UND KRISEN DER JAHRHUNDERT-WENDE IN MÜNCHEN-SCHWABING. Manuskript. — Dort: »George war immer der grosse Herr, Klages immer nur der grosse Hasser.« S. 2.
» ... Klages trug, als ich ihn kennen lernte, einen sogenannten blonden Christusbart, der seinen Mund fast ganz verdeckte und ihm etwas ungemein Sanftes verlieh. Eines Tages trat er mir plötzlich und unerwartet mit abrasiertem Bart entgegen und zeigte, wie mir schien, um seine Lippen ein beinah höhnisches Lächeln. Ich empfand eine heftige Bestürzung, die ich fortan nie mehr ganz vergessen konnte; alles Sanfte war von ihm abgefallen, und der frühere Klages in eine Art Mephistopheles verwandelt ...« S. 9 f.
» ... So verkündete er [Schuler] einst in intimerem Kreise bei Wolfskehl in leidenschaftlichen Worten die Absicht, den geisteskranken Nietzsche aufzusuchen und durch Vorführung altgriechischer korybantischer Tänze aus seiner geistigen Umnachtung zu lösen ...«. S. 39.
» ... Als wir einmal wieder bei Wolfskehls zum Jour zusammentrafen, sah ich Schuler mit glänzenden Augen auf das Muster der Wolfskehlschen Teekanne starren, bis er schliesslich mit dem Finger auf eine Figur im Porzellan wies und nur das eine Wort hervorstiess: ‚Swastika‘. Ihm verschlug es die Stimme, dass eine Figur in einem modernen Teeservice das Zeichen der von ihm so heiss geliebten Swastika — des heidnischen Hakenkreuzes — tragen sollte.« S. 49.
» ... Aber anstatt dass Klages George auf diesem lebensbejahenden Wege folgte, fragte er ihn nur brüsk: ‚Was bindet Sie an Juda?‘ ...« S. 75.

S. 111 *Ludwig Derleth*, Mitarbeiter der BLÄTTER; an ihn der Spruch im RING 196 und im STERN DES BUNDES 45. Wolters S. 237. Er ist der Verfasser der PROKLAMATIONEN, Leipzig, 1904, des FRANKISCHEN KORAN, Kassel, 1933, der SERAPHINISCHEN HOCHZEIT, Otto Müller, Salzburg-Leipzig, 1939, und von DER TOD DES THANATOS, Joseph Stocker, Luzern, 1945.
Verwey: MEIN VERHÄLTNIS S. 38.
» ... Schliesslich sei jenes besonders geistreiche und berühmt gewordene Motto zu dem Zweiten Schwabinger Beobachter erwähnt:
       Warte Schwabing, Schwabing warte,
       Dich holt Jesus Bonaparte!
was auf die Proklamationen des katholischen Fanatikers Ludwig Derleth anspielte, der die heidnischen erotischen Seitensprünge der Gräfin Reventlow und ihrer Freunde leidenschaftlich bekämpfte und laut ganz Schwabing den Untergang weissagte ...« Roderich Huch S. 63.
böse nonne: RING 197; Verwey, MEIN VERHÄLTNIS S. 39.

S. 112 *Sie reinste Jungfrau:* Verwey, Michael, ZEITGENOSSEN I 99.
Über *August Husmann:* Theodor Lessing, LEBENSERINNERUNGEN S. 248 f.; das Gedicht im JAHR DER SEELE 82.

S. 113 *die rechte Gesichtshälfte, die immer etwas milder ist:* Erich Boehringer, GE-SICHTSHÄLFTEN. Aus den Mitteilungen des Deutschen Archäologischen Institutes, Römische Abteilung, Band 59, S. 7 ff., sagt S. 10 f.:

»In der linken Seite zeigt sich vorwiegend das Willensmäßige, Gewalttätige, das Affektive, Leidenschaftliche, das Staatliche und deshalb auch das Geistige, die Würde, die Bedeutung; in der rechten dagegen das Private, Individuelle, Vegetative, das Stimmungsmässige, das Harmonische oder Unharmonische eines Menschen, das Glückhafte, die Anmut. So kommt es, dass beim Porträt der Mann im allgemeinen das linke Profil, die Frau das rechte vorzieht, und Staatsmänner bald das eine, bald das andere zeigen, je nachdem, was sie betont sehen möchten oder womit sie wirken zu müssen glauben.« *Petrarca*: Verkleinerte Wiedergabe von Petrarca-Abschriften, FIBEL Anhang.

S. 115 *Dantes Wort:* CONVIVIO III 8.
Vorrede: TAGE UND TATEN 73.

S. 117 *Da jedes bild:* TEPPICH 23.
So wie mein schleier spielt: TEPPICH 63.
zur Teuflischen Stanze: Salin ermittelt, dass Gundolf am 5. Mai 1900 an Wolfskehl schrieb: ».... für die Aprilnummer ging folgendes ein, uns die Welt jeglicher weiterer Poesie, Philosophie und Wissenschaft in aeternum überhebend: (folgt die Stanze.) Das Rätsel solcher umfassender Orakelwolke möchte sobald kein Riss eines deutlichenden Blitzes erhellen.«
Alles seid ihr selbst: RING 152.

S. 118 *Già si chinava:* Dante, PURGATORIO XXI 130.
Ich sah die nun: RING 33.

S. 119 Was über die *Maskenzüge* bekannt geworden ist, hat, mit Angabe der Literatur, zusammengestellt Ulrich K. Goldsmith in einem Aufsatze: STEFAN GEORGE AND THE THEATRE, Publications of the Modern Language Association of America LXVI 2 S. 85 ff.
... doch der vordre: RING 211.
Hermann Schlittgen: Maler, Radierer, Illustrator, geb. 23. Juni 1859 in Roitzsch, Prov. Sachsen, gest. 9. Juni 1930 in Wasserburg am Inn, tätig in München, siehe K. Wolfskehl, ERINNERUNGEN AN HERMANN SCHLITTGEN in Münchner Neueste Nachrichten Nr. 167 vom 22. 6. 1930 und Thieme-Becker, KÜNSTLER-LEXIKON XXX 112.
Ria Claassen: STEFAN GEORGE, Socialistische Monatshefte, Berlin, VI. Jg. 1902, S. 9 ff. Dort Karl Bauers Lithographie des George-Kopfes mit dem Colleoni im Hintergrund. Wolters 163.
keine rühmliche Rolle: Aussage seines Bruders, des im August 1950 zu München verstorbenen Malers Richard F. Schmitz. Oskar A. H. hatte sich auf die Seite von Klages geschlagen.

S. 120 *Wolfskehl eigene Verse vorgetragen:* »Von einem Maskenfest, für E. und H. H.[eiseler], Homer spricht«, BLÄTTER VII 58.
Maskenzug 1904: BLÄTTER VII 148 ff. und AUSLESE AUS DEN JAHREN 1904 BIS 1909, S. 55 ff.
in eine einfache blaue Tunika gekleidet: Wolters 316.

S. 121 *Dunkel-lila Blüten und dochtlose Kerze:* Die Erzählung der Hanna Wolfskehl hat Charlotte Salin stenographisch aufgenommen.
Zu Charlotte Wendels Bericht macht Ernst Morwitz darauf aufmerksam, dass das maskenlose Erscheinen beim Fasching im Café Luitpold nur ein kurzes Verweilen dort und zeitlich der erste derartige Umzug war. Vielleicht treffen beide Berichte zu.

S. 122 »An Henry«, die Tafel im RING 188 — *Henry von Heiseler:* STEFAN GEORGE, Callwey, München, 1933, dort Verzeichnis von Heiselers Werken. — nach dem Tode vom Sohne Bernt von Heiseler herausgegeben: GESAMMELTE WERKE, Leipzig, Karl Rauch, 1938 ff. — vgl. Wolters S. 230 ff. und Franz Dülberg, PREUSSISCHE JAHRBÜCHER, 1933, S. 260 ff.
Die Gedichte Maximins: MAXIMIN — EIN GEDENKBUCH, herausgegeben von Stefan George, Blätter für die Kunst, Berlin 1907, und im Nachlass-Band, Privatdruck o. J.

S. 123 *Du kennst von allen:* »An Hanna mit einem Bilde«, RING 193.
anbetung vor der schönheit: Einleitung zur Umdichtung von Shakespeares SONNETTEN.
Den ich suche: RING 169.
Homer: ILIAS 24, 347 und 376.

S. 125 *Auf kurzem Pfad:* An Gundolf RING 187 — Nach der zweiten Begegnung, am 11. August 1899, hat Gundolf diese Verse aus Dornholzhausen erhalten.

S. 126 *Diese gedichte:* RING 66 ff.
dass es dem Vortrefflichen: Schiller an Goethe, am 2. Juli 1796.

S. 127: *Im Vorwort:* ebenso in der II. Auflage der neuen Ausgabe, 1925, I 7.
Ich und mein Schwert: ANTONIUS UND CLEOPATRA III 11.
Herbert Steiner: BEGEGNUNG MIT STEFAN GEORGE 1. Ausg. 1942, 2. Ausg. 1947, beide in Aurora, N. Y.
Wir sind aus solchem Zeug: DER STURM IV 1.

S. 128 *Romeo und Julia:* Ernst Morwitz bestätigt, dass diese Stellen von George übertragen sind.
Flöten-Vorspiel: Platon KRATYLOS 417 e.
Liedchen des Autolykus: WINTERMÄRCHEN IV 3.
den blühenden mund: RING 67.
auge zauberblauer enziane: RING 134.
Dem lebendigen Geist: von Gundolf stammende Inschrift über dem Eingang der neuen Heidelberger Universität. Über die Änderung siehe Salin S. 133.

S. 129 *Tönt Deines grossen herzens:* Widmung an Stefan George: Friedrich Gundolf, ZWIEGESPRÄCHE Im Verlag der Blätter für die Kunst, Berlin 1905.
Diese Bücher Gundolfs bei Bondi; dort auch SHAKESPEARE, SEIN WESEN UND SEIN WERK, 1928.

S. 130 *mit uns vorüber sein:* Ähnlich äussert sich E. R. Curtius, a. a. O. S. 152: »Als junger Mensch glaubt man an ewigen Mittag, ewige Gegenwart.« Curtius teilt dort seine Tagebuch-Notizen über Besuche in Bingen von 1911, 12 und in Heidelberg von 1917, 19 mit: Äusserungen des Dichters, die durchaus glaubhaft sind. Was der Umgang mit George für E. R. C., zumal in der früheren Periode, bedeutete, sagt der folgende schöne Brief:

Meister! Heidelberg, 30. Mai 1910

Das Erlebnis des wunderbaren Abends durchzittert mich noch, und treibt mich, Ihnen aus tiefbewegtem Herzen zu danken. Sie wissen alles; ich kann Ihnen nichts sagen, das Sie nicht wüssten. Aber das kann mich nicht hindern, Ihnen zu sagen, dass jene Stunden für mich geweihte Stunden gewesen sind, die Frucht bringen werden. Dass Ihre Worte blitzartig weite dämmrige Strecken meiner geistigen Welt erhellt haben, dass sie mir auf allen berührten Gebieten eine zwingende, überzeugende Orientierung meines Denkens und Wollens gegeben haben, — das war eine Erfahrung, tief beglückend und bereichernd. Und doch habe ich noch gewaltigeres, noch erschütternderes in diesen Stunden erlebt: eine menschliche Wucht jenseits von allem Gesagten, eine seelische Macht, vor der ich mich in tiefer Demut beuge. Hier gibt es kein Bewundern, kein Danken mehr, nur noch Hingabe und Verehrung.

Ihr Ernst Robert Curtius.

S. 131 *Edith Landmann:* GEORGICA, Weiss'sche Universitäts-Buchhandlung, Heidelberg, 1920.
Julius Landmann: mehr über den ausserordentlichen Mann, sein Leben, sein Werk, seine Tragödie, in: JULIUS LANDMANN, Rede gehalten bei der Gedenkfeier der Philosophischen Fakultät der Universität Basel am 14. Dezember 1931 von Edgar Salin.
Nicht froh noch traurig: Dante, INFERNO IV 84, S. 25 der Georgeschen Übertragung.
Aristoteles: NIKOMACHISCHE ETHIK IV 3.
Terzinen über Martin IV: Dante, PURGATORIO XXIV 20.

S. 132 *Friedrich Wolters*, HERRSCHAFT UND DIENST, 1. Ausg., Opus I der Einhorn-Presse, Berlin, 1909. — 2. Ausg. Bondi, Berlin, 1920.

S. 133 *an E:* an Ernst Morwitz, BLÄTTER XI/XII 70.
Freund E: Walter Elze — von ihm: FRIEDRICH DER GROSSE, E. S. Mittler & Sohn, Berlin, 1936.

S. 134 *die Not seines Landes empfand:* so auch später: Friedrich Wolters, VIER REDEN ÜBER DAS VATERLAND, F. Hirt, Breslau, 1927.

S. 136 Nach mündlichem Zeugnis von Roland Hampe, der damals Schüler von Wolters war, sei Georges Anteilnahme an der »Blättergeschichte« manchmal bis ins Grammatikalische gegangen.

S. 137 *Wolters:* Damit meine Darstellung Wolters gerecht werde, habe ich einen seiner Nächsten gebeten, aufzuschreiben, wie er den Lehrer und Freund in Erinnerung habe; zögernd hat Rudolf Fahrner[1]) (T 144 e) meiner Bitte entsprochen:

»Ich fand Wolters als reifen Mann, als Haupt eines Kreises älterer Freunde, die er in seinen Jugendjahren um sich versammelt hatte und die sich auch als reife Männer an ihn hielten und um ihn bewegten, und als Haupt jüngerer Freunde, die unter seiner Lenkung aufwuchsen. Er wusste zusammenzuhalten und auseinanderzuhalten. Er entfaltete einen unversieglichen Reichtum von Trieben, Einfällen, Wachsamkeit, Listen! Er hatte die Kunst des Redens und des Schweigens. Lob, Tadel, Erregung, Beschwichtigung, Hieb, Stich und tiefe Güte — dafür standen ihm alle Formen nicht durch Überlegung sondern triebhaft zu Gebote. Er vergab sich nichts und wahrte sein Geheimnis. Dieses zu spüren oder gar darum zu wissen, war nur möglich, wenn man den reichen Umkreis seiner ‚Äusserungen‘ durchdrang, was wenigen gelungen ist. Wems gelang, für den schwand das Verletzende seiner Streitbarkeit und für den war eine von ihm empfangene Wunde manchmal noch heilsamer und wohltätiger als mancher tief lindernde Trost. Er erzeugte um sich das viel beredete, selten erfüllte: Haltung. Entgleisungen wagten sich in seinem Umkreis nicht hervor. Die vom platonischen Sokrates so oft gepflogene Weise, ein im Gespräch gefallenes Wort zu durchleuchten und ganze Weltbilder, ja die Weltweisheit selbst daran anzuknüpfen, im Partner zu entwickeln, aus ihm herauszufragen, und dann im entscheidenden Moment die eigene Vision zu geben: Singen der fremden Töne mit aller Verführungskunst und dann die reinigende Palinodie — diese sokratische Weise übte er mit Meisterschaft.
Als Gundolf mich Drängenden zu Wolters schickte, gebrauchte er die Worte: »Da Sie nun einmal beschlossen haben, in dieser Luft zu atmen, ich selbst tauge nicht für eine ‚Kirche‘.« — Ich suchte weder, noch fand ich bei Wolters eine ‚Kirche‘. Vielmehr traf ich auf einen unerhörten Freimut, auf eine Luft, in der freie Geister leben konnten und in der sie's taten.
Sein Wirken für andere hatte etwas grossartig Unermüdliches und Selbstloses. Ich habe — man bedenke, was für ein Wille in ihm wirkte — kein Machtstreben an ihm wahrgenommen, nie eine Lust, den andern zu beherrschen.

> Du musst zu innerst glühn — gleichviel für wen!
> Mein rechter hörer bist du wenn du liebst.[2])

Danach hat Wolters aus eigenstem Triebe gehandelt, wo er Erzieher war. Er erriet den anderen ohne dessen Wort und dort wo jener verstummte, er gab Antwort auf die nicht getanen Fragen und immer mit Liebe erweckender Gebärde. Er begriff die Jugend, nie rückgewandt. Er begriff des Lebens Wandlung und spähte, stets wandlungsfähig, aus nach neuem Gang und Wort: was spielte? wohin gings?
Er hatte etwas furchtbar Anspornendes und drängte ebenso nachdrücklich auf das Erringen einer äusseren wie innerer Positionen. Bei Jungen und Alten habe ich ihn

---

[1]) *Rudolf Fahrner*, Professor für Deutsche Literatur an den Universitäten Heidelberg, Athen, nun Ankara. Von ihm ZUM HÖLDERLINTAG, o. O. o. J. — GNEISENAU, Delfinverlag, München, 1941.

[2]) im NEUEN REICH 111.

gleich mächtig blitzen, stacheln, drängen sehen. Besonders nach dem zweistündigen Mittagsschlaf war er so energiegeladen, dass man auch als geübter Fechter die Teestunde mit ihm manchmal gern gemieden hätte. Solche zum Wirken getriebenen Naturen werden oft andere, nicht so geartete, verletzen. Aber sie handeln nicht, weil sie agieren wollen, sondern weil die »Mahatmas« sie sich ausgesucht haben, damit sie wirken. Immer aber respektierte Wolters den andern, besonders die andere Generation — wie fern war ihm, sie der seinen gleich machen zu wollen. Nach kurzer Bekanntschaft gab er mir eines seiner früheren Bücher über einen Künstler zu lesen. Ich brachte es ihm am nächsten Tag zurück mit der immerhin auch an einem Achtzehnjährigen nicht leicht zu vertragenden Bemerkung: ich wolle so etwas nicht länger bei mir haben, ich verstünde nicht, wie man ein solches Buch schreiben, noch weniger wie mans drucken könne, alles was drin stünde, sei nur gewollt. Sie wurde lachend quittiert: das Buch sei immerhin einige Jahre her, und wer denn für seine Sprossen nach zehn Jahren wohl einstehen könne, die physischen wie die geistigen — er wünsche mir, dass es mir besser ginge damit. Er war »listig« und wendig, kannte die Vielseitigkeit aller Dinge und Verhältnisse und wusste viel von den grossen Geheimnissen. Meinungen vertrat er nicht um ihrer selbst willen sondern um grosser Impulse, Triebe, Ziele willen und liess sie fallen, wenn sie dem nicht mehr dienten, was ihm heilig war.

In innigem Verein mit seiner tatbegierigen Streitbarkeit hatte Wolters ein tief sängerisches Wesen. Das äusserte sich in Haltung und Blick, der etwas Schwärmerisches annehmen konnte, in seiner Art zu lesen, Verse zu tönen mit lang hinschwingendem Stimmklang, in der Mundform bei sinnendem Schweigen und beim Hersagen, das man bei ihm auch ein Hersingen hätte nennen können. Auch das Melancholische, Leidende, das ihm in vielen Stunden eigen war, hatte einen sängerhaften Ausdruck. Seine Liebesleiden, die in unsägliche Tiefen reichten, gaben diesem Sängerwesen ein dunkles Siegel. Man könnte sagen: er hatte eine singende Gebärde.

Seinen eigenen sängerischen Zügen entsprach seine Vorliebe für den Sängerstand vom Spielmann und Strassensänger, die er nie unbeschenkt liess, bis zum Minnedichter, zum Hymnensänger und zum dunklen Barden, und alle diese Stufen konnten sich in ihm vergegenwärtigen: er konnte einen Zirkusspringer nachahmen, dass den Zuschauer die ganze tausendjährige Traurigkeit jener Joculatoren anfiel, über die die andern lachen, er konnte alle Leidensgründe des Herrendienstes und des Frauendienstes durchsteigen und auftönen lassen, er konnte zu unvergesslichen Schlachtrufen ansetzen und konnte wieder den Teilnehmenden über jede Schwere hinausreissen durch eine in Schritt und Haupt, Leibesbiegung, Armen und Händen gleich starke tänzerische Geste.

Seinem Sängerwesen und Sängerstand verbunden war eine Liebe zum als göttlich empfundenen Getränk des Weines, so irdisch wie geistig, und eine einzigartige Fähigkeit zu klarem waffenschimmerndem Rausch. Manchen erschien er unter dem Bilde des Staatsmanns und des Kanzlers. Aber der gleiche Wolters konnte nach langen Trünken nachts um drei, mit leichten Schritten am Rheinufer entlang wandelnd, seine mystisch-kosmischen Schwärmergesichte ausströmen und jeden Absatz, der ein Kapitel der kosmischen Geheimnisse umfing, indem er den Namen des eben getrunkenen »Ewigbach« anrief, enden lassen: »Auf dass wir immer schwimmen mögen in diesem Bache der Ewigkeit, amen!«

Er war den noch als Volk Lebenden auf allen Stufen vertraut. Ob er mit Bauern, Handwerkern, Ärzten, Lehrern, Kaufleuten oder Soldaten redete — sie waren die seinen, und er der ihre, und selbst mit den freiwilligen und unfreiwilligen Opfern der Geschäfts- und Maschinen-Umwelt hatte er, wo andere verstummten, noch eine Verbindung. Wo er auf Künstlertum traf, war er ohnehin wissend und ausübend gewissermassen vom Stande, wenn auch hierbei am ehesten sich einmal »Meinungen« und »Forderungen« in ursprüngliches Wissen mischten. Über Äcker und Wiesen konnte er selbst wie ein Bauer gehen, konnte wie ein Bauer stehen im lärmenden Getrieb der grossen Städte oder vor dem neuesten technischen Kunststück und dem ganzen Spuk aus Blech, Gestänge, Rauch und Lauge den Untergang prophezeien, schon durch die Art seines Dastehens, in dem sein Wissen um etwas, das länger währt, sich aussprach.«

S. 137 *über des Dichters Haupt:* Wolters S. 575.

    Berthold Vallentin, NAPOLEON, 1923, NAPOLEON UND DIE DEUTSCHEN, 1926; HEROISCHE MASKEN, 1927; WINCKELMANN, 1931 — alles bei Georg Bondi, Berlin.

    Georg Dehio, HANDBUCH DEUTSCHER KUNSTDENKMÄLER, 1905—1912.

S. 138 *Rimbaud,* LES ILLUMINATIONS, Publications de la Vogue, Paris, 1886.

    zum gedächtnis: wohl das Gedicht BLÄTTER XI/XII 175.

    Statius-Gesang: Dante, PURGATORIO XXI, S. 104 der Georgeschen Übertragung.

S. 139 *Herman Schmalenbach,* geb. 15. Nov. 1885 in Breckerfeld, Westfalen, gest. in Basel am 3. Nov. 1950, Erzieher von Otto Braun, von 1931 ab Professor der Philosophie an der Universität Basel, hat seine ERINNERUNGEN AN STEFAN GEORGE am 1. Oktober 1945 in einem Radiovortrage mitgeteilt, dessen Manuskript er mir geschickt hat. Mit Erlaubnis der Erben teile ich daraus einige Stellen mit:

Schmalenbach hat im Spätsommer 1908 George bei Sabine Lepsius im Westend kennengelernt: »... Was mir an George auffiel, war zunächst seine Gestalt: er war mittelgross, doch hatte ich ihn mir erheblich grösser vorgestellt; sodann die Lebhaftigkeit seiner Bewegungen bei ausserordentlicher Schlichtheit und völliger Selbstverständlichkeit: ich hatte ihn mir gehaltener, gemessener gedacht (etwa ähnlich meinem ebenfalls sehr verehrten Lehrer in der Kunstgeschichte Heinrich Wöfflin); und endlich die dialektische Färbung von Georges Sprache...«

Im Herbst 1909 war er dann in München bei George im Kugelzimmer: »... George bewohnte zwei Zimmer im Dachgeschoss des Hauses, dessen untere Stockwerke Wolfskehls innehatten. Gundolf führte mich in das vordere von Georges Zimmern, einen grossen, hellen Raum mit wenig Möbeln, an dessen Wänden ringsum lehnenlose Bänke mit gelben Polstern standen. Gundolf wurde sogleich von George in das hintere Zimmer gerufen, kam aber bald zurück und ging weg. Bald kam dann auch George. Wir setzten uns an das niedere Tischchen gleich rechts und sprachen über Dichtung. George fragte mich, worauf nach meiner Meinung die Bezauberung durch Verse beruhe, sprach seine Verwunderung darüber aus, dass auch Leute, die es im Leben zu etwas gebracht hätten, sich dann doch auch noch im Alter mit Dichtungen versuchten. Wieder fiel mir an George seine ausserordentliche Schlichtheit auf und in dichter Verbindung damit seine Selbstverständlichkeit — das ist immer wieder der stärkste Eindruck gewesen, den ich von ihm hatte; doch ist es schwer, dies auszusagen; ich würde etwa formulieren: die Präsenz, die Prägnanz und Plastik sowohl seiner Erscheinung wie dessen, was er sagte: es war so gar nichts von Abseitigem, Weltabgewandtem darin, auch kaum von Hintergründigem und schlechterdings gar nichts von irgendwie Verlorenem, wie etwa bei Rilke, den ich später auch gekannt habe. Das erste Gespräch dauerte nicht lang, dann entliess George mich.

Bald darauf kam auch Friedrich Wolters für einige Tage nach München. In diesen Tagen waren wir einen Abend bei Wolfskehls: nur Karl und Hanna Wolfskehl, Wolters, Gundolf, dessen Bruder, der Zeichner Ernst Gundolf, und ich. Dann kam George, bat sogleich Wolters, das erste Kapitel seines grade erschienenen Buches »Herrschaft und Dienst« vorzulesen. Dann las George selbst die dreizehn Gedichte aus dem erst viel späteren Buche »Der Stern des Bundes«, die soeben in der neunten Folge der Blätter für die Kunst erschienen waren, und die ich natürlich schon auswendig konnte. Georges Art zu lesen beeindruckte mich sehr. Dabei meine ich nicht die Gattung des Hersagens von Gedichten, die von George und seinem Kreise propagiert wurde: die hatte ich mir selber schon in meinen Gymnasialjahren ohne fremde Hilfe erworben. Robert Boehringer hat im zweiten Jahrbuch für die geistige Bewegung über dieses Hersagen von Gedichten geschrieben. Boehringer ist der Meister dieser Leseweise gewesen: der Glanz, der schmeichlerische Schimmer, den die Verse aus seinem Munde hatten, waren von keinem anderen zu erreichen. Grade Glanz, grade Schimmer hatten die Verse auch aus Georges Munde nicht. Er las sie eher trocken, nüchtern, ferner ohne jede Anstrengung, ohne jede Gewalt, obwohl natürlich immer so, dass sie aus der Alltagssprache herausgehoben waren, und dennoch strahlten die Worte und ihre rhythmische Folge bei ihm eine Macht aus, die mich alles je von George Gelesene und die Tonart, in der er es las, zeitlebens im Ohr hat festhalten lassen. An jenem Abend ging George nach dem Lesen gleich weg, wir andern blieben noch lange zusammen.«

Im Herbst 1910 ging Schmalenbach nach Berlin zurück und nahm dort an den Zusammenkünften teil:

»Im Georgekreis wurden wohl jedesmal zunächst Gedichte gelesen: Gedichte Georges, aber auch Goethes, Hölderlins, Gedichte aus der von George und Wolfskehl herausgegebenen Sammlung »Das Jahrhundert Goethes«. Die Reihe zu lesen kam an jeden, und jeder las, was er gerade wollte. Alle lasen sehr verschieden. Am schönsten las Boehringer, eindrucksvoll auch Wolters, am eindrucksvollsten stets George. Auch mein Lesen gefiel ihm. Und hier wenigstens merkte er, dass ich doch auch dem sinnlichen Zauber in den Versen zugänglich war.

Die Gespräche gingen ebenfalls oft über Dichtungen und Dichterisches, doch auch über Ethisches, überhaupt über Menschliches, nicht zuletzt auch über Soziales und sogar Politisches. Alle waren geschichtlich gut unterrichtet, überhaupt einiges Wissen die selbstverständliche Voraussetzung.

Doch sehr viel wurde auch einfach gescherzt, lautes Lachen und Fröhlichkeit herrschte, wobei ich freilich aktiv nicht teilnahm: ich pflegte dann nur, jedoch mit Behagen, zuzuhören. George bemerkte dies und subsumierte mich, wohl mit Recht, unter die blonden Nordländer, die des Rausches unfähig seien.«

Schmalenbach erzählt dann, dass er als Philosoph immer etwas abseits gestanden sei: »Über die Philosophie ist es denn auch zu einer Differenz gekommen. Für das zweite der Jahrbücher hatte ich einen Aufsatz geschrieben mit dem Titel »Die Gebilde des Begriffs«. Der Aufsatz ist nicht gedruckt worden. George bestritt, dass es Gebilde des Begriffs gebe . . .

Der Aufsatz über die Gebilde des Begriffs sollte dann umgearbeitet werden und im dritten Jahrbuch unter dem Titel Wahrheit (selbstverständlich den Begriff der Wahrheit) gedruckt werden. Dazu ist es nicht mehr gekommen. Am dritten Jahrbuch waren mir ferner gewisse Stücke der Einleitung, die von George ausdrücklich gebilligt waren, sogar sehr ärgerlich, was ich auch Wolters sagte: »es sei doch falsch«. Zu einem Bruch mit irgend jemandem ist es natürlich nicht gekommen. Die Zusammenkünfte des Kreises, die im Winter 1910/11 in ihrer hohen Blüte gestanden, auch 1911/12 noch stattgefunden hatten, waren im Winter 1912/13 eingeschlafen. George war auch da in Berlin. Ich erfuhr dies und habe ihm damals noch einen Brief geschrieben, für den er mir durch Wolters danken liess. Auch liess er mir damals sagen, womit er sich auch von andern verabschiedet hat: wenn ich ihn in irgend einer Lebenslage einmal wirklich brauche, wirklich nötig habe, solle ich ihn benachrichtigen: er werde dann, wo er auch sei, sogleich kommen.

. . . Wiedergesehen habe ich ihn nicht. Doch bin ich mir zeitlebens bewusst gewesen, in meiner Jugend mit der edelsten Jugend verbunden gewesen zu sein, die es damals in Deutschland gab, und in Stefan George einem Beispiel menschlicher Grösse begegnet zu sein, das sowohl seiner Art wie seinem Rang nach unvergleichlich war.«

S. 139 *Carl Petersen*, geb. 5. März 1885 Hvidding (Nordschleswig), gest. 26. Januar 1942, Berlin. Professor der Geschichte in Kiel, dann in Greifswald, Freund von Wolters, mit dem er zusammen DIE HELDENSAGEN DER GERMANISCHEN FRÜHZEIT herausgab (Hirt, Breslau, 1921); mit Erich Wolff zusammen: DAS SCHICKSAL DER MUSIK (Hirt, Breslau, 1923).
was Wenghöfer aussprach: im Brief an Thormaehlen vom 8. Dezember 1914.
Heinrich Friedemann: NEUES REICH 115.
Kurt Singer: PLATON UND DAS GRIECHENTUM, ein Vortrag, Weiss'sche Buchhandlung, Heidelberg 1920 — PLATON DER GRÜNDER, C. H. Becksche Verlags-Buchhandlung, München, 1927 — PLATON UND DIE EUROPÄISCHE ENTSCHEIDUNG, Saucke, Hamburg, 1931.
Wilhelm Andreae, PLATONS STAATS-SCHRIFTEN, 1. Teil Briefe, Gustav Fischer, Jena, 1923 — PLATONS STAAT, griechisch und deutsch, Fischer, Jena, 1925.

Kurt Hildebrandt, PLATONS GASTMAHL, neu übertragen und eingeleitet, »An Friedrich Gundolf in Verehrung und Freundschaft«, Meiner, Leipzig, 1912 — PLATON, DER KAMPF DES GEISTES UM DIE MACHT, Bondi, Berlin, 1933 — DIE SCHÖPFUNGSGESCHICHTE IN PLATONS TIMAIOS, übertragen von Kurt Hildebrandt, gedruckt und handgebunden in den Werkstätten Burg Giebichenstein, Halle, 1925. —

Edgar Salin, PLATON UND DIE GRIECHISCHE UTOPIE, bei Duncker und Humblot, München u. Leipzig, 1921. — PLATON, VON MENSCH UND STAAT, Auswahl und Übertragung, 1942 — APOLOGIE, KRITON, PHAIDON, 1945 — THEAITET, 1946 — EUTHYPHRON, LACHES, CHARMIDES, LYSIS, 1950, alle übertragen und eingeleitet von Edgar Salin, erschienen bei Benno Schwabe, Basel.

Josef Liegle: Vgl. Text S. 163.

Aufzeichnungen: ungedruckte, in die Ludwig Thormaehlen mir Einblick gewährt hat.

Hellas und Wilamowitz, im JAHRBUCH FÜR DIE GEISTIGE BEWEGUNG, 1. Jg., Verlag der Blätter für die Kunst, Berlin 1910.

S. 140 *Melchior Lechter,* TAGEBUCH DER INDISCHEN REISE. Als Manuskript gedruckt. Opus II der Einhorn-Presse, Berlin, 1912.

Die Diana: so genannt wegen ihrer Ähnlichkeit mit Diana Thassys von van Dyck.

S. 141 *Hellingraths* Verdienste um die Auffindung von Hölderlins Werk sind zu bekannt, als dass sie aufgezählt werden müssten — an ihn: »Norbert« NEUES REICH 117.

Friedrich Gundolf, HÖLDERLINS ARCHIPELAGUS, Weiss'sche Universitäts-Buchhandlung, Heidelberg, 1911.

vgl. *Edgar Salin,* HÖLDERLIN IM GEORGE-KREIS, Vortrag gehalten am 19. Mai 1950 in der Friedrich-Hölderlin-Gesellschaft zu Tübingen. Verlag Helmut Küpper vormals Georg Bondi, Godesberg, 1951.

S. 142 der Brief aus Giessen stammt von Otto Peil, der 1910/11 den Dichter mehrmals in Bingen besuchte und Interessantes über seine Begegnungen und von Äusserungen Georges über Wolters und Vallentin berichtet. Zuletzt Lehrer in Birkenfeld, ist er im ersten Weltkriege gefallen.

Pindar-Übertragungen Hölderlins: zuerst BLÄTTER IX 8 — erste Gesamtausgabe: Verlag der Blätter für die Kunst, Berlin, 1910.

August Thiersch, DIE PROPORTIONEN IN DER ARCHITEKTUR. Handbuch der Architektur, 2. Abschnitt. Joh. Ph. Diehl, Darmstadt, 1883.

S. 143 *Ernst Morwitz,* Mitarbeiter der BLÄTTER, an ihn: »Burg Falkenstein« NEUES REICH 53 — von ihm: GEDICHTE, Verlag der Blätter für die Kunst, Berlin, 1911 — DIE DICHTUNG STEFAN GEORGES, 1. Ausgabe Bondi, Berlin, 1934 — 2. Ausgabe Verlag Helmut Küpper vormals Georg Bondi, Godesberg, 1948 — SAPPHO, DICHTUNG, GRIECHISCH UND DEUTSCH, Bondi, Berlin, 1. Auflage 1936, 2. Auflage 1938 — STEFAN GEORGE, POEMS, rendered into English by Carol Valhope and Ernst Morwitz, Pantheon Books, New York, 1943 — ebenso: German-English Edition, Kegan Paul, London, 1944 — THE WORKS OF STEFAN GEORGE, rendered into English by Olga Marx, Ernst Morwitz, University of North Carolina, Chapel Hill, 1949.

Der Nächste Liebste: NEUES REICH 20.

Ich bin durch blut: BLÄTTER XI/XII 181.

L'âge d'airain: in den BLÄTTERN VIII.

So bannt ihn: Ernst Morwitz, GEDICHTE S. 27.

S. 145 Während ich diese Anmerkungen aufschreibe, kommt aus Australien die erschütternde Kunde vom Tode des *Hans Brasch.* Am 3. November 1950 ist er nach einem Strassen-Unfall, ohne das Bewusstsein wieder erlangt zu haben, gestorben. Kurt Singer, der in Japan und Australien dem Dichter und seinem Werk die Treue hielt und hält, schreibt mit der Todesnachricht:

» . . . Er war neun schwere und glorreiche Jahre lang mein einziger Schicksalsgefährte, gleich kostbar als Befeurer und als Gegenhalt, unumschränkt ausser im Innersten, verwegen-versucherisch bis an die Schwelle des Unbetretbaren, gütig noch im Verachten, verschwenderisch noch im Rauben. Ich kann mich des Gedankens nicht erwehren, dass sein Ende von innen her angelegt und gern zugestanden war. Als ich im Mai-Juni zum letzten Mal in Melbourne bei ihm war, schien er bei aller herzlichen und freudigen Nähe unheimlich entspannt und wie entzogen. Es wurden keine Gedichte mehr gelesen aber es fiel, von ihm schwermütig bekräftigt, das Wort DIE GÄRTEN SCHLIESSEN[1]). Im Oktober kamen die beigefügten Verse als antwortende, doch zu gleicher Zeit entstandene Gegengabe für Strofen, die ich als Symbolon gleichlaufend-gegenstimmigen Zusammen-lebens einschliesse. Vor wenigen Jahren waren wir in dieser Anti-Thule unserer drei: nun ist nur einer übrig.«

Der schwarm zerstob, die richterhalle schloss.
Unfassbar fern verklingen hochzeitsflöten.
Gewesenes wittert schon um morgenröten,
Zur ahnenfahrt verlockt ein dunkles ross.

Was bleibt da niemand deinen arm begehrt,
Niemand dein urteil heischt im schlimmen walten?
Du sahst erschauernd herd um herd erkalten
Und kelch um kelch vergeudet, ungeleert.

Nur dieses blieb: im weiterzug erblüht
Begegnend deinem blick der blick der Süssen
Und lehrt wie stern und stern sich ehrend grüssen
Und wie sich Dantes himmelsschar geglüht.

K. S. für H. B.   1950

Wie schön ist es wenn endlich wir begreifen
Dass nichts mehr zu begreifen ist, dass wirklich
All diese dinge die uns beben machten
Von uns nicht länger angestrahlt verwelken
Dass alle diese dinge sterben gehen
Oder ihr leben elend weiter fristen
Bis dass ein neues auge sie belebt:

Auf weiten wüstenwegen nicht verschmachten,
Geduld im ungewissen, kurzes glück,
Erschütterung durch wort und reinen klang,
Wenn alle stammeln ruhig weiter sagen,
Und unbetrauert ruhmlos sterben können.

H. B. für K. S.   1950

S. 147 *leuchtend Licht war:* Pindar, PYTHIEN VIII 96 nach Hölderlin: Der Schatten Traum sind Menschen. Aber wenn der Glanz Der gottgegebene kommt, Leuchtend Licht ist bei den Männern Und liebliches Leben.

S. 148 *Pierre Viénot,* INCERTITUDES ALLEMANDES. »La crise de la civilisation bourgeoise en Allemagne«. Librairie Valois, Paris, 1931.
Pindar OLYMPIEN II 94: Weis ist wer vieles weiss von natur.
Körper und Geist: STERN DES BUNDES wohl S. 108.

S. 149 *weisse art:* NEUES REICH 33.
Es ist aber wichtig zu wissen, dass George nicht in *Griechenland* gewesen ist. Obwohl er in einem Briefe an Hofmannsthal vom November 1898 meinte, er werde »in Italien und Griechenland wahrscheinlich für längere zeit verscholen bleiben«, trug er später Scheu, nach Griechenland zu reisen. Wie Goethe und wie Schiller und Hölderlin trug er sein Bild der Antike in sich,

---

[1]) HYMNEN 48.

und er mag gedacht haben, die Anschauung des Griechenland von heute werde dieses Bild nicht steigern.

S. 151 *Einem jungen Führer im ersten Weltkrieg:* NEUES REICH 41.

S. 152 Wilhelm Stein, geb. Zürich 1886, Professor der Kunstgeschichte an der Universität Bern. Von ihm: RAFFAEL, Berlin, Bondi, 1923 — DIE BILDNISSE VON ROGER VAN DER WEYDEN, Jahrbuch der Preussischen Kunstsammlungen Bd. 47, Heft 1, Berlin, 1926 — HOLBEIN, Julius Bard, Berlin, 1929.

S. 153 BEGEGNUNG MIT STEFAN GEORGE, Februar 1909: man möchte wünschen, dass diese Aufzeichnung, in der Thormaehlen auch das gemeinsame Leben der Freunde in Lichterfelde festgehalten hat, veröffentlicht würde. *Friedrich Andreae und Wilhelm Andreae* aus Magdeburg.

S. 154 ZWÖLF ZEICHNUNGEN VON ERNST GUNDOLF. Verlag der Blätter für die Kunst, Berlin, 1905, Gedichte von ihm in den BLÄTTERN VII.

S. 156 *Hans Oettinger,* DENNOCH. Gedruckt in 200 Exemplaren bei Friedrich Reinhardt, Basel, 1943.
Dante, INFERNO VII 121.

S. 157 *Wir wollen leichten fusses:* BLÄTTER VII 107.
Walter W.: NEUES REICH 115.

AUS DEN BRIEFEN WALTER WENGHÖFERS AN HANNA WOLFSKEHL:

Manche Briefe hat er französisch geschrieben; ich wähle aber mehr die deutschen aus, weil er ein deutscher Dichter war. — Etwa zwei Monate nach seiner Rückkehr aus München schreibt er:

Halberstadt, 10. Mai 08 Teure und verehrte Frau Hanna — ... es ist mir von München eine Anrührung fast wie von einer Heimat gekommen und ein Mut, der das Unerbittliche nicht mehr mit Grauen ehrt. Wertvoller als alles Wertvolle das ich gleichsam auf Händen heimtrug. Wie danke ich Ihnen Frau Hanna, dass Sie den Ungelenken der die Gebärde freudigen Nehmens nicht hat mit so viel Freundschaft in Ihrer Stadt aufnahmen und anwiesen! Meinem Gedenken werden Sie stets die lächelnde und gütige Vermittlerin sein, die ich herzlich grüsse und verehre.
Walter Wenghöfer

Hanna Wolfskehl hat ihm ein Vasenbild geschickt:

17. 8. 08 Halberstadt, Harsleberstr. 3 Sehr verehrte Frau Wolfskehl — Ich schreibe endlich — denn die Unart meines Schweigens drückt mich schon zu lange — auch wenn es nicht der Brief wird, den ich Ihnen aus jeder guten Stunde all dieser Tage zugedacht habe. Es ist sehr merkwürdig, dass ich seit einiger Zeit nicht mehr die Fähigkeit habe, Briefe zu schreiben; früher tat ich es viel und gern. Gewiss macht es die Einsamkeit, in alle Gedanken und Unruhen nach wenigen festen Standbildern hindrängen und sich immer wieder bemühen die selben Erddecken von den selben vergrabenen Gottgestalten zu heben. Während draussen im Leben ein vielspältiger Eros aus allen Gedanken und Worten bunte Spiegel macht. Gut und Glücklich daran — am Einsamsein — ist, dass wir uns langsam aller Zierate und fremdgewebten Gewandes entkleiden, in das sich heut einige und leider so viel Schönheit lehnen. Die Schönheit! — der ist der Grösste, der sie als klarstes und schmuckloseste Leben hat. Da ist wieder der Siebente Ring und am andern Ende Ihr Vasenbild, das so heimlich — ich habe es kaum gewusst — und so mächtig mit mir umgegangen ist. Ich finde in der griechischen Anthologie dieses dem Plato zugeschriebene Epigramm. Vielleicht hilft ein Gott, dass Ihnen hinter der gebrechlichen Herder'schen Übersetzung dasselbe Gewaltige aufwächst, das mich davor beugt.
Der Knabe Aster. (Stern)
Unter den Sternen wohnt mein Geliebter; o dass ich der ganze Himmel wäre, mit viel Augen Dich anzuschaun.

Ich fühle in diesem schlichten ungeheuren Aufschwung: »o dass ich der ganze Himmel wäre, mit viel Augen Dich anzuschaun« eine dem Vasenbild gleichende

Grösse; es ist die Schönheit als einfältiges flammendes Leben. Vielleicht wenn ich mich im Winter noch an das Einzelne erinnere, erfahren Sie, wie ungemerkt und sicher unter ganz andern Dingen hervor das Bild gewirkt und gewartet hat, unheimlich als sei ein Wesen mit Blick und Willen in ihm. Bald nach meiner Rückkehr begann ich viel christliche Bücher zu lesen: Augustin, Catharina v. Siena, ein langes Leben des Franz v. Assisi (Ihr Kierkegaard liegt noch ungelesen auf dem Tisch) und mit jeder Seite fielen die christlichen Dinge die mich bisher als die letzten und wirklichsten gehalten hatten, von mir ab. Ich verweigere es ganz Gegenüberstellungen von Christlichem und Antikem als festen Dingen zu machen und zu philosophieren, aber ganz einfach als lebendige Form und Möglichkeit geistigen Daseins genommen, scheint mir das Christliche, auch das Christlich-Mystische, nicht ein solches Leben und eine solche Seele zu gewähren, die zu Jener Schönheit werden könnten. Seltsam liegen die gleichen Antriebe und Unruhen in allen Systemen vergraben. Welches aber sind heute unsere Götter? Den von den Alten gekannten hat Christus ihr persönliches Wesen genommen und sie kommen zu uns unkennbar und in Verhüllungen von jenem siechen und schlanken Reiz, den wir an der christlichen Schönheit, der primitiven Kunst so sehr lieben und so lange als wir uns an Reiz noch hingeben. Müssten wir nun nicht zu jenen Mächten mehr hindringen, die mit ihren wundervollen Händen bis in unser Leben hinabreichen, dass wir in sie hineingegeben mit Seele und Sinnen göttlich leben! Anstatt alles abzutun und mit der Welt als brechendem Fussgestell zu jenem letzten dunklen Gotte aufzulangen, der erst jenseits alles Lebens zu berühren ist und gewiss jenseits unseres höchsten Geistigen. —

Ich hätte von diesen Dingen nicht anfangen sollen, die in einem Brief nicht zu beschreiben sind und aus deren kurzer Nennung sich sicher wenig Sinn schöpfen lässt. Was sollen auch Wenige an solchen Hoffnungen hängen, wo man doch fühlt, dass alle — ein Volk zu mindest — nötig sind solche Wirklichkeiten aufzubauen. Wie schrecklich stehen wir auf unsern unfällbaren Türmen in unserer Zeit! Was soll man tun? Warum können und können wir nicht zu den Heutigen gelangen? Es kommen manchmal wilde Eroberungsgelüste über mich; sonst war ich ganz Abwehr. Mir fällt grade Derleth ein, will er nicht auch erobern? Und dabei sitzen wir auf den erwähnten Türmen im besten Sinne ruhmlos und sehen zu. Ist das unser Schicksal?

Ich freue mich sehr im Winter wieder bei Ihnen zu sein, nur möchte ich es möglichst spät; ich lasse den Dingen gern ihren folgerechten Ablauf und habe das Gefühl, dass es nicht angebracht sei hier schnell abzubrechen. Dazu habe ich mich hier in einem so wundervollen sommerlichen Leben ausgelassen, dass ich alle Reisepläne einstweilen mit Grauen von mir weise. Taglang liege ich im blauen und grünen Licht von Laub und Himmel, ganz aufgegangen in die Erregung und den Atem von Gras und Gewölk Luft und Stein. Es freut mich, dass Sie es ebenso treiben.

Wollen Sie verehrte Frau Hanna, Herrn Wolfskehl vielmals von mir grüssen und meinen Dank für den Brief sagen. Haben Sie den Meister in Bingen gesprochen? Ich müsste ihm schreiben, aber — ich kann nicht. Leben Sie recht wohl. Ich grüsse Sie in herzlicher Ergebenheit! Ihr Walter Wenghöfer

Falls Sie recht heidnische Bücher wissen, schreiben Sie es mir bitte!

Aus diesem Briefe ahnt man schon seine Lebensweise: zu Hause lesend, oder allein in der Natur:

Halberstadt, Harsleberstr. 3 — 28. 10. 08 Verehrte Frau Hanna — Ich habe jenseits aller Symmetrie und allen Zwanges viele Grüsse und Anreden an Sie gesprochen und habe sie nicht geschrieben, weil es mich immer verdross wie die grosse Schlichtheit und Nähe der Dinge die ich sagen wollte, an den ungewählten Worten eines Briefes zerfaserte. Nun wissen Sie nichts und das ist mir bitter leid, denn ich kann vielleicht später noch weniger davon reden. Ich hätte Ihnen so gern von diesem einfachen harten und doch so schönen Leben gesagt und auf Ihr Verstehen und Würdigen gehofft. Wenn ich abends vor dem dunklen Walde stand gegen Süden gerichtet und die Hand zum Ruf an den Mund legte, so kam kein Laut, den Sie gehört hätten und nur der kühle Anhauch vom Gold und wundervollen Dunkel meines Waldes ging in die hohle Muschel. — Wie erscheint es als Gedanke einfach und von geringem Wesen, was man im Umgang mit den warmen und blutenden Dingen der Natur erlebt. Wie Sie den warmen Boden Pompejis fühlten, so habe ich bis zum heutigen Tag meiner Abreise mit meinem ganzen Leibe diesen Wald gefühlt. Hätten Sie ihn im Herbst gesehen mit zackigen Feuern zuckendem Getier und dem dunkel durchrissenen Himmel der wie ein gesprungener Stein ist. Dann im tief-grauen Abend — wenn aus Busch und Stamm aus Luft und Boden-Krume jene seltsame Gegenwelt aufsteigt, jenes zweite Leben der Erde das ganz langsam und liebkosend alle Wesen in ein tolles Entsetzen lockt, so dass man mit klopfendem Blute vorwärts stürmt und erst erlöst ist, wenn ein Schuss kracht und das Geläut der Hunde jubelnd in den weissen Mond schallt. — Ich müsste auch von sehr feier-lichen und klaren und von sehr weichen und singenden Gegenden sprechen um meinem Walde Genüge zu tun, aber ich müsste auch hier nur in zu viele Worte zu wenig einfangen. — Ich träume von einem Worte — etwa wie ein Stein, der hart und einfach in mächtig umrissener Form jedes Auge zwingt und der vor einem steht ein rundes und geringes Ding doch so, dass man meint, der Boden bebe von seiner dunklen Wucht. Das hat mich im dauernden Anschaun der Tiere und Pflanzen so ergriffen: dass wir jenes wundervolle Geheimnis, das uns in allem Geschaffenen tausendfach umgibt, mit unserm Geiste so jahrtausend selten einmal emporbannen dürfen. Ich meine: nur solche sind Werke die wie das lebendige Tier direkt aus dem Krater des schaffenden Urwillens gestossen scheinen, die das in sich tragen was mich vor einem Kristall denken lässt: die Welt verdirbt, wenn er zerspringt. Vor solchen Werken liegen die Völker und sie werden ihnen nur tausendjährlich be-scheert, damit sie durch diese ganze Zeit den Blick nicht von ihnen wenden. — So kommt es, dass man in meinem Walde das städtische Leben und das Leben der kunstliebenden Menschen etwas gering achtet. Denn wenn jene von einem täglichen Werke zum andern geniessend gehen und Schönheiten wägen und vergleichen, so können sie nicht mit dem jahrtausend alten Blick ihr ganzes Leben an jenem einen Bilde hängen. Aber so sind wir und werden immer schlimmer. Wer hilft uns? Ich lerne hier die Sache einmal von der andern Seite her sehen, Frau Hanna, und sie sieht kurios aus. Gleich komme ich wieder auf den Siebenten Ring, der auch nur in Wäldern zu lesen ist — aber es ist zwölf Uhr und wer dann auf dem Lande nicht im Bett ist, kommt in Verdacht, dass er aus verbotenen Tiegeln Gold schmilzt. — Ich danke vielmals für alle schönen Briefe und Grüsse und grüsse Sie verehrte Frau Hanna und Herrn Wolfskehl in herzlicher Ergebenheit! Walter Wenghöfer

Aus diesem Leben in der Natur und mit ihr und aus dem Ringen um das eine Wort geht er gelegentlich mitten in die Grosstadt, und dort wandert er nachts einsam durch die Strassen. Zurückgekehrt schreibt er:

Halberstadt, 28. 11. 08 Sehr verehrte Frau Hanna — Ich bin aus der Stadt alles Gegenwärtigen zurück und freue mich des winterlich verschlossenen Lebens. Es war sonderbar wie ich mitten durch dieses drahtene Gespinst sorgsamer Ungescheut-heiten und Fehlwerte: Berlin — den Meister suchen ging und ihn fand. — Ich sage nichts von ihm; er ist jedesmal grösser, treuer seiner Notwendigkeit und tut sein unsagbares Werk einfach wie ein Pflüger. Wenn ich in den Umkreis seiner grossen und schönen Stille gelange, bin ich gesund und ruhig und denke bei ihr an den wundervollen Himmel der Primitiven, aus denen manchmal Strahlen und Gesichte zu den Andächtigen gehen. — So hat der Gedanke bald wieder in eine Stadt zu gehen — selbst in Ihre Stadt zu gehn — vorerst etwas Schreckendes, doch glaube ich, dass nach einiger Ruhe alles wie vorher lockend sein wird. —

... Ihr Walter Wenghöfer

In Georges »grosser und schöner Stille« ist er gesund und ruhig. Allein kann er so wenig in der Stadt wie in der Natur aus seiner auch »leidvollen Existenz« heraus:

Halberstadt, Harsleberstr. 3 — 23. 12. 08 Sehr verehrte Frau Wolfskehl — Der erste winterliche Schmerz war es, dass ich um die lang erhofften Spiele kommen musste. Es gehört zu meinem Schicksal, dass die frohen und bunten Strahlungen von aussen, die uns so viel Kraft geben können, nie in mein Leben fallen sondern immer daneben. So kann ich nur froh sein, dass alles schön war und vielen Gutes gebracht hat.

— In meinem Walde sieht es jetzt wüst aus. Graue und graue Wolken hängen in die kahlen Räume. Man liest dort aus kaltem Laub kalte Gedanken auf. Sie kennen unsere Schmerzen zu gut, als dass ich von ihnen reden müsste. Wir sind so weit von unserer Zeit abgerichtet, dass sie uns nicht einmal mehr Widerstände giebt und wo ist Tat ohne Widerstand! — Ich sah neulich einen Raben, der es anders machte. Ich fand ihn morgens in einem verdunsteten ganz aus Blässe geborenen Tal inmitten zu höchst auf einem hochrutigen Strauche stehend. Er war in einen unheimlichen schwarzen Bogen zusammengekrümmt, in einen Bogen gebrochen den nur die Gewalt tiefsten inneren Kampfes als Sinnbild ihrer selbst erreichen kann. Endlose Zeit sass er so; das ganze Tal, Luft und Boden geduckt unter seiner Stummheit. Und er musste — das schien unausbleiblich — zuletzt in einen unmöglichen, gewaltsamen und wahnsinnigen Gesang ausbrechen, bei dem Berg und Wolke, Stamm und Gestein laut auseinandersprang und zusammen fuhr zu einer jähen Welt aus dunklerem Strahl und Klang, aus neuem Sinne seiner wilden Seele. — Warum sind die Raben heut besser daran als wir! Liegt es heute nicht wie eine seltsame Verdeckung auf dem Urgrund aus dem alle brennen! — Ich lege Ihnen diese winterlichen und dünngeistigen Gefühle vertrauend hin und lege sie so wenig von mir weg um zuletzt etwas Schönes zu nennen: das Wessobrunner Gebet. Welch ein Schrei! Mehr kann ich davon nicht sagen. . . . Ihr Walter Wenghöfer

Wolters[1]) sagt, Wenghöfer sei beim Lesen der Verse von Saladin Schmitt aufs Tiefste erschrocken, weil er hierin einen für ihn schon verlegten Weg im Fluge überwunden sah. Worum Hölderlin bat,

> Nur einen Sommer gönnt, ihr Gewaltigen,
> Und einen Herbst zu reifem Gesange mir

das ist Wenghöfer nicht gewährt worden.

Wie er leidet, was ihm Hanna Wolfskehl bedeutet und wie er George sieht, zeigen diese beiden Briefe:

Halberstadt, 5.1.09 Teure Frau Hanna — Ich finde vielleicht in einem andern Augenblick als diesem wo Ihr Brief mit zarten und feinstimmigen Lockungen vor mir liegt nicht den Mut Ihnen den Grund meines Ausbleibens kurz und gerade heraus zu sagen: Ich kann jetzt an Ihren Freuden und Erhebungen nicht teil haben, so wundervoll sie sonst wären. Alle Geschehnisse Führungen und Hinderungen in meinem Leben treten in diesem Augenblick so vor mich hin, dass ich mich in einem Zustande von Unfrommheit leben finde, der mich von aller Freude und Schönheit fortstösst. Es sind Forderungen da, die ich nicht erfüllt habe, Befehle, denen ich nicht nachgekommen bin, vielleicht durch Verknüpfungen nicht nachkommen konnte, für die ich aber einstehen muss. Solange nicht durch ein Tun oder sonstige Überwindung der Bann gelöst ist, stehe ich ausser dem Leben. Allein der Gedanke an die Gegenwart meiner Freunde ist mit Angst und Vorwurf behangen. Verstehen Sie, verehrte Freundin, was ich ungeschickt sage? Jedenfalls ist der Druck und das Gefühl der Friedlosigkeit so gross, dass ich nicht Raum und Sinn und Liebe für anderes habe und nicht kommen kann. Ich gebe Ihnen dies unbehaune Bekenntnis, ein Ding der Nachtseite, des Nichtseienden als ganz Verschwiegenes hin — es sei nicht gesagt worden. Ich denke aber dass ich es tun konnte, denn es tröstet, wie Ihr unendlich gütiges Tun und Sagen wohltätig und lindernd war. Das sanfte Bild und die sanften Worte stehn mit Lächeln um mich her. Für beides Dank!

Ihr Walter Wenghöfer

Halberstadt, Harsleberstr. 3 — 24.2.09 Sehr verehrte Frau Hanna, . . . Von welchen dunklen Händen bewegt sich doch die Welt der Dinge! Ich will mit Schweigen für Ihr Bild und Ihre Worte danken; so ist es am schönsten. Sie tun an mir — was Sie nicht wissen können —: das wunderhafteste Gegenteil von dem, was alle andern tun, so dass mein Leben Sie immer anstaunt und verehrt. — Fürchten Sie sonst nicht, dass ich zu sehr meine Psychologie liebe; ich wähle nicht in Konflikten und bin schon dazu gekommen »meine Gefühle« als Begleiterscheinungen zu nehmen,

---

) WOLTERS: S. 454f.

228

denen keine Sorgfalt zukommt. (Ich glaube das war die weltliche Einsamkeit, vor der Sie warnten.) — Es wird sich alles lösen. — Es wäre schön und ich hoffe, dass ich Sie doch später im Frühling noch sehe, aber es ist nur eine Hoffnung. Ich freue mich recht dass der Meister bei Ihnen ist und wünsche, dass der Anruf seines einfachen und grossen Lebens Sie recht mitgreife. Ich grüsse Sie verehrte Frau Hanna, und alle Ihres Hauses und Kreises herzlich! Ihr stets ergebener Walter Wenghöfer

Um das Wort müht er sich in ängstlicher Sorgfalt:

21. 3. 09 Verehrte Frau Hanna — Bei Ihrer Frage nach den Wegen im Leid dachte ich an eine der »Visions of Oxford« des wundervollen Thomas de Quincey[1]) — eben an diese notre dame des tristesses. Ich habe sie einmal sehr geliebt und liebe sie noch und sie wird Ihnen schöner sagen, als meine Worte können, was uns das Letzte bleibt. — Dem Harmlosen scheint diese »vision« nichts als eine ziemlich geläufige Allegorie, den aber der sich wissend in diese wundervollen Worte beugt umspinnt sie unfehlbar mit ihrem Geheimnis. Da ich des ganz vergessenen de Quincey Werk nicht besitze übertrage ich nach Baudelaire und verzichte dabei auf vieles: Es gelingt mir nicht der deutschen Sprache das abzuringen: jene listige Zartheit, die grâce maladive in der das halb süsse, halb böse Lächeln der abgewandten Seelen spielt. . . .
Ihr Walter Wenghöfer

Nach einem Besuch bei George — wohl in Bingen — berichtet er:

Halberstadt, 3. 6. 09 Sehr verehrte Frau Hanna — Es fügt sich dass ich schon seit einigen Tagen zurück bin aus dem Rheinland in das Sie nun zurückkehren. Zwar fort, aber mit einer neuen Sehnsucht in dieses helle hartgewölbte Tal. Ich habe es gefunden und wieder hingegeben ganz als Heimat für ein Bedürfen dessen Namen ich noch nicht kenne. Ich war noch nie verwirrter über mich selbst als seitdem. Auch stehe ich vor neuen Dingen beim Meister wie vor grossen Steinpfeilern deren Ende man oben in dem hellen Himmel nicht absieht. Als ich mich ihm näherte, war er der grosse Freund, der mich zu den Wundern die er wusste warmherzig mit aufriss. Seit dem letzten Jahre wo er früher nur Verheissenes voll besitzt, lässt er sein Blut in einem so gewaltig welthaften Körper kreisen dass ich oft ohne Ort und Rat davor bleibe. Das ist eine schmerzhafte und armselige Empfindung wo man eine neu gehobene erwarten sollte. Ich habe mich mit all diesen Dingen noch zu wenig abgefunden um Ihnen mehr als diesen Aufriss geben zu können. Es hängen aber die Tage beim Meister mit einem so warmen nie erlebten Einklang ineinander, dass ich sie körperhaft wie ein Gefäss vor mir hertrage. Vielleicht ist die Lösung innen. . .
Ihr Walter Wenghöfer

In Halberstadt lebt er mit seiner Mutter und mit der Mutter zieht er im November 1909 nach Magdeburg um. Er geht dann eine Woche zu George nach Berlin:

14. 12. 09 Verehrte Freundin — Sie mögen aus dem Umstande, dass es mir drei Monate lang nicht möglich war Ihnen zu schreiben abnehmen, dass ich wieder eine gute Strecke älter geworden bin. Ich finde es je länger je untunlicher irgend Bewegungen des Lebens in einem Briefe festzulegen, überhaupt jemanden in anderer als körperlicher Gegenwart daran beteiligen zu wollen. Alles Unmittelbare erscheint vermittelt und das Bestimmteste nur als Gebärde. — Ich sehe aber, dass Sie von den zweitwichtigsten leicht sagbaren Dingen etwas erfahren müssen und will getreulich angeben was ich weiss. Da ist die doppelte Stadt: Schlöte und Wände beklungen und beraucht von Hass und Getrieb; ein Hafen voll Lärm; ein schöner dunkler Fluss der gleichmütig fliesst; und viele ernste Türme auf alte schwarze

---

[1]) *Thomas de Quincey:* VISIONS D'OXFORD betitelt Baudelaire, nicht de Quincey, vier kleinere Prosastücke, die bei de Quincey nicht alle am selben Orte stehen; sie finden sich: bei Baudelaire, Gesamtausgabe von Crépet, Bd. 4, 1928, LES PARADIS ARTIFICIELS; S. 177. 1. Le Palimpseste. 2. Levana et nos Notre-Dames de Tristesses. 3. Le Spectre du Brocken. 4. Savannah-la-Mar; bei de Quincey, WORKS, Edinburgh, 1871: 1. The Palimpsest of the Human Brain, XVI 10 — Levana and Our Ladies of Sorrow, XVI 22 — Spectre of the Brocken, XIV 27 — Savannah-la-Mar XVI 32.

Kirchen dauernd gestellt. — Ich habe sie neugierig angesehn wie eine fremde und fange schon an sie liegen zu lassen wie irgend eine fremde. — Die zweite löst sich in manchen Dämmerungen aus den Mauern der ersten, sie ist von Kinderhand und Auge gebaut und gemalt. Viel ungewisses Gold in den Torbögen, raunende Flure, und Lichter die hinbrennen zur Weihe einer feierlichen und unerklärbaren Liebe. — Auch diese will ich nicht mehr bewohnen. Wir müssen uns unsere Städte täglich neu bauen. — Ich lebe hier von aussen unangefochten und bei voller innerer Ruhe, endlich gewiss, dass wir kein Glück und keine Hoffnung haben als die, uns zu bestätigen und uns in unserer Weisung zu bewähren. Wir werden von Kind auf so sehr angewiesen uns mit Werten zu behängen, dass wir bitter leiden, wenn sie uns ein Schicksal für Besseres nimmt. — So ist mit meiner Wanderung in die zwei neuen Städte vieles geändert. Freilich hätte ich gern einen Menschen zu Mitteilung und Gegenhalt; das Volk ist hier äusserlich gebildeter als in H. sonst aber gleichen Stammes. Wenn Sie ein wenig für mich beten wollen finde ich gewiss einen. Bisher lebe ich weiter mit einigen Büchern und den Gestalten ferner Freunde vor allem mit dem Bilde des Meisters. Von diesem möchte ich nicht dass Sie sagen er steigere sich ins Unbegreifliche; unbegreiflich ist seine Kraft und die Folgerichtigkeit mit der sein Dämon ihn weiterreisst, sein eigenes Wesen aber wird wirklicher glühender greifbarer je weiter er vorwärts geht. — Leben Sie recht wohl und nehmen Sie meine verehrenden und herzlichen Grüsse! — Ihr Walter W.

Wie fragwürdig ihm alles wird durch einsames Zerdenken, verrät das folgende Blatt:

Magdeburg, 15. 8. 12 ... Die Leerheit dieses Lebens ist so ungeheuer, dass mir wie an einem mächtigen Block die Hände brechen, wenn ich ihn wälzen will. Mir bleibt nichts, als zu beten, auch das geht wenig und schlecht. — ...

Er ist zuviel allein:

4. 9. 12 L. H. — Es ist heute wieder ganz schlimm. Ich rette mich nur so, dass ich im Zimmer hin und herlaufe und Dialoge mit Ihnen halte. Schriebe ich sie nur auf, damit Sie wenigstens den Lohn hätten zu wissen, wie sehr Sie mir helfen. — Wäre der Meister erst hier, oder Pierre de Ronsard oder irgend eine Gegenwart, ich kann nicht mehr allein sein! Von Herzen Ihr Walter

Aber gleich darauf sagt er, das seien nur »Stoss-Seufzer über die Schwere der Täglichkeit, aus dem Augenblick nicht aus der tieferen Lage gesprochen« (7. 9. 12). Auf Ronsard hingewiesen, hat er Freude daran, hält ihn aber für ganz unübersetzbar und führt zum Beweis aus dem Livre d'Amours das XIX. Sonett der Amours de Marie an und besonders die Verse:

> et ja le Rossignol doucement jargonné
> dessus l'espine assis sa complainte amoureuse.[1]

Wie fern war Wenghöfer von solcher morgendlichen Lebensfreude. Seine Zeit war der Abend und die Nacht:

2. 9. 12 ... An Ihre Wasserkarten musste ich gerade gestern sehr lebhaft denken. Es war auf meinem täglichen Abendgang zwischen zwei Wasserläufen. Zwischen den hängenden dunklen Ästen lag die grosse leuchtende Wasserfläche und auf ihr kamen die dunklen Kähne mit der grossen schwarzen Segel-Schwinge und der geliebten lang-langsamen Bewegung herangeglitten. Da dacht ich wie holländisch Sie das finden würden. —
— Von meinem Geburtstage kann ich nichts aussagen. Ich habe nämlich keinen. Ich pflege in dieser Zeit stets irgendwohin zu verreisen und für keine Seele auffindbar zu sein. Wünsche knüpft man an diesen Tag nicht. ...

Wieder besucht er George in Berlin und schreibt danach diese Karte:

[1] *Ronsard:* LE SECOND LIVRE DES AMOURS XIX:
> Marie, levez-vous, ma jeune paresseuse,
> Ja la gaye alouette au ciel a fredonné,
> Et ja le rossignol doucement jargonné
> Dessus l'espine assis sa complainte amoureuse.

9. 11. 12 Liebe Hanna — Der Meister ist fort »und so trauert der Dichter Angesicht auch«. Ich lese Ihren Hölderlin täglich. Lesen Sie bitte den einzigen Brief der Diotima[1]) da steht wichtiges vom Träumen! Morgen wieder Magdeburg (†††) Herzlichst Ihr Walter

Und dort, im Alleinsein, drückt es ihm wieder die Flügel:

Magdeburg, 25. 1. 13 Liebe Hanna — vielleicht haben Sie dies auch schon einmal erfahren, dass eine ganze Reihe von Tagen mit einem Druck über uns hängt und wir im dumpfsten wie im klarsten Augenblick nie ohne das Gefühl sind, dass oberhalb von uns etwas vor sich geht wie etwas beschlossen wird. Ob Gutes ob Schlimmes ahnt man nicht. Es ist auch ohne Grauen und ohne Furcht, nur ernst wie das Abwarten eines Gerichtsspruches. Jedenfalls weiss man dass man solange nichts tun kann und soll. . . .

Magdeburg, 17. 2. 13 . . . Weil ich in jedem Sinn viel auf Sie halte liebe Hanna, schweige ich jetzt über mich. Mundtot will ich hier einmal mit freiem Willen sein, Sie haben dieses Wort gefunden, das mich wie kein anderes beschreibt. Niemand von uns schelte dies Leben, das ohne Recht und Achtung und Wert gelebt werden muss, denn es muss etwas über Schmach und Schweigen mächtiges darin sein, sonst dauerte es nicht mehr. . . .

Dennoch liest, sieht und liebt er das vollendet Kunstvolle auch in den trüben Zeiten:

Magdeburg, 12. 3. 13 L. H. — Ich lese eben die 1. Scene zwischen Olivia und Viola[2]) zu Ende und fasse mich nicht vor Bewunderung. Wie in den Grossen doch alles ist! Hier ist das feinste und feurigste Frankreich und das sublimste Rococo! Nur purpurner ausgeatmet aus einem viel wundervolleren Herzen. Ich denke, dies müssen Sie sehr lieben. Herzlichst Walter

Der Genuss so vollendeter Dichtung befreit ihn doch nur für Augenblicke aus seiner Düsternis:

13. 4. 13 L. H. In wenigen Tagen wird alles blühen, und ich kann mich nicht ermannen über die namenlose Traurigkeit und schmerzhafte Unruhe des Frühlings. Ich bin mit den körperlichen Zuständen der Erde verflochten, dass sie sich an mir vollziehen. Es ist schrecklich und tierhaft. Ihr Walter

Nach einem Wiedersehen in Bamberg, von dem er noch lang zehren wird, schreibt er:

17. 10. 13 Schönen Dank und viele Grüsse! Vous voyez que je suis arrivé! C'est un désespoir. W. W.

Die Begegnung wirkt in ihm nach:

7. 11. 13 . . . Mir wurde in einer reinen Stunde klar, was ich in Bamberg geschenkt erhielt und dass ich nie etwas recht lieben und verstehen kann ausser was Deutsch ist. — Mein Gott was tun wir und wohin werden wir geführt! Mich fasst ein tiefer Jammer mit uns allen und eine grosse Liebe. Ihr Walter

Jedes Mal, wenn er aus seiner Einsiedelei herausgezogen wird, und sei es auch nur für kurz, lebt er auf, aber nur für einen Augenblick:

Berlin, 1. 12. 13 L. H. Ich grüsse Sie aus einer Berliner Nacht. Ich habe eben etwas wunderschönes geschenkt bekommen! ein Schilf-Schreibrohr aus dem Tiber bei Rom das mir d. M. mitgebracht hat. Ihr W.

Wozu er das Schilf-Schreibrohr benützt, zeigt eine Stelle, aus der man sieht, dass er, wie Ernst Glöckner und später Joseph Liegle, schöne Gedichte schön und sorgfältig abschreibt:

28. 12. 13 . . . Ich beschäftige mich handwerklich mit schreiben. Und bleibe mit Erstaunen und Entsagung vor der Kunst der alten Schreiber. Man mag sein Material so vorsichtig wählen und die Typen so demütig nachformen wie man will es bleibt immer der ductus eines heutigen Individuums. Während eine alte Seite dasteht wie ein Jahrhundert. . . .

[1]) Brief der Diotima, wohl der von Anfang März 1799.
[2]) WAS IHR WOLLT I 5.

Er, der meinte, »nie etwas recht lieben und verstehen zu können ausser was Deutsch ist«, schreibt in einem Briefe vom 1. August 1914 ein paar Sätze französisch. Seine Liebe zu Deutschland und Frankreich lässt ihn diesen Krieg anders sehen als andere:

14. 9. 14 . . . Ach, mon enfant das Ereignis hat noch andere Seiten als die enthusiastischen. Ich habe in dem grossartigen Aufmarsch der ersten Wochen sehr gefühlt fast mit Schmerz gefühlt, welch ein wunderbarer Kern in diesem Volke steckt und wie sehr es eine grosse Existenz verdient! Aber wir wissen alle, dass es eine Pflanze ist, der nicht jeder Boden bekommt — dass es auf unrechtem Boden schon zu entarten geneigt war. — Und was wird ihm heilsam sein, dieser Ausgang oder der andere? Gewiss Kampf stärkt und reinigt und Not stärkt aber oft nur, so lange sie dauern. — Lesen Sie inzwischen getrost de bello gallico, ma vaillante patriote, mais dans des heures plus douces, pleurez une toute petite larme pour la France, car elle est un peu notre vieille nourrice — et c'est peut-être son dernier enthousiasme, et sa dernière beauté que vous pleurez. — Surtout ne me grondez pas, de cette lettre, qui semble manquer d'entrain et de chaleur patriotiques. . . .

Er kehrt zurück zu seiner dichterischen Arbeit, und nach der Lukrezia versucht er, Venus und Adonis zu übersetzen:

4. 8. 15 . . . Der Adonis macht mir viel mehr Kopfschmerzen wie die Lukrezia, ich kriege es sicher nicht heraus. . . .

Sonderbar und erschütternd ist folgende Stelle:

Magdeburg, 10. 10. 15 . . . Über den Mann ziehen die Ereignisse hin und schwinden für immer aus seinen Gedanken — Das ist es! Nur das Eine bleibt und erstarkt. Das heisst sehr tief sehn und alles Leben, alles Tragische fasst dieses Wort . . .

Am Abend fasst er das Sichtbare mit zärtlichem Auge:

27. 10. 15 . . . Wie gern hätte ich Sie wieder hier gehabt. Das Schiffchen fuhr alle Abend über einen schöneren Fluss, und das Laub hing blau und lila und in allen Schmelzungen von Gold und Kupfer vor einem blass seidenen Himmel. Es wäre für Sie was gewesen, die Sie noch immer so leidenschaftlich sehen. Noch immer — denn die Zeit führt mich ein wenig davon weg und drüber hin. Ich fühle für mich dass ich für Schmuck noch nicht reif bin. Wenn ich das einmal würde, welche schöne Zeit. — . . .

Auch er entdeckt und liebt den polnischen Dichter Waclaw Rolicz Lieder:

5. 12. 15 . . . Ihr Erlebnis mit Lieder ist mir sehr wichtig. Ich habe ihn vor kurzem erst entdeckt und fast wie mit zwanzig Jahren geschenkt erhalten. Ein Dichter aus erstem Blute! Aber mehr wie die »Türkin« liebe ich die »Senkrechte Lilie«, die »Weinenden Pelikane« und: »Das Herz hat frisch sich geziert auf Deinen Empfang.« — Bitte lieben Sie die auch mehr. . . .

Er zieht in Magdeburg um in eine Behausung, die so recht für ihn sich eignet.

6. 2. 16 . . . Ich ziehe in eine richtige béguinage, wie sie in Belgien sind, ein kleines altes Haus — ausser uns nur noch zwei Damen darin; hinten ein Gärtchen, vorn eine Strasse in der das Gras zwischen den Steinen wächst und die im Ganzen noch genau so ist, wie zu Jérome's Zeiten. Der Klosterhof ist à deux pas. . . .

Ein ganzer Brief lautet:

10. 2. 16 L. H. Hier ist es zwar belebt — aber leer an Freunden. Ihr W. W.

und dieser scheint wie eine endgiltige traurige Einsicht:

30. 3. 16 . . . Manche bekommen vom Leben zu viel, ich kann mir nie nehmen, was ich brauche. . . .

Im gleichen Brief findet sich der Ausruf:

Bamberg! que le monde a changé depuis! La première nation que les boches aboliront est l'allemande!

Am 29. 5. 1916 stirbt seine Mutter, mit der er zusammen gelebt hat. So ist er nun in seinem täglichen Ablauf ganz allein auf sich gestellt:

8.8.16 Liebe Hanna, Ich war ein paar Tage im Harz um mich nach einem Sommer — vielmehr Herbst-Aufenthalt für den kommenden Monat umzusehn. Nichts gefiel mir recht, denn überall werde ich allein sein, eine Arbeit die mir immer beschwerlicher zu bewältigen ist! ...

Im April 1917 ist er in Berlin: er schreibt weniger:

22.8.17 Liebe Hanna — Sie müssen auch ohne Zeichen wissen, wie ich zu Ihnen stehe. Über mein Schweigen habe ich keine Macht! Ihr Walter W.

Im Oktober 17 sehen sie sich noch einmal; aber er kann nicht mehr alles lieben, was um Karl und Hanna Wolfskehl ist und was er früher liebevoll hinnahm:

2.1.18 Liebe Hanna — es ist eine Verschiedenheit der Form, wohl nicht des Empfindens, aber der Äusserung, die unsere Schwierigkeiten hervorruft! — Es ist richtig, dass ich in Ihr Tägliches, die Welt der Dinge Bilder und Geschichten alles dessen was innerhalb des Karlschen Weltwirbels Ihr gleiches Pensum ausmacht, und die daraus bedingte Form zu Menschen und Geistern sich zu stellen und zu halten — dass ich in diese Welt keinen Zugang mehr wie früher habe. Aber glauben Sie darum, ich sei spröde und enthaltsam gegen irgend etwas, was aus dem Lebendigen, aus der Wirklichkeit Ihres Herzens zu mir dringt? Das sollen Sie mir nie vorwerfen, ich habe Sie lieb und Ihre Freundschaft bedeutet in meinem Leben ein Einziges und Teures. Aber ich möchte sie ohne all das haben, was ich als Nebensächliches und Vermitteltes empfinde! Es mag Ihnen streng und zu weitgehend scheinen: auch die Mitteilung gehört dahin, wenn sie aus so verschiedenen Lebensbezirken wie bei uns, aneinander kommt und einen Fluss von Ungeklärtem mit sich trägt. Diese Enthaltung kann sich aufheben, muss aber eingehalten werden solange ihre Forderung fühlbar ist, weil sie Wichtigeres bewahrt. Sie gerade beugt Gefahren vor — um die Sie jetzt eine unnötige Sorge tragen! — Nehmen Sie darum diesen Pakt an, der ein guter ist: nicht Schweigen durchaus, aber Berührung nur dann — wenn Wirkliches im Spiel ist, dazu können auch kleine Dinge gehören aber nicht unnötige. Ihr Walter

Schliesslich ging er, im Oktober 1918, »in den schönen dunklen Fluss, der gleichmütig fliesst«.

S. 157 *über Treuge:* Wolters S. 233f.
Dich werd ich ob der tränen: RING 195.

S. 158 *David-Dichter:* Wolters S. 454.
Der mein eigenstes blut: »Geheimes Deutschland« NEUES REICH 64.
Saladin (Anton Joseph) Schmitt, geb. Bingen 18. 9. 1883, gest. Bochum 14. 3. 1951, war 15 Jahre jünger als Stefan George. Das Heiratsregister des Standesamtes Bingen Rhein Nr. 16/1871, 11. Blatt verzeichnet die Eheschliessung von Saladin Schmitts Vater am 20. Nov. 1871 in Gegenwart von »Stephan George dem zweiten, dreissig Jahre alt, Gastwirth, zu Büdesheim wohnhaft, verwandt als Vetter des Bräutigams«.

S. 161 *Brand des Tempels:* NEUES REICH 81.

S. 163 *Ernst Bertram,* geb. 1884, Professor für deutsche Literatur an der Universität Köln. Von ihm: ÜBER STEFAN GEORGE Mitteilungen der Literarhistorischen Gesellschaft Bonn, 3. Jg., Nr. 2, Februar 1908 — DAS JAHRBUCH FÜR DIE GEISTIGE BEWEGUNG (STEFAN GEORGE II) Mitteilungen 8. Jg. Nr. 1, 1913 — NIETZSCHE, VERSUCH EINER MYTHOLOGIE, Bondi, Berlin, 1918 — Von ihm aber auch: DEUTSCHER AUFBRUCH, eine Rede vor studentischer Jugend, Köln. Zeitung, 4. Juni 1933, und MÖGLICHKEITEN DEUTSCHER KLASSIK, Rede zu Georges letztem Geburtstag, Juli 1933, in der Universität Bonn: DEUTSCHE GESTALTEN, Inselverlag, Leipzig, 1934, S. 246ff.

S. 164 *Josef Liegle,* PIETAS, Zeitschrift für Numismatik, herausgegeben von J. Menadier und K. Regling, im August 1932. XLII. Bd., S. 60ff.
schwanke schönheit grabesmüder: TEPPICH 77.

S. 165 *Am weissumsäumten:* NEUES REICH 22.
klemmenden Druck: NEUES REICH 56.
gottgegebenen Glanz: Pindar PYTHIEN VIII 96 in Hölderlins Übertragung.

S. 166 *Sternwandel:* BLÄTTER XI/XII 267 ff.
A. C.: BLÄTTER XI/XII 263.

S. 167 *Sprüche — Gespräch:* NEUES REICH 98, 119.
Enkel sind das Meiste: August Ferdinand Cohrs, ein Bruder von Adalbert, hat seinem recht ernstlichen Aufsatz über »Stefan George«, DIE FURCHE, XIV. Jg., Furche-Verlag, Berlin, 1928, S. 34ff, eine Schlussanmerkung hinzugefügt: Da Georges DREI GESÄNGE »Dem Andenken des Grafen Bernhard Uxkull« gewidmet seien, so glaube er, »darin eine nachträgliche, leider allzu nachträgliche Freigabe seines Bruders aus Georgeschen Bezirken erkennen zu sollen.« Weder der Dichter noch die Freunde dachten je daran, Adalbert »freizugeben«; sie haben ihn stets zu den ihren gezählt und werden das auch immer tun.

S. 168 *Woldemar Uxkull:* NEUES REICH 100 — Von ihm: ARCHAISCHE PLASTIK DER GRIECHEN, Orbis pictus Bd. 3, Ernst Wasmuth, Berlin, o. J. »Percy Gothein gewidmet«. — Von ihm auch: DAS REVOLUTIONÄRE ETHOS BEI STEFAN GEORGE, Vortrag gehalten zum 65. Geburtstag des Dichters vor der Studentenschaft der Universität Tübingen, Mohr (Siebeck), Tübingen, 1933. Zum *Brief an Uxkull* vgl. das Gedicht »Ein wissen gleich für alle . . .« im STERN DES BUNDES 95.
Kinder des Meeres: NEUES REICH 19.

S. 169 *Der Krieg:* später, 1918, nahm Edith Landmann das gedruckte Gedicht mit sich nach Basel. »Ach nur Gedichte«, sagte der durchsuchende Zöllner und war beruhigt.
Hunderter schicksal: »Einem jungen Führer im ersten Weltkrieg«: NEUES REICH 41.
Sokrates: GORGIAS 485 d, PHAIDROS 243 e.

S. 171 *Pompeianum:* Arnold von Salis, in einem Vortrag »Böcklin und die Antike«, gehalten am 20. November 1950 in der Historischen und Antiquarischen Gesellschaft zu Basel, sagte: »Pompei klingt auch nach in den schwarzen Wandbespannungen seiner Ateliers in Fiesole und Zürich.« Basler Nachrichten, Nr. 497 vom 21. November 1950.
Sprüche an die Lebenden: NEUES REICH 94—97.

S. 172 *Alexander Zschokke:* siehe DER BILDHAUER ALEXANDER ZSCHOKKE, herausgegeben von Michael Stettler, AZ-Presse, Aarau, 1944.

S. 176 *Burg Falkenstein:* NEUES REICH 53.
Das geheime Deutschland: NEUES REICH 59.

S. 178 *Walter Kempner,* geb. Berlin-Charlottenburg 25. Jan. 1903, Professor der Medizin an der Universität Durham, North Carolina, USA.
Jünglingskopf: abgebildet bei Wolters vor S. 585.
Heidelberger Aufnahmen: Auf der Gartentreppe und in der Halle des Hauses am Schlossberg 56 aufgenommen.

S. 179 *Gedichte einer Runde. Huldigung:* Verlag Die Runde, Berlin, 1931. CASTRUM PEREGRINI, Amsterdam, 1945, als Manuskript gedruckt.
Opus Petri: Percy Gothein, ERSTE BEGEGNUNG MIT DEM DICHTER (AUS EINEM ERINNERUNGSBUCH). Castrum Peregrini, Erstes Heft, Amsterdam 1951.
Privatdruck: DER DICHTER, EIN BERICHT, Ernst Morwitz gewidmet. Castrum Peregrini, Amsterdam, 1950; darin der schöne Satz: »Das mächtige Antlitz des Älteren scheint indianischen Ursprungs«, gibt auch einige Aussprüche des Dichters wieder.

S. 180 ΤΥΡΑΝΝΙΣ, Scene aus altgriechischer Stadt, aus dem Griechischen übertragen von Peter von Uri. Im Pegasos Verlag, 1939.

Ernst Kantorowicz, KAISER FRIEDRICH DER ZWEITE. Bondi, Berlin, 1927.
Die Gräber in Speier: RING 22.

S. 181 *Max Kommerell*, geb. Münsingen, Alb, 25. Februar 1902, gest. Marburg 25. Juli 1944, Professor für deutsche Literatur an der Universität Marburg, Von ihm: DER DICHTER ALS FÜHRER IN DER DEUTSCHEN KLASSIK, Bondi, Berlin 1928 — GESPRÄCHE AUS DER ZEIT DER DEUTSCHEN WIEDERGEBURT, Verlag der Blätter für die Kunst, Berlin, 1929, und anderes.

S. 182 »Der Meister, eine Aufzeichnung aus dem Jahre 1929«: *Johann Anton,* DICHTUNGEN. Blätter für die Kunst, Berlin, 1935.

S. 184 Das Gedicht, etwas geändert, als »Das Urteil der Gewalten« in DAS LETZTE LIED, Klostermann, Frankfurt, 1933.

S. 185 HUGO VON HOFMANNSTHAL, eine Rede von Max Kommerell, Klostermann, Frankfurt, 1930.
Die neuen Gedichte: LEICHTE LIEDER, Klostermann, Frankfurt a. M., 1931.

S. 188 Wie George der Tod Antons traf, hat Helmut Küpper in privaten Aufzeichnungen, die er mir zur Verfügung gestellt hat, festgehalten:
»Einen grossen Teil der Zeit der meisten meiner Besuche verbrachte Stefan George auf der schmalen Ruhebank ausgestreckt, die Hände unter dem Kopf verschränkt, sodass die Fülle des Haares, dessen Farbe mich immer an Eis denken liess, ihm ein Aussehen gab, das noch ungeheuerlicher oder noch unheimlicher war, als dies ohnehin der Fall. Es ging eine magische Kraft von ihm aus, die Furcht und Ehrfurcht einflösste und die nur durch Liebe im gleichen gehalten werden konnte. Als ich später das geheimgehaltene Gedicht las, das Hofmannsthal auf ihn, den damals noch jungen Dichter, geschrieben, begriff ich, dass es hatte geschrieben werden können, ja müssen, wenn die Furcht nicht von der Liebe aufgehoben wurde. Etwas von der Welt, die Shakespeare auch dargestellt, schien sich in ihm wiederzuverkörpern. Meist erschien er mir wie Prospero, doch auch wie Lear habe ich ihn mit Zittern gesehen. Das war damals, als die Nachricht ihn erreicht hatte, Hans habe sich das Leben genommen. Der Anblick war furchterregend, wie er durch das fast leere Zimmer — ja ich muss sagen: raste, obwohl er keineswegs seine Schritte schnell setzte. Aber in diesem Hin und Her von der Ruhebank quer hinüber am Kopfende des langen Tisches vorbei bis zum Fenster und dann wieder zurück, ohne Ruhe, vor sich hinsprechend, mehr für sich als für mich, den Kopf hin und her wendend, immer die Frage: »Wie konnte das geschehen, wie durfte das geschehen«, da erschien er mir wahrhaftig als Einer, der nicht mehr in einem bestimmten Raum eingeschlossen ist, sondern der draussen ist und um ihn eine Urlandschaft. Der Eindruck war so mächtig, dass er mir die Sprache nahm. Erst als sich der Meister auf der Bank niederliess, änderte sich alles. Von wo mir die Kraft und der Sinn kamen, irgendetwas zu sagen, weiss ich nicht, doch ich fand Worte, die er hören mochte. Als er mich weit später als gewöhnlich entlassen hatte, war mir gewiss, dass er diesen Sturm in sich beschwichtigt. Zurückgekehrt war jene Ruhe, ja unverlierbare Heiterkeit des Herzens, die im Homer als ein Zeichen der Götter genannt wird und die ich fast erschrocken an ihm wahrnahm, als er mir zum ersten Mal nach Wolters Tod zur Begrüssung entgegenkam.«

S. 189 MICHELANGELO DICHTUNGEN. Deutsch von Max Kommerell, Klostermann, Frankfurt, 1931.
Max Kommerell, JEAN PAUL Klostermann, Frankfurt, 1933.

S. 190 *ins Feuer werfen:* nach mündlichem Bericht von Frau Ewald Volhard. Vgl. Günter Schulz, STEFAN GEORGE UND MAX KOMMERELL in Das Literarische Deutschland, 5. Februar 1951: »... dass Kommerell mir im Sommer 1934 in Bonn gestand, über 80 Briefe Georges an ihn vernichtet zu haben.«
Die gleich der Kröte: WIE ES EUCH GEFÄLLT, II 1.
Kein ding sei: NEUES REICH 134.

S. 191 *E l'altro disse:* Dante, PURGATORIO XIV 25.

männlichen Nase: »Cantando con colui dal maschio naso«. Dante, PURGA-
TORIO VII 113.

Sordello-Stelle: Dante, PURGATORIO VI 61. S. 82 der Georgeschen Übertragung.

S. 192 *Was ich noch sinne:* NEUES REICH 124.

Mörder: Ein junger Freund, der meines Erinnerns damals nicht zugegen war,
hat in einem Aufsatz STAUFFENBERG, DAS BILD DES TÄTERS, von Dr. Karl
Josef Partsch, Europa-Archiv, 5. Jg., Nr. 14 vom 20. Juli 1950, S. 3196 ff.,
diesen Vorgang recht sonderbar wieder erzählt. Weder »bestürzt« noch
»ohne Nachdenken« habe ich das Wort »Mörder« ausgesprochen, und gewiss
nicht habe ich hinzugefügt: »nur Mörder« — das hätte keinen Sinn gehabt.
Rilke an Gräfin Stauffenberg, 15. Februar 1919: BRIEFE AUS DEN JAHREN
1914—1921, S. 230. Insel-Verlag, Leipzig, 1937.

S. 193 *Berthold Stauffenberg:* vgl. A. N. Makarow, Berthold Schenk Graf von
Stauffenberg (1905—1944) in VORKÄMPFER DER VÖLKERVERSTÄNDIGUNG
UND VÖLKERRECHTSGELEHRTE ALS OPFER DES NATIONAL-SOZIALISMUS. Die
Friedenswarte, Polygraphischer Verlag, Zürich, 47. Jg. 1947, Nr. 6, S. 360 ff.;
und H. Strebel, IN MEMORIAM BERTHOLD SCHENK GRAF VON STAUFFENBERG
(1905—1944), Zeitschrift für ausländisches öffentliches Recht und Völker-
recht Bd. XIII, Nr. 1, S. 14 ff., Kohlhammer, Stuttgart, 1950.

Luitpold von Bayern: NEUES REICH 108.

du schaust so drinne: Dante, INFERNO XXXIII 51, S. 67 der Georgeschen
Übertragung.

S. 194 *Alexander Stauffenberg,* DER TOD DES MEISTERS, zum zehnten Jahres-Tag.
Delfinverlag, München, 1945 — von ihm übertragen: AISCHYLOS, AGAMEM-
NON, Delfinverlag, 1951.

Albrecht von Blumenthal, geb. 10. August 1889 in Staffelde, Pommern,
gest. 28. März 1945 in Marburg, Professor der griechischen Sprache und
Literatur in Jena und Giessen; von ihm GRIECHISCHE VORBILDER, bei Fisher,
Freiburg i. Br., 1921; AISCHYLOS, Kohlhammer, Stuttgart, 1924, SOPHOKLES,
ENTSTEHUNG UND VOLLENDUNG DER GRIECHISCHEN TRAGÖDIE — Berthold
Stauffenberg gewidmet — Kohlhammer, Stuttgart, 1936.

S. 195 *Victor Frank:* Frank Mehnert, geb. 23. Mai 1909, Moskau, gefallen vor
Moskau, südlich Staraja Russja, am 26. Febr. 1943, Bildhauer. Von ihm:
AGIS UND KLEOMENES, nach dem Plutarch. Delfinverlag, München, 1944.

Michael Stettler, BEGEGNUNGEN MIT DEM MEISTER. Privatdruck, Aarau, 1943.

oder mit einem Buch: Immer hat er gern in Reisehandbüchern gelesen —
Geographie liebte und kannte er — manchmal nahm er »Gebrüder Senfs
illustrierten Briefmarken-Katalog«, und in den letzten Jahren gehörte der
Bädeker von Ägypten zu seinen Lieblingsbüchern.

S. 198 *glanzerfüllten sterbewochen:* JAHR DER SEELE 14.

S. 199 *nicht mehr nach Norden fahren:* Zur Beerdigung von Berthold Vallentin, im
März 33, war ich nach Berlin gefahren, und am 1. April hatte ich noch einmal
das Grab Hölderlins besucht, dann aber verliess ich Deutschland rasch, und
erst nach 15 Jahren bin ich wieder hin gegangen.

NAMENVERZEICHNIS

AHNENTAFEL

laudius Weinheimer '35—1806 kersmann a Maria Conrad '45—1806	Johann Peter Schmitt 1738—1804 Besitzer der Untern Troll- mühle, Nahe linkes Ufer Bruder von Wilhelm Valentin Schmitt ~ Anna Ottilie Hermes 1744—1818	Heinrich Lotz 1748—1810 Müller auf der Obern Trollmühle Nahe linkes Ufer ~ Margarethe Lunkenheimer

. Weinheimer er Nahe l. U. 2. 1787 er Nahe l. U. 9. 1836 14. 5. 1807	Peter Schmitt ~ * auf der Untern Trollmühle Münster Nahe l. U. 29. 10. 1778 † Bingen 8. 6. 1842 Müller und Mehlhändler	Eva Lotz * auf der Obern Trollmühle Münster Nahe l. U. 20. 6. 1787 † Bingen 28. 3. 1871 getraut 17. 1. 1807

8   ~   Ottilie Schmitt
* Bingen 5. 7. 1808
† Bad Soden 5. 7. 1851
getraut 24. 11. 1835

Eva Schmitt
* auf der Neumühle
bei Büdesheim 12. 8. 1841
† Bingen 4. 11. 1913
getraut 22. 5. 1865

Friedrich Johann Baptist George
* Büdesheim 26. 12. 1870
† Oberursel 25. 1. 1925
Weinhändler

ROBERT BOEHRINGER

MEIN BILD VON STEFAN GEORGE

TAFELN

ROBERT BOEHRINGER

MEIN BILD VON STEFAN GEORGE

TAFELN

BEI HELMUT KÜPPER VORMALS GEORG BONDI

Lang ist gang in gleicher spur:
Was ihr denkt und lernt und schaffe ...
Doch des götter-rings verhaft
Dauert Einen sommer nur !

1

Stefan George an seinem letzten Geburtstag

HERKUNFT

Der Grossonkel Etienne George und seine Frau

Der Grossvater Anton George

Die Grossmutter Marie Anna geb. Müller

Die Eltern

Die Schwester

Der Vater

Der Vater

Die Mutter

Gräber in Büdesheim

Gräber der Grosseltern und der Eltern

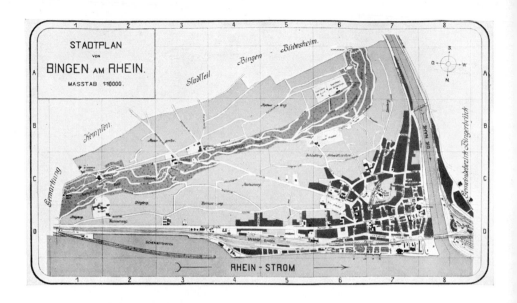

Bingen und Binger Loch

Bingen und Bingerbrück

Drususbrücke   Scharlachberg und Büdesheim

Das Haus mit den hundert Fenstern

Elternhaus in Bingen

Geburtshaus in Büdesheim

Haus und Garten in Bingen

17

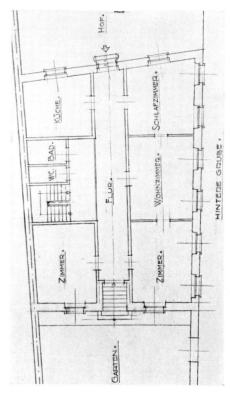

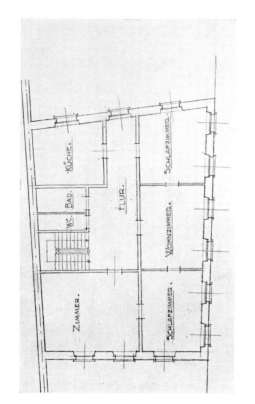

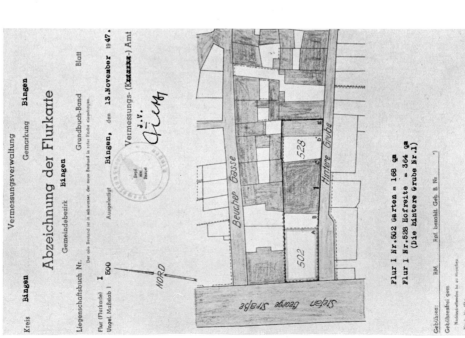

Vermessungsverwaltung

Kreis **Bingen** Gemarkung **Bingen**

Abzeichnung der Flurkarte

Gemeindebezirk **Bingen**

Liegenschaftsbuch Nr.   Grundbuch-Band   Blatt

Der also Bestand ist in schwarzer, der neue Bestand in roter Farbe aufgetragen.

Flur (Flurkartei)   I
Ungef. Maßstab 1 : 500   Ausgefertigt **Bingen**, den **13.November 1947**.

Vermessungs-(Kxxxxx-) Amt

J.V.

NORD

Plur I Nr.502 Garten = 168 qm
Flur I Nr.528 Hofreite = 364 qm
(Die hintere Grube Nr.1)

Gebühren: RM. Rpf. bezahlt Geb.B.Nr.

Gebührenfrei gem.

Nachlaßweitenshalter bis ... u. einschließ.

Verh.-Nr. 181a

Haus in Bingen vor und nach der Zerstörung

Stefan George als Kind und als Schüler

Jugendbildnisse um 1890

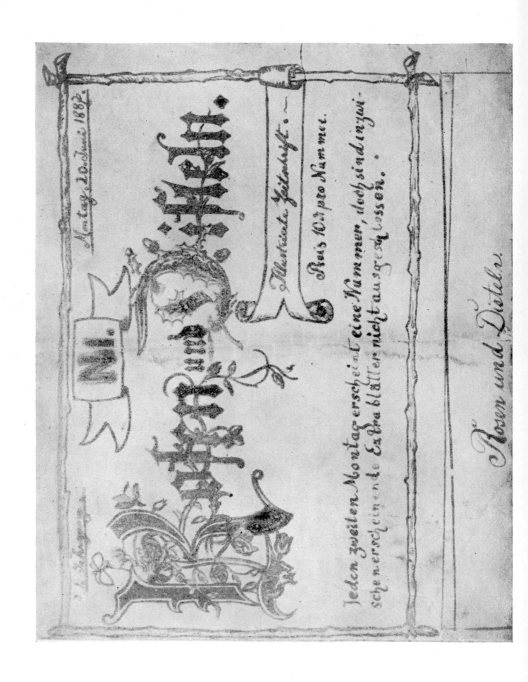

GLEICHALTRIGE FREUNDE
ANFÄNGE

Albert Saint-Paul Waclaw Rolicz-Lieder Stéphane Mallarmé

Fantin-Latour: Verlaine und Rimbaud

Waclaw Rolicz-Lieder in seinem Zimmer am Luxembourg

NOS CONTEMPORAINS.CHEZ EUX   Paul Verlaine   DORNAC & Cⁱᵉ, 10, Rue Adam Mickiewicz., Paris

Albert Saint-Paul am Schreibtisch   Paul Verlaine im Café François Iᵉʳ

Très cher Ami !

Je viens de perdre et d'enterrer
ma mère bien aimée.
Que Dieu garde la vôtre !_
votre dévoué
Wacław

Lichtensteinstr 61
freitag

Deinen tadel der gerecht ist nehme ich an und schon
den im voraus welchen du über_ereder eine karte
aussprechen wirst . aber da ritzt das taster tief
Aber was soll ich Dir von hier und verhältnissen reden
da sitzt das laster noch tiefer .
U. traf ich allerdings und wir geleiteten uns durch
manche gassen und durch manche schau .
von welchen büchern sprachst Du ? genau angeben
es lagen so ich mich wohl erinnre welche in München
für dich bereit
Du sollest allerdings viel von mir bekommen
besonders die Baudel : übersetzungen (mit neuem)
Ich sende sie dir hernach nein später – ich muss
eine brauchbare abschrift veranstalten .
du wirst sie lesen um sie dann H. Klein zu schicken
das ist die bedingung ohne welche nicht —
der trauerrand ? wegen des litterarischen todes
des dichters und freundes C.R.
Und das schaffest ?
ob ich bleiben werde ist ungewiss . ich verzog auch

Etienne George an Arthur Stahl Postkarte mit Trauerrand

An Arthur Stahl   Etienne George   Berlin 22/VIII 9.

Wenn es auch lange zu schwach oder wenn stark in falschen Tönen wiederum was gültiges hat so geht es glaube ich immer eine vorgabel die die harmonie wiederherstellt; das gefühl

Ich danke Dir für Deinen brief

Du erlässest mir weile erklärungen denn sie würden mich gleich hineinreissen in vielleicht unverständliche erörterungen über die bedeutung des WORTES

Du redest so verächtlich über lyrik als von dem einzigen was Du Dich bis jetzt aufgeschwungen hättest! Geht doch von hier aus in erster linie das NEUE aus · · Als mein Buch das Du nächstens haben wirst soll für mich sprechen wenn die umstände eine unterredung zu lange hinausschieben sollten

Und über mein buch: Wäre es nicht zu viel verlangt Dich mit aufzügen zu belästigen? Dieses Buch wird für mich – bei kleinem verlege – gedruckt in sehr wenig exemplaren von denen nach abzug derer die meinen freunden zukommen einige in Berlin München Darmstadt und Leipzig in einer der grösseren centralen buchhandlungen aufgelegt werden. Kennst Du eine solche in München? Adresse?
Du wirst dies jahr nicht zu hause schliessen? Auch nicht vor sommer von München weggehen?

Ich werde darüber mehr

Wir der Bewahrer des geistigen erbes: an
Stefan George mit der Seele des nächtligen Rhein's.
Er einzig unter den trüben germanischen Völkern:
freite zu wahrem bund das unfehlbare wort.
Feuerte sein geschick in erhabenen strofen.
Sang mit froemmigkeit seine stolzeste lieben.
In der unsterblichkeit ihnen armen wird
er verhauchen gleich hehren festgesängen.
Erde zu jener zeit sei leicht für Ihn, war
er für dich ja nur ein kuss von gott.

Wachano Rolier-Nieder

Carl Rouge   Arthur Stahl   Clemens v. Franckenstein   Karl Bauer

Carl August Klein nach 1894 und 82jährig   Richard Perls   Paul Gérardy

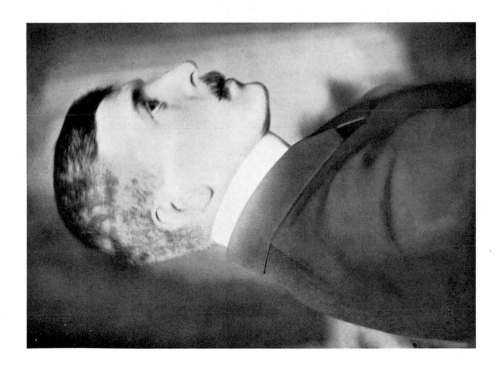

Hugo von Hofmannsthal

Um 1892

Die Geladenen in T . . . Juli 1892

George E. Rassenfosse Gérardy   George   Paschal E. Rassenfosse Gérardy George

36

Cyril Meir Scott

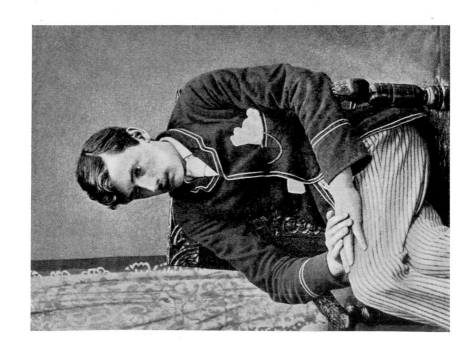

Ernest Dowson

1885   Albert Verwey   1888

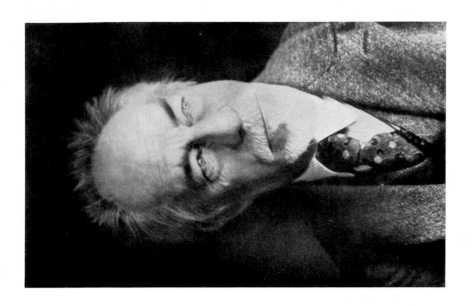

Albert Verwey

Klein und George Messebild

Leopold von Andrian

RHEIN UND BERLIN

Ida Coblenz

Ida Coblenz

George im Garten des Hauses Coblenz, Bingen 1896

George an seinem Fenster in Bingen

Um 1893

Um 1896

Giuseppe Del Taglia, San Gimignano

Deutſche Reichspoſt

Poſtkarte

An

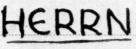

HERRN

MELCHIOR LECHTER

BERLIN . W .

KLEISTSTRASSE 3

ROSENMONTAG AM RHEIN
✱ LIEBER MEISTER: MIT DER
REISE NACH B∴: DEM KERKER
MEIST SCHRECKLICHER ZELLEN
UND INSASSEN) IST ES VORERST
NOCH NICHTS: ABER DAS WERK
SCHREITET UND SCHREITET ✱✱
BEGÜNSTIGT VOM SCHARFEN
VORFRÜHJAHR-SCHEIN: St.G

Willem de Haan

Melchior Lechter

Lechter in Raron   Bei der Kirche an Rilkes Grab

DAS·JAHR·DER
SEELE·VON
STEFAN★GEORGE
IM·VERLAGE·DER·BLAETTER·FUER·
DIE·KUNST·BERLIN·MDCCCXCVII·

Jn~~dem~~ ~~bei twurdig elenen~~ ~~damen~~ Kaiserthumes
Sandgrübe dieses reich gebaut · als mitte
Die kalte stadt von heer- und handels knechten
Und böte wurdest seelloser jahrzehnte
Von habgier feilem sinn und hohlem glanz ?

That so nach väter traum der berg sich auf

Sei ungeschmält dir was du deinem herrn
Errangst und klug erdachtest · doch entrissen
Was du dir nahmst und thoren auf dich luden
· Als vorbild unsres ganzen volks

Du griffest · doch nicht weit genug .. du trogest
Nicht kühn genug .. drum wird lästrung heissen
(Für gimpel leim): Wir Deutsche fürchten Gott!
Du siegtest stets mit schlag und list im feld
Du fielest stets in heim und frieden · sahest
Vor abend deine liebsten kähne scheitern ...

Nie war dir schritt noch regung die das blut
Uns höher trieb · nie wort das niederzwang
Uns staunend noch vorm korsischen kometen ...
Bei macht gebrach dir edelfreie hand
Und stolz des schweigens als man dich verjagte
Du wolltest diener sein - kein Grosser. Fänden
Wir andre grabschrift dir als du dir selbst ?

Fragmentarisches Gedicht ‚Bismarck‘

Reinhold Lepsius

Sabine Lepsius

Sabine Graef

Von Lepsius aufgenommen um die Jahrhundertwende

Von Lepsius aufgenommen um die Jahrhundertwende

Gertrud Kantorowicz

Georg Bondi

Helmut Küpper

Karl Gustav Vollmöller

George Lechter Klein   Klein Gundolf George

Lothar Treuge

links Arbeitszimmer in Bingen

MÜNCHEN

Ria Claassen

Karl Wolfskehl und vermutlich A. Hentschel

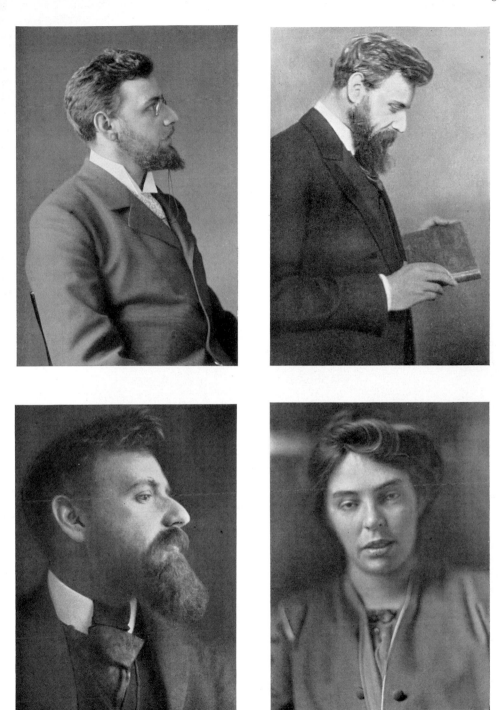

Karl und Hanna Wolfskehl

Wolfskehl   Schuler   Klages   George   Verwey

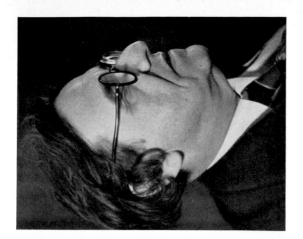

Karl Wolfskehl

Karl Wolfskehl vor dem Feigenbaum in Neuseeland 1940

Karl Wolfskehl ‚unter fremdem Gezweig' 78jährig

oben Ludwig Klages   unten Alfred Schuler

oben Ludwig Derleth   unten Henry von Heiseler und Anna Maria Derleth

München d. 13. Jan. 1900.

An Stefan George:

Im Hinblick auf unsre gegenwärtigen Schwierigkeiten erachte ich es als meine Pflicht folgende Erklærung in Ihre Hænde niederzulegen; Ich versichere Sie, dass nach Ihren mit mir gepflogenen Erörterungen ich meine Anschauung über das Gedicht „PORTA NIGRA" geændert habe und dass ich mein frühres mehreren Personen gegenüber im Affect abgegebenes Urteil bedaure & Einer Aeusserung jedoch, die von meiner Seite dahingehend gefallen sein soll, als hätten Sie Klages letzten Gedichten den Druck verweigert, um den sonstigen Inhalt der „Blaetter für die Kunst" nicht zu verdunkeln, kann ich mich nicht nur nicht entsinnen, sondern dieselbe wäre gerade in meinem Munde besonders widersinnig, da ich immer gewusst habe, dass Klages diese Gedichte als Geheimniss betrachtet und ihre Drucklegung nicht wünscht, womit zusammenhængen mag, dass auch ich noch keine Abschrift besitze & Eine freie Erfindung liegt hier um so sicherer vor, als Reminiszenz an Anschauungen, wie ich sie vor Jahren über Klages Jugenddengüsse gehabt haben kann, in Obigem kaum zu erkennen sein dürfte &

Gestatten Sie den Ausdruck meiner Ueberzeugung, dass die Zukunft alle Misshelligkeiten zwischen uns ausschliessen würde

In Verehrung und Ergebenheit:

Ihr Alfred Schuler

SEIN BILDNIS
UM DIE LEBENSMITTE

Profil nach rechts um 1898

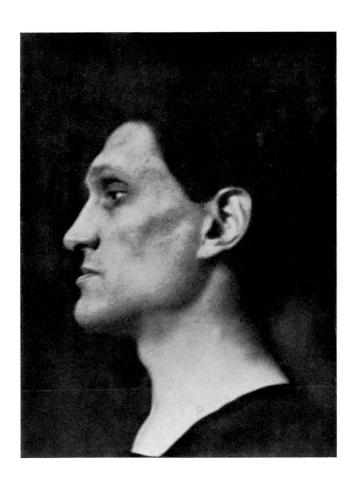

Stoeving-Bild

In der Fensternische Bingen um 1899

Mit dem Petrarca Bingen um 1899

Fast Profil nach rechts um 1899

Brustbild stehend   nach links um 1899

Profil der Dichter-Tafel

Kopf mit geschlossenen Augen

Im Schreibtischstuhl des Binger Zimmers um 1899

Brustbild mit der Hand auf dem Buch um 1903

nel mezzo del cammin

Titelbild im Jahr der Seele

Dichter-Tafel aus den Blättern für die Kunst

ANTIKES FEST UND DICHTERZUG

Nike Caesar und Magna Mater

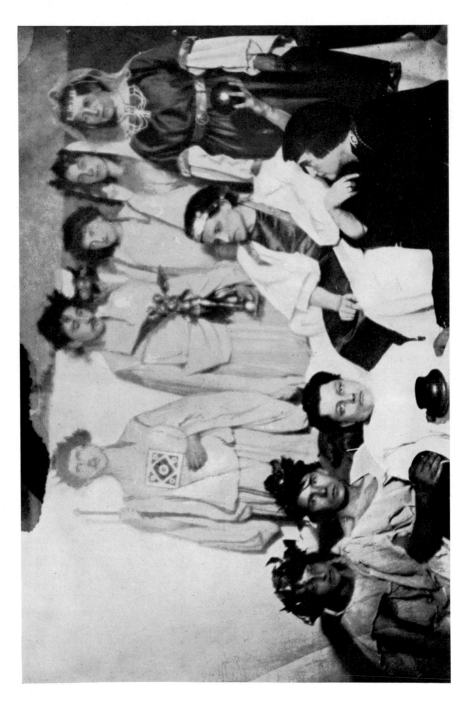

Antikes Fest München 1903

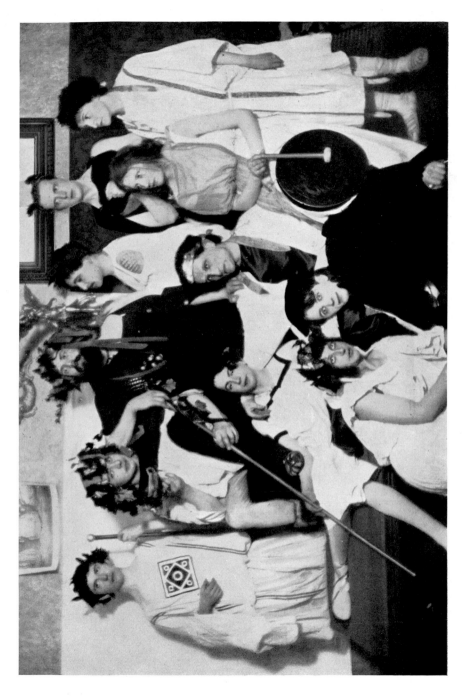

George als Caesar   Wolfskehl als Bacchus

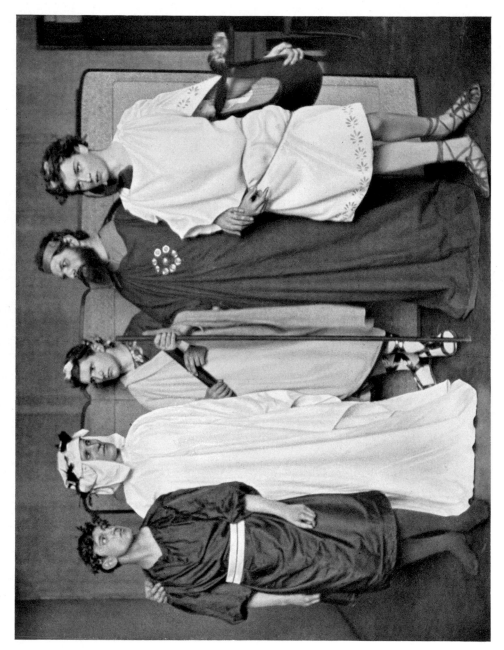

George als Dante   Wolfskehl als Homer   München 1904

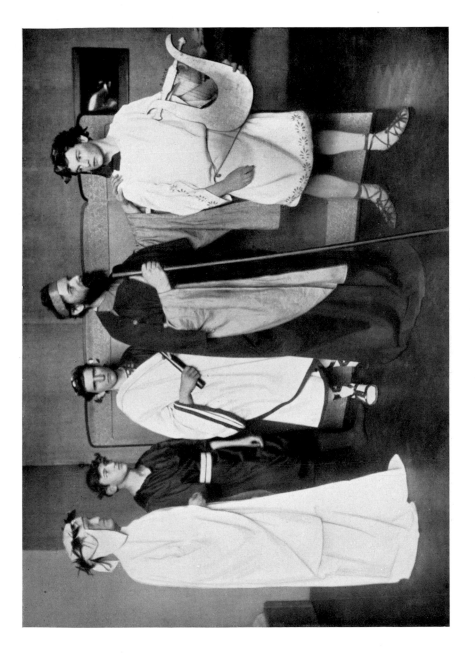

Dichterzug   München 1904

Weiss im Haar 1904

JÜNGERE FREUNDE

Isenfluh

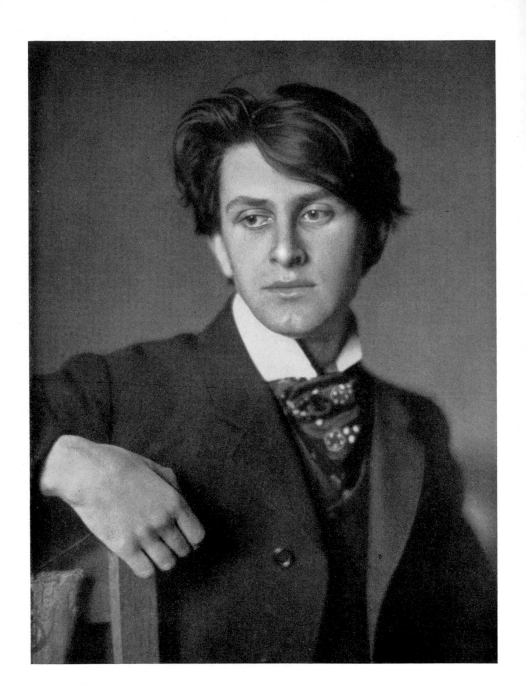

Friedrich Gundolf   Jugendbild

Friedrich Wolters und Berthold Vallentin 1910

Friedrich Gundolf 1904 und etwa 1925

Berthold Vallentin

Friedrich Wolters

Friedrich Wolters

Norbert von Hellingrath

Paul Thiersch

Kurt Hildebrandt

Heinrich Friedemann

Ernst Morwitz

Saladin Schmitt

Ernst Gundolf

rechts Walter Wenghöfer

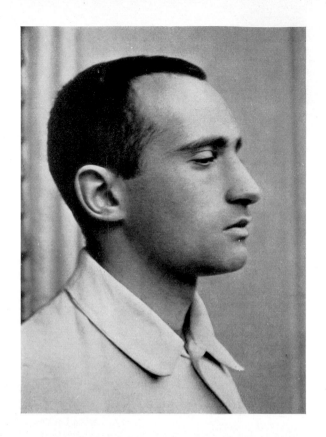

Ernst Morwitz und Bernhard von Bothmer

Ernst Morwitz

Julius und Edith Landmann

links Georg Peter Landmann   Der Ungenannte

Rudolf Burckhardt

Ernst Gundolf

Hans Oettinger

Hans Brasch

rechts Josef Liegle

Ernst Glöckner

Ludwig Thormaehlen   unten mit Erich Boehringer

Ludwig Thormaehlen

Camogli   Bucht und Hafen

Camogli   Kirche und Ölwald

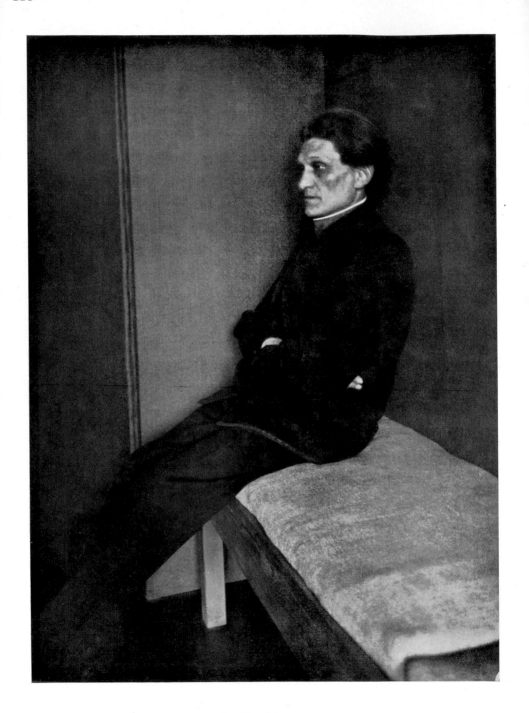

Im Kugelzimmer

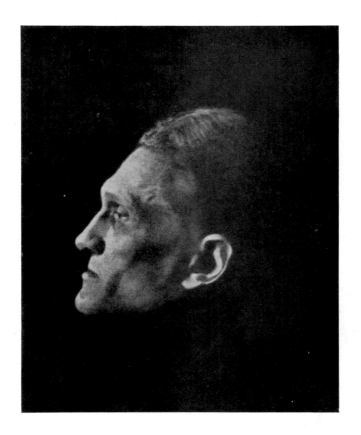

In Simmels Bibliothek 1911

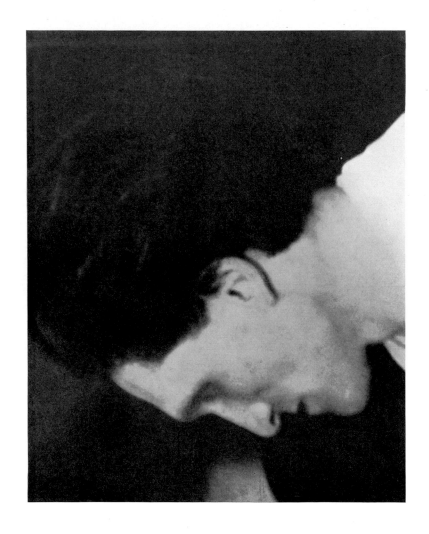

Von einer Gruppe

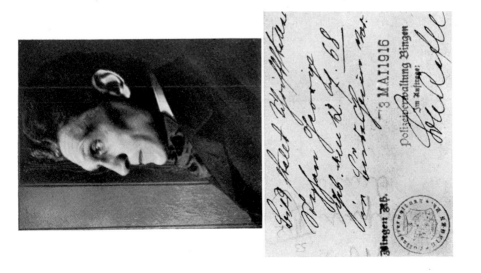

Passbild 1907 und Halbfigur 1914

42jährig Berlin 1910

Zurückgelehnt Berlin 1910

72

BUCH IV

DIDO

DIDO UND ANNA

Aber die Königin, längst schon tief ~~von Liebe~~ verwundet,
nährt mit den Adern das Weh und verzehrt sich in heimlichem Brande.
Immer kehrt wieder des Helden Mut, kehrt wieder die Hoheit
seines Geschlechts; sein Gesicht, seine Worte, versenkt in den Busen,
haften dort. Qual versagt ihren Gliedern die friedliche Ruhe.
Schon ~~hat hinweg~~gescheucht vom Gewölb die Schatten Aurora
und umschimmert neu mit ~~den~~ Phöbus Leuchte den Erdkreis,
als sie verstört ~~ihre~~ die Schwester, die herzenseinige, anspricht:

»Anna, Schwester, wie bin ich so bang und von Träumen geängstigt!
Was schritt da für ein seltsamer Gast über unsere Schwelle!
Wie sein Antlitz erstrahlt! Wie ist tapfer dies Herz und die Taten!
Ja, mir däucht, und es ist auch kein Wahn, er sei göttlichen Stammes!
Niedrige Seelen verrät ihre Zagheit. O welche Geschicke
treiben mit ihm ihr Spiel! Von welch furchtbaren Kriegen erzählt er!
Säße es nicht so tief und unverrückt mir im Herzen,
keinem Manne mich je zu vereinen im Bund der Vermählung,
seit mich mit grausamem Tod meine erste Liebe getrogen;
wären mir nicht vergällt das Hochzeitsgemach und die Fackeln,
könnte ich noch vielleicht dieser einzigen Schwäche erliegen.
Anna, ich will es gestehn: nach dem Tod des armen Sychäus,
meines Gemahls, nach des Bruders Tat und dem Blutbad des Hauses,
wendete Er allein mir den Sinn und machte das Herz mir
wankend: Ich kenne sie wohl, die Zeichen der einstigen Flamme.
~~Lieber~~ Eher jedoch soll sich auftun vor mir die unterste Erde,
soll der allmächtige Vater hinab zu den Schatten mich donnern,
Schatten des Erebus, nächtig und fahl, und ins düstere Dunkel,
eh ich dich kränke, o Scham, und deine Rechte entbinde.
Er, der zuerst mich an sich schloss, nahm all meine Liebe
mit sich: er soll sie besitzen stets und bewahren im Grabe.«

Aus Josef Liegles Übertragung der Aeneis eine Seite der Handschrift

VOM ERSTEN WELTKRIEG
BIS MINUSIO

Vor Holztäfelung 1917/18

Profil nach links mit gesenktem Blick

Die Brüder Gundolf   Ernst Glöckner mit seinen Zöglingen   Ernst Morwitz und Bernhard von Uxkull

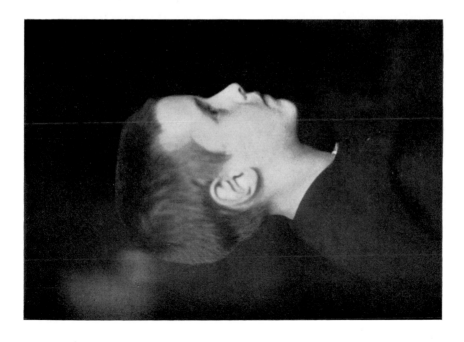

Erich Boehringer

Adalbert Cohrs und Bernhard von Uskull

Adalbert Cohrs und Bernhard von Uxkull 1918

Der Sechzigjährige

und die augen drehten
Sich nur als wären sie vom leu der ruhte

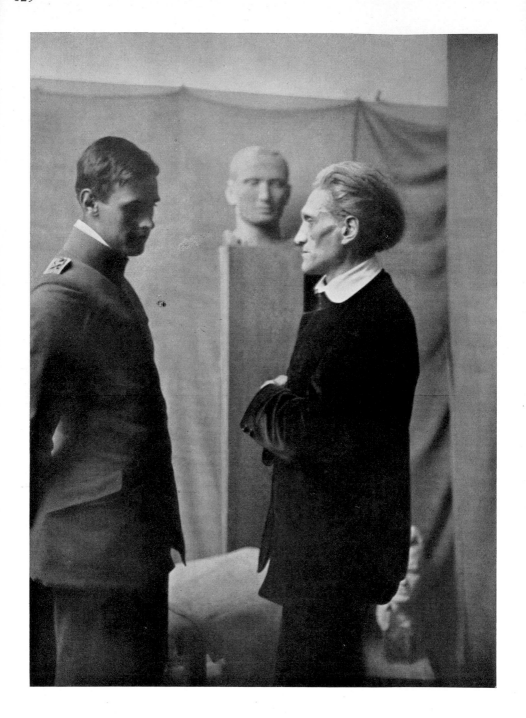

Winter 1917/18

Auf der Treppe   Heidelberg   Pfingsten 1919

In der Halle Heidelberg Pfingsten 1919

Marburg um 1922 im Garten von Wolters

Wilhelm Stein

Michael Stettler

Der Bildhauer Alexander Zschokke

Ernst Kantorowicz Woldemar von Uxkull Percy Gothein

Die drei Freunde Max Kommerell Johann Anton und Ewald Volhard

Winter 1917/18

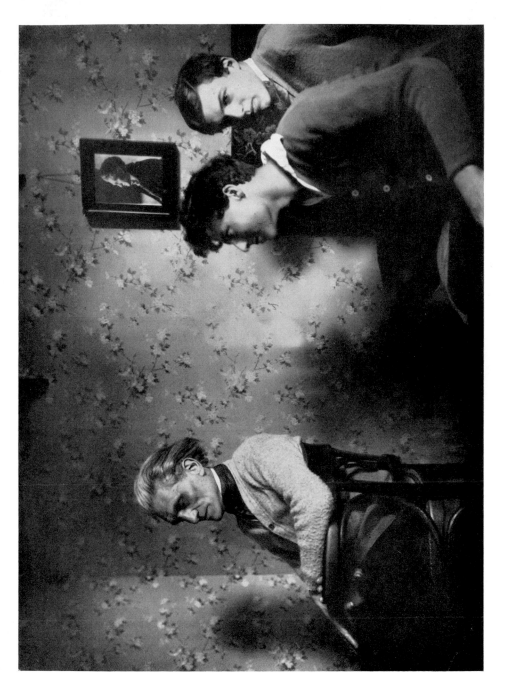

Im Pförtnerhaus

Die Brüder Stauffenberg auf der Terrasse des alten Schlosses in Stuttgart 1915

Berthold von Stauffenberg 18jährig

Claus von Stauffenberg

Claus von Stauffenberg etwa 1929 im Atelier

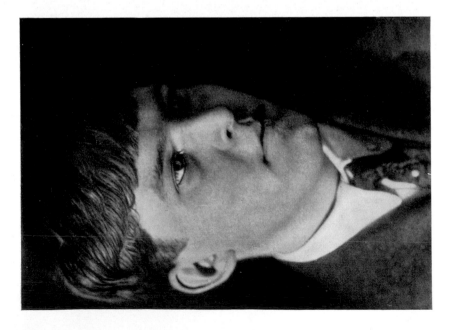

Alexander von Stauffenberg

Albrecht von Blumenthal

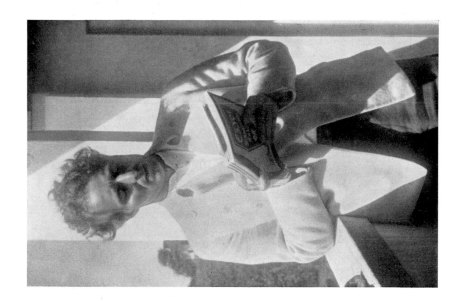

Rudolf Fahrner

Im Grunewald 1924/25

Vor der blumigen Tapete

Vom Bildhauer aufgenommen

In der Wollweste   Molino 1931/32

Profil mit der Schläfenader

Statt offner gemeine sing ich Gesang !
So spielt von ertraulichen händen.
Wie zum versuche berührt, eine saite
Von anfang. Aber freudig ernster neigt
Bald über die harfe der Meister
Das haupt und. die Töne, soviel deren sind.
Bereiten sich ihm und werden geflügelt
Und zusammen tönet es unter dem schlage
Des Weckenden und voll wie aus meeren schwang
Unendlich sich in der lüfte die wolge des wollauts.

Hölderlin: Der Mutter Erde   Abschrift Georges

meist

Das in einmsten lief
Wie kann dies Volk ersehen?
Der edle wie vann besehen
Rings nur nachbarn offen manche
Spahend uns ein weites Stück
Aus ziehen aus unsen. flunich
Und wir helfen fern noch nah?

Weh der feind sein in selbst
Colende stocken quelle fülle

Bundzenos des vermehrsel

Js dhenkt was ein vermisht
Hat bestehen dan noch sein?

Fallen wir wo sie auch ost
Risser in der lacen schlecht

Was ich noch sinne und was ich noch füge . . .

MINUSIO

154

Der Molino dell'Orso

Nach dem Tee im Molino   Winter 1931/32

Eingang zum Molino und oberer Garten

Vor der oberen Gartenpforte des Molino   Winter 1931/32

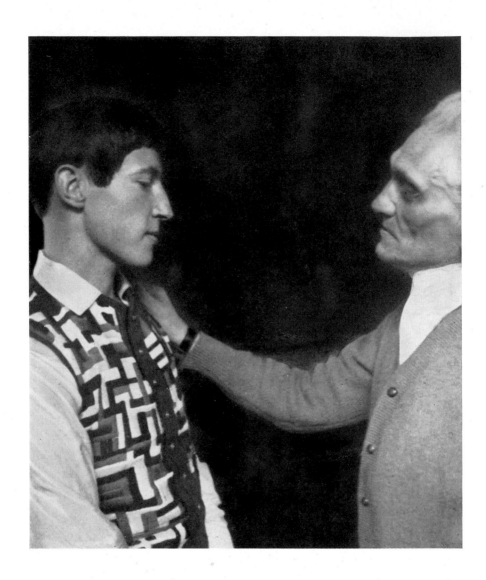

Poloniusbild

Vor Tisch im Molino   Winter 1931/32

Auf der Terrasse des Molino

In Nymphenburg mit Cajo und Frank   Sommer 1933

Am Gartenzaun

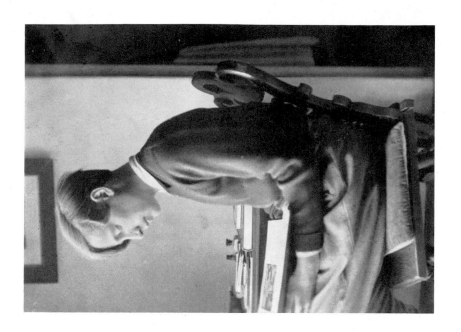

Frank und Cajo

Am Schreibtisch im Molino   Frühjahr 1932

Auf dem Weg oberhalb des Molino

Vor einem blühenden Busch des Molino-Gartens

Zum letztenmal durchs Hoftor

Minusio

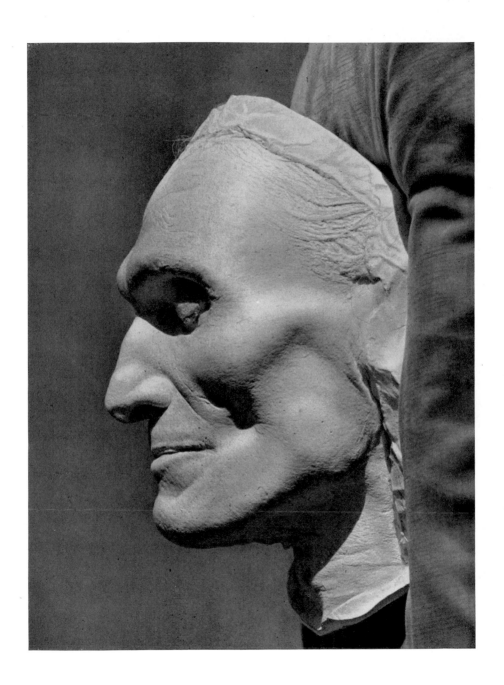

VERZEICHNIS DER TAFELN

175 Tafeln mit 268 Bildern. Die Seitenangaben verweisen auf den Text

Der Verfasser ist dankbar für Ergänzungen und Berichtigungen